Quálitas

Visión de México y sus Artistas

Quálitas Compañía de Seguros

Promoción de Arte Mexicano

Visión de México y sus Artistas

Paralelismos en la Plástica de los Siglos XIX y XXI

Tomo IV

Lupina Lara Elizondo

Dirección Editorial · *Editorial Director*
Lupina Lara Elizondo
Promoción de Arte Mexicano

Textos · *Texts*
Federico Reyes Heroles
Elisa García Barragán
Lupina Lara Elizondo

Corrección de textos · *Editing*
Male Correa de Cortina

Traducción · *Translation*
Trena Brown

Diseño · *Design*
Fernanda Ogarrio Compeán

Fotógrafo principal · *Head photographer*
Guillermo Montesinos

Fotógrafos · *Photographers*
Carlos Alcázar, Bernardo Arcos Mijailidis, Laura Castañeda, Andrés Cisneros Azpeitia, Rogelio Cuéllar, Javier Hinojosa, Graciela Iturbide, Francisco Kochen, David Maahuad, Juan José Márquez, Roberto Ortiz Giacomán, Marco Antonio Pacheco, Arturo Piera López, Marcela Taboada, Jesús Sánchez Uribe.

La presente edición ha sido posible
gracias al patrocinio de:
This edition has been sponsored by:
Quálitas Compañía de Seguros, S.A. de C.V.
José Ma. Castorena # 426
Cuajimalpa, 05200, México, D.F.

Primera edición, México, 2003

Impreso y hecho en México
Printed and made in Mexico
ISBN 968-5005-74-5

páginas 10-11
Maestros de la Academia de San Carlos, finales del siglo XIX
José S. Pina, Antonio Torres, Yalcerreca y Comonfort, Román S. de Lascuraint, Santiago Rebull, Luis S. Campa, José Ma. Velasco, Miguel Portillo, Ramón Agea, Cayetano Ocampo, Joaquín Ramírez, Félix Parra, Agustín Barragán, Leandro Izaguirre, entre otros.

páginas 16-17
Matilde Zúñiga
Cuadro de comedor
Oleo sobre tela, 80.5 x 98 cm.
Museo Felipe S. Gutiérrez
Instituto Mexiquense de Cultura

páginas 34-35
Elena Climent
Tienda de abarrotes, 1992
Oleo sobre tela, 101.6 x 127 cm.
Colección Particular

página 38
José Agustín Arrieta
El costeño, 1874
Oleo sobre tela, 91 x 71 cm.
Colección Particular

Contenido

Table of Contents

Artistas Plásticos,
Siglo XXI

Javier Cruz

Agustín Castro

Elena Climent

Maximino Javier

Nicolás de Jesús

Armando Jiménez

Guillermo López Beltrán

Enrique Sánchez

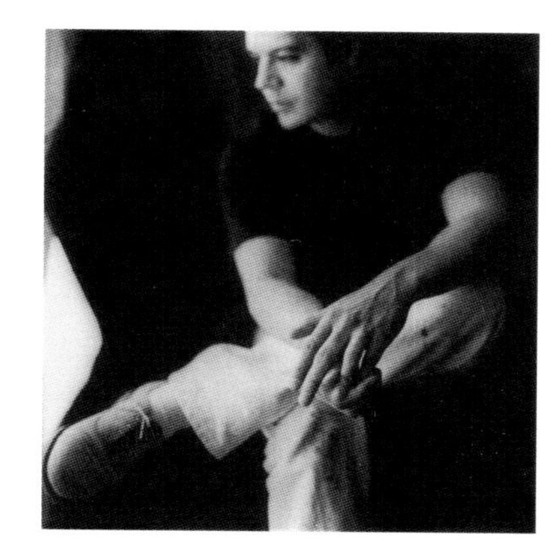

Roberto Cortázar

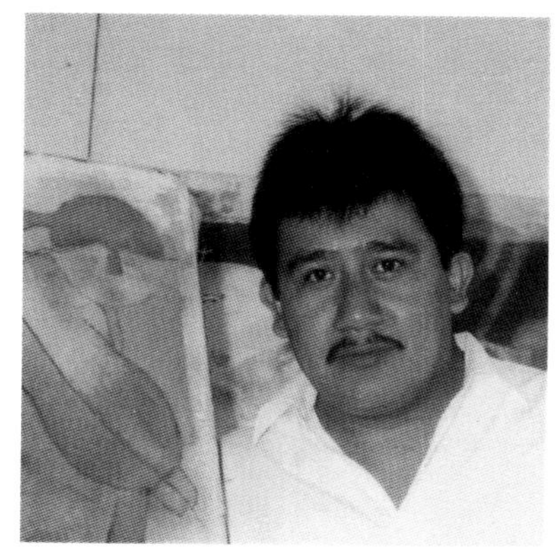

Rolando Rojas

Quálitas Compañía de Seguros

Joaquín Brockmann

A través de la historia de México nos encontramos con aquellos acontecimientos que explican nuestro pasado y nos permiten comprender el presente. En particular, los eventos registrados a lo largo del siglo XIX nos ofrecen una visión de la formación de nuestro país como nación independiente. Fueron tiempos difíciles en los que México pagó el precio de formar un gobierno independiente, de estructurar sus instituciones y de asentar las bases de su progreso. Este proceso de búsqueda de la libertad, nos llevó a encontrar una identidad cimentada en el descubrimiento de nuestro gran pasado histórico. Así surge en este período una cultura propia, una cultura mexicana.

Difícilmente podríamos analizar separadamente el arte y la historia. Ambos temas van construyéndose de manera entrelazada a lo largo del tiempo, nutriéndose el uno del otro. Y en el caso de las artes plásticas, los pintores registran la historia, narrando con colores la visión de un tiempo: sus acontecimientos, sus costumbres, el paisaje, sus personajes y la naturaleza.

Esta rica visión de nuestro pasado histórico y artístico es la que Quálitas Compañía de Seguros desea compartir con ustedes, a través de las páginas de: *Visión de México y sus Artistas, Tomo IV: "Paralelismos en la plástica mexicana de los siglos XIX y XXI"*. Este libro nos muestra que el pasado siempre crea un puente hacia el presente, alimentándolo y dándole firmeza. Así nuestra empresa está comprometida a crear el mejor presente posible, para que éste a su vez se convierta en un soporte resistente en el que se puedan apoyar las futuras generaciones.

El objetivo de Quálitas Compañía de Seguros en esta tarea editorial, es acercar el arte y la historia a nuestra vida cotidiana, compartiendo la gran riqueza que los creadores mexicanos nos ofrecen.

Lic. Joaquín Brockmann L.
Presidente del Consejo de Administración

Introducción

Introduction

El pintor mexicano lo es de nación, de nacimiento. Nace, no se hace. Desciende del tlacuilo que era a un tiempo cuitlapique, es decir, cantor y pintor. Bernal Díaz del Castillo habla con elogio y asombro de las pinturas mexicanas con las que los conquistadores se encontraron a la caída de la gran Tenochtitlán. Refiere en su *Verdadera historia de los sucesos de la Conquista de Nueva España,* que Moctezuma envió a sus tlacuilos a Veracruz para que pintaran a los españoles, sus indumentarias, sus caballos, sus embarcaciones. Y los trasladaron al lienzo con gran exactitud y belleza. Los caballos con sus marcas y los arreos de una exactitud que no anulaba la invención y el rasgo, trazo, pinceladas, que el creador siempre agregó al modelo. Siempre sorprendió que un pintor lo fuera desde que por primera vez tenía en las manos un pincel y una paleta. Un caso viene a la memoria, como podrían venir otros, es el de Abraham Angel Card, muerto muy joven, cuando apenas pasaba de capullo a rosa abierta. El retrato de su maestro, Manuel Rodríguez Lozano, por ejemplo, es obra de pintor acabado, con ser el primero que pintó.

Lupina Lara Elizondo, como directora de Promoción de Arte Mexicano, con el apoyo de Joaquín Brockmann, presidente de Quálitas Compañía de Seguros, nos presenta el cuarto libro de *Visión de México y sus Artistas.* Tras de ofrecer una breve referencia crítica de los artistas nacidos de los siglos XIX y XXI, que si de la misma familia, estirpe, raza tiene cada uno rasgo distintivo.

No hay pueblo mexicano que no haya dado al arte el pintor que lo define y lo desentrañe, que eso es lo que siempre han hecho los pintores, los poetas, los artistas todos: cómo somos en lo más recóndito de nuestro ser.

Visión de México y sus Artistas, cumple con la tarea de hacer un corte de caja, digamos, de la pintura mexicana de nuestros días, pero que prolonga y remite al viejo genio pictórico de México. Una tarea es la de Promoción de Arte Mexicano y Quálitas Compañía de Seguros, que se cumple a su tiempo, cuando una nueva era se inicia sin contradicción de la historia y tradiciones del genio pictórico mexicano.

Lupina Lara Elizondo, trabajó arduamente en la preparación de este cuarto Tomo de *Visión de México y sus Artistas*; obra que con todo fundamento esperamos tan excelente y bien cumplida como las anteriores, y que motivan estas breves líneas. México, al que todos nos debemos, espera alerta y está pendiente de que los próximos títulos contengan las mismas excelencias de las que aquí hemos aludido.

MAESTRO ANDRÉS HENESTROSA
Lunes 28 de julio del 2003

PÁGINAS 20-21
Entrada al Paseo de la Reforma,
al fondo el Castillo de Chapultepec,
México, D.F.
Fototeca Nacional del INAH, Fondo Casasola

CAPÍTULO UNO

CHAPTER ONE

Torbellino de identidades siglo XIX

Whirlwind of Identities 19th Century

Federico Reyes Heroles

Casimiro Castro
Fuente de Salto del Agua,
México y sus alrededores, lámina no. 1
Litografía polícroma iluminada, 33.2 x 23 cm.
Colección Particular

CAPÍTULO UNO

CHAPTER ONE

Federico Reyes Heroles

IDENTIDAD DICEN ALGUNOS, ESO QUE SE PUEDE PERDER EN CUALQUIER MOMENTO, ESO QUE SE desvanece y es irrecuperable. Identidad dicen otros, eso que tenemos tan arraigado que nadie nos lo puede arrancar, es lo esencial de nuestro ser, somos hoy y seguiremos siendo en un "continuum" invencible. Los autores se nos arrojan a la cabeza: "La frecuencia de las manifestaciones patrióticas individuales y colectivas –es Samuel Ramos el que habla– es un símbolo de que el mexicano está inseguro del valor de su nacionalidad". Vayamos por partes, patriotismo y nacionalismo nada tienen que ver. La combinación de patriotas o patrioteros, pero no nacionalistas, es posible. Segundo, lo patriotero sólo puede sustituir falsamente al carácter verdaderamente nacionalista. Ramos levanta esa voz: ¡cuidado!, nos advierte.

Patriotero el tequila y los mariachis por decreto. Pero entonces, ¿qué supone ser nacionalista? ¿Acaso ir el 21 de marzo a recibir el baño de sol del equinoccio en Teotihuacan? De Quetzalcóatl a Pepsicóatl ha escrito Carlos Fuentes en un provocador libro de los años setenta: "...al tiempo mítico del indígena se sobrepone el tiempo del calendario occidental, tiempo del progreso, tiempo lineal". Para Fuentes, el asunto de la identidad es el de la yuxtaposición, contraposición de los tiempos. Los dioses, esas divinidades que sustituimos, pero nunca cancelamos, parecieran regocijarse en sus furias pasajeras al desordenar los tiempos de los mortales. Peor aún, nos pueden llevar a la "peripetia", ese infortunio o fortuna de pasar súbitamente de la gloria a la persecución, de la pequeñez a la grandeza, o viceversa.

Todo puede ocurrir para nuestra angustia muy particular. Eso, a los mexicanos, nos llega directo al alma, pues ¿qué fue de nuestras grandes culturas, de las cuales nunca nos cansamos de vanagloriarnos? *México: Esplendores de treinta siglos,* fue el título de la exposición oficial que recorrió el mundo. Comenzaba quizá en Cuicuilco y terminaba con Tamayo; en medio, los altares coloniales, o Acolman, también Monte Albán y caritas sonrientes. Pero esas grandezas, esos momentos de esplendor no están entrelazados. Amaneceres inolvidables, seguidos de periodos de oscuridad total e innegable. ¿Qué fue de los grandes imperios del pasado? ¿Cómo explicar la desaparición del mundo maya? Algo, mucho, hicimos mal. La continuidad y acumulación, proceso típico de Occidente, aquí se quebró y se sigue quebrando.

A la entrada del Museo Amparo, en Puebla, hay un demoledor recorrido cronológico comparativo entre lo que ocurrió en el territorio de lo que hoy es este México, onceava economía del mundo, por momentos, y lo que hacían en otras latitudes. Lo dramático de ese cuadro es

Identity, say some, is what can be lost at any time, what fades away and is unrecoverable. Identity, say others, is so deeply rooted that no one can wrench it from us: it is the essence of our being; we are and shall remain an invincible continuum. Authors aim at our heads: "The frequency of individual and collective patriotic manifestations," (the speaker is Samuel Ramos) "is a symbol of the Mexican's insecurity about the value of his nationality." Let us go by parts—patriotism and nationalism are completely unrelated. The combination of patriots or the exaggeratedly patriotic with an absence of nationalism is possible. Second, being exaggeratedly patriotic is simply a false substitution for a true nationalistic character. Ramos raises his voice: "Be careful," he warns. Exaggeratedly patriotic by decree: tequila and mariachis. But then, what does being nationalistic entail? Perhaps visiting Teotihuacan on March 21 to take an equinoctial sun bath? The transition from Quetzalcóatl to Pepsico-atl was described by Carlos Fuentes in a provocative book of the 1970s: "...the mythical time of the Indian is overlaid with the time of the Occidental calendar, time of progress, linear time." For Fuentes, identity is juxtaposition, the contraposition of time. The deities, those divinities we replace but never annul, seem to gloat on passing fury by disarranging the time of mortals. Worse yet, they can lead us to peripety—that misfortune or fortune of passing suddenly from glory to persecution, from smallness to grandeur or vice versa.
Anything can happen, to the benefit of our very unique anxiety. And as Mexicans, our souls are touched directly—for what became of our great cultures, of which we never tire of boasting? Mexico: Splendors of Thirty Centuries was the name of the official exhibition that toured the world. It most likely began in Cuicuilco and ended with Tamayo, with colonial altars, or Acolman, and Monte Albán and smiling faces in the middle. But that grandeur, those splendors are not interlaced. Unforgettable sunrises, followed by periods of total and undeniable darkness. What became of the great empires of the past? How is the disappearance of the Mayan world explained? Something, much, we did wrong. The process of continuity and accumulation, typical in the West, was fractured here and is still being fractured.

que nuestros orgullos del año mil antes de Cristo, en capacidad tecnológica, observación de la cúpula celeste, arquitectura, medicina (trepanaciones), que quizá sólo eran comparables con los despliegues de China o Egipto, lenta, pero sistemáticamente, se van empequeñeciendo. Las comparaciones siempre son odiosas, más aún cuando compara uno la Florencia renacentista, el Palacio de los Uffizi, por ejemplo, o las propuestas de Leonardo, con lo que ocurría en Tenochtitlan a la llegada de los conquistadores. Fuentes habla de esa confrontación dolorosa con Occidente. No nos duele lo que ocurría allá, sino lo que dejó de ocurrir aquí. Pone el dedo en la llaga: "Grecia era una sociedad abierta y el mundo indígena mexicano una sociedad cerrada". La construcción mítica de nuestra identidad, siempre ha supuesto una búsqueda introspectiva, lo que debemos ser ya lo fuimos pero mejor, de alguna manera ya lo llevamos dentro. El reconocimiento de los logros de los otros ha sido para los mexicanos uno de los expedientes más difíciles de digerir. Será por el trauma de la Conquista, será por los trescientos años de la Colonia, será por la relación con los Estados Unidos, por lo que se quiera, pero ¡qué difícil es ser sólo uno mismo!

Hay por allí un rasgo de búsqueda de pureza muy preocupante. La pureza nunca ha conducido a buen puerto, no es una buena estrella a seguir. La pureza, como concepto cultural es, en primer lugar, inexistente; en segundo, no deseable. Henry Moore ostenta sus influencias culturales, entre ellas, el Chac-Mool. Chillida es la confluencia de ríos grandiosos y que tienen que ver con la tierra que lo vio nacer, con aquella en la cual se formó, el país vasco, pero sería ciego decir que su obra es preeminentemente vasca. La cultura viva sólo puede ser orgullosamente impura, cruzada por mil influencias.

En la política no ha sido diferente. Nuestra historia constitucional es hija, nieta, de la Constitución francesa, de la estadounidense, pero siempre hemos querido decir con orgullo que fue la primera constitución social del siglo XX. Los primeros en todo: como axioma de trabajo, como ambición inalcanzable; irrealidad como demagogia, no sólo oficial y burocratizada, sino como acto de convivencia. ¿Quién engaña a quién?, se preguntó Octavio Paz: "...hasta qué punto el mentiroso de veras miente, de veras se propone engañar. ¿No es él la primera víctima de sus engaños y no es a sí mismo a quien engaña?" El tema viene de Juan Ruiz de Alarcón, y llega a Usigli con *El gesticulador*. El complejo problema de "nuestra identidad" cruza por allí. ¿Cuál identidad?

O quizá el problema comienza precisamente por el singular: ¿una identidad? La mitología se nos viene encima y nos agobia, nos asfixia. La "Raza de Bronce" es la fusión idílica de las dos sangres originales que tratamos de oficializar como versión, llevándola incluso al lema de la Universidad Nacional: "Por mi raza hablará el espíritu". ¿Cuál raza? Recordemos que fue el propio Vasconcelos el que habló de la "raza cósmica". Hay allí una negación de los orígenes diversos. Poco tenía que ver el mundo olmeca con los tarascos, por poner un ejemplo y, sin embargo, la obsesión de una fragua del pasado lo hermana todo en el "mundo indígena". De verdad, ¿nuestro pasado indígena es uno?

Ese pasado unificado en la mitología popular, esa negación obcecada, debe dar vida a un mito fundacional, el encuentro con lo español; encuentro, que no confrontación, con otro mito unificador: "lo español". España misma nace del reconocimiento de la diversidad. Iberia es en sí misma un lugar de encuentro de lo árabe, lo judío sefardí, lo catalán, lo gallego, etc., etc., etc. Pero no compliquemos demasiado las cosas. La complejidad aturde y la demagogia demanda cierto grado de simplismo interpretativo. Dos sangres, la india y la española, que se funden en una nueva. Esa es la propuesta simple, simplista y muy funcional, que se asentó como mito de nuestro origen. Identidad es mirar selectivamente hacia el pasado: "por favor, no ver todo", porque entonces el singular no operaría. Nuestra incapacidad de digerir al otro, lo distinto, es monstruosa. Por eso, Hernán Cortés no tiene un monumento –"¿Cómo va a ser?"–, aunque no podamos explicar cabalmente nuestro pasado. Por eso, los restos de Porfirio Díaz tienen que descansar en París, aunque circulemos orgullosos por el Paseo de la Reforma y la mayor ambición de algunos sea vivir en una casona porfiriana y afrancesada.

Merodea un esencialismo "cultural", una ontología de lo mexicano, sea esto lo que sea, que ya don Edmundo O'Gorman se encargó de denunciar en un texto que incomodó de tal manera que de hecho desapareció de los mercados. Me refiero a *México: el trauma de su historia*. Ser los otros, o mejor dicho, ser también en los otros, es algo que no termina por asentarse en México. Lo increíble del caso es que, para cualquiera que nos visita, así sea virtualmente, el asunto le resulta bastante esquizofrénico.

At the entrance to the Amparo museum in Puebla, there is a demolishing chronological comparison between events in what today is Mexico, at times the world's eleventh economy, and events at other latitudes. The drama of this chart is that our accomplishments of 1000 BC, in technological ability, astronomical observation, architecture, medicine (trephination)—perhaps comparable only to developments in China or Egypt—slowly but systematically shrink over time. Comparisons are always odious, especially when Renaissance Florence, the Palazzo degli Uffizi, for example, or the proposals of da Vinci are compared with what was occurring in Tenochtitlan on the arrival of the Spanish conquistadors. Sources refer to that painful confrontation with the West. We are not hurt by what was happening on the other side, but by what stopped happening on our side. Salt is poured on the wound: "Greece was an open society and the Mexican indigenous world was a closed society." The mythical construction of our identity has always assumed an introspective search—what we should be is what we were already, but better—which we somehow carry inside us. The recognition of the achievements of others has been one of the most bitter pills for Mexicans to take. Whether because of the trauma of the Conquest, the three hundred years of colonial rule, the relationship with the United States, or whatever the reason may be, how difficult it is to be one's self!

A very worrisome habit of searching for purity is known to exist. Purity has never led to anything good, and is not a good star to follow. As a cultural concept, purity, in the first place is nonexistent; in second place, undesirable. Henry Moore flaunts his cultural influences, which include the chac mool. Chillida is the confluence of grandiose rivers that have to do with the land of his birth, with the land that witnessed his growth—the Basque Country—but it would be unthinking to say that his work is preeminently Basque. Live culture can be nothing more than proudly impure, crossed by a thousand influences. Politics have not been different. Our constitutional history is the daughter, granddaughter, of the French and the United States Constitutions, but we have always wanted to say with pride that it was the first social constitution of the 20th century. The first in everything: as an axiom of work, as an unattainable ambition; unreal like demagoguery, not only official and bureaucratic, but also interactive. Who deceives whom? Octavio Paz posed the question: "...up to what point does the liar truly lie, truly propose deception? Is he not the first victim of his deceit and does he not deceive himself?" The topic comes from Juan Ruiz de Alarcón, and reaches Usigli in El gesticulador. The complex problem of "our identity" is to be found there. Which identity?

Or perhaps the problem begins precisely with the singular: an identity? Mythology descends upon us and fatigues us, asphyxiates us. The "Bronze Race" is the idyllic fusion of two original bloodlines that we attempt to make the official version, and even use as the motto of the Universidad Nacional: Por mi raza hablará el espíritu ("Through my race the spirit will speak.") Which race? Let us recall that it was Vasconcelos himself who spoke of the "cosmic race." A negation of diverse origins is implied. The Olmec world has little to do with the Tarascans, for example, yet the obsession to meld the past packages them all into the "indigenous world." Is our indigenous past truly one?

That unified past of popular mythology, that blind negation, must give life to a foundational myth, the encounter with Spain—an encounter, not a confrontation, with another unifying myth of "what is Spanish." Spain itself was born from the recognition of diversity. The Iberian Peninsula is the place of encounter of Arabs, Sephardim, Catalonians, Galicians, etc., etc., etc.. But let us not overcomplicate things. Complexity is perturbing and demagoguery demands a certain degree of interpretative simplism. Two bloodlines, Indian and Spanish, that are fused into a new blood. That is the simple proposal, simplistic and very functional, that was established as the myth of our origins. Identity is to look selectively towards the past, but "please, don't see everything" because then the singular would not operate. Our inability to digest the Other, the different, is monstrous. For this reason, there is no monument to Hernán Cortés: "Impossible!" Even though we are unable to explain fully our past. For this reason, the mortal remains of Porfirio Díaz must rest in Paris, although we move with pride down the Paseo de la Reforma and the greatest ambition of some is to live in a house built in the French style during Porfirio's times.

A "cultural" essentialism is on the loose, an ontology of what is Mexican, whatever that may be, which was already denounced by Edmundo O'Gorman in a book so disturbing that it disappeared from the shelves. I am referring to México: el trauma de su historia. Being the Other, or more properly expressed, also being in the Other, is something that has not yet been completely accepted in Mexico. What is incredible about the case is that any visitor, even in virtual form, finds the matter quite schizophrenic.

Let us imagine an instantaneous traveler, for example, a Swede who lands without any jet lag whatsoever in Tijuana. It is seven in the evening, and the city is coming alive in that other form of being: nocturnal. The heat is dying down and the neon lights are starting to appear. The trumpets of mariachi players can be heard in the distance. Incidentally, the origin of the word, "mariachi," has been widely discussed. From the French, mariage, say some; from the Italian. In any case, it remains clear that purity is not its strength. Quite the opposite: the word is a

Imaginemos un viajero instantáneo, por ejemplo, un sueco que aterriza sin *jet lag* alguno en Tijuana. Son las siete de la noche. La ciudad comienza a vivir en esa otra forma de ser: la nocturna. El calor va cediendo; las luces de neón se encienden. La trompeta de los mariachis se escucha a lo lejos. Por cierto, el origen mismo del "mariachi" es muy discutido. Del francés *mariage,* dicen algunos; del italiano. En fin, queda claro que la pureza no es su fuerte, sino por el contrario, es muestra notable del sincretismo y, ¡qué importa!, suena igual. Por allí, un "hombrón" güero del *Midwest*, quizá de Chicago, levanta la mano y ratifica enfático su petición de otro tequila. Allí aparece ese México de exportación que tantos dólares trae. "La Bikina" empieza a sonar, pero ¡momento!: las mesas son rústicas, coloniales, clara influencia española. Las palabras en las calles están muchas en inglés y terminan con apóstrofo y una "s": Jaquie's, Tijuana's Grill, etc. La cerveza que toma su compañero, es descendiente de una matriz alemana que se instaló en el país a finales del siglo XIX. El saco blanco que lleva el apresurado y sudoroso mesero, se llama "filipina", y denota su origen. La noche termina en un Howard Johnson, en el cual la operadora no recuerda la clave de larga distancia de la ciudad de México, pero no duda al marcar la de Los Ángeles.

¿Son acaso esos mexicanos menos mexicanos que los del centro o los del sur? O, por el contrario, ¿su capacidad de resistencia y ratificación de lo suyo los hace ejemplo de lo que debiéramos ser? ¿Puro mexicano? Si lo puro mexicano es la consigna, pues entonces tendremos que mirar, y en nuestro afán de pureza iremos terminando con el norte del país, y quizá también con buena parte del centro, porque la modernidad de Aguascalientes o la gran planta de General Motors de Silao, en Guanajuato, ya tampoco son compatibles con ese afán purista. Estamos en problemas, porque sólo la mitificación unificadora de lo indígena acepta la prueba, y ésa está en proceso, si no de extinción, sí de reducción severa. El subcomandante Marcos es el mejor ejemplo de esa contrahechura demagógica. Él sí puede citar a Gramsci o a Sartre para comprender mejor la sabiduría oculta en las frases indígenas. Él sí puede fumar pipa, que no es autóctona, hasta donde sé, y forrarse de *walkie-talkies.* Pero, su misión esencial, es preservar la pureza originaria frente a la amenaza de que los otros, indígenas, dejen de ser miserables.

De rural e indígena a urbano y mestizo, el siglo XX mexicano sacudió las que se pensaban como realidades inimitables. Hoy, casi el setenta por ciento de los empleos están en el sector terciario, los servicios. La disminución de la PEA en el sector primario, básicamente agricultor, impone una realidad que no deja mucho margen a la mitología utilizada por la Revolución para legitimar su carácter popular. Diego Rivera reniega de su escuela francesa, y en lugar de evolucionar hacia lo abstracto, como un proceso lógico que vivieron muchos de sus compañeros de generación, se convierte en el nuevo asidero del nacionalismo. Los murales de la Secretaría de Educación Pública se miran cada día más como una exaltación de un mundo indígena que muy poco tiene que ver con el México de principios del siglo XXI. El esquema de la identidad fija e inmutable entra en crisis.

Las clases de ingresos medios de nuestro país andan en la búsqueda de un sitio estable en el cual se puedan seguir informando con CNN, comprar a precios razonables un buen *CD* de Diana Krall, jazzista canadiense imprescindible. La tensión no podía ser más evidente. La identidad en singular no nos da, en el siglo XXI, margen a maniobra. ¿Cuál es el carácter nacionalista de la arquitectura de Abraham Zabludowsky, o el rasgo mexicanísimo de González de León? Los colores. Sí, los colores de la magnífica obra de Pedro Coronel nos recuerdan algunas de las emociones provocadas por el color de los pueblos mexicanos, pero si algo intentó el zacatecano, es precisamente pisar la tierra universal; baste con visitar su espléndido museo.

Da la impresión de que en "la identidad" ya no cabemos, porque ese cartabón resulta demasiado rígido, estrecho, y su estructura original está viciada. Es un concepto excluyente. Hay un asunto particularmente complicado: el maridaje de religión y nacionalismo. David Brading ha tratado a profundidad el problema del nacimiento del estado-nación mexicano en una severa y pragmática —los calificativos son nuestros— conjunción de intereses entre la Iglesia Católica y el naciente país. Así, "lo indígena", fue una de las fuentes oficiales inquebrantable de lo "verdaderamente nuestro", que nos remite de inmediato a esa, ahora sí, confrontación, por las deidades resistentes, y finalmente a la sustitución por la religión oficial. Pero es allí, en esa historia que se mira remota, donde nace un problema aún no resuelto. Por eso, las visitas del jefe de la Iglesia Católica han generado tensiones. Por eso, la creciente diversidad religiosa no es tema grato. Todos conocemos esa historia: se decapitó la diversidad para sustituirla por el monoteísmo. Pero fue allí donde surgió la madre redentora de los mexicanos como territorio de la exclusividad, la Virgen de Guadalupe. Al amparo de ella se ha hecho y dejado de hacer, de

notable example of syncretism, and... Who cares? It sounds the same. Somewhere a big light-skinned man from the Midwest, perhaps Chicago, lifts his hand emphatically to order another tequila: one of those Mexican exports that bring in so many dollars. The melody of "La Bikina" begins to fill the room, but wait! The tables are rough-hewn, colonial, with clear Spanish influence. Many of the words in the street are in English and end with the possessive's: Jaquie's, Tijuana's Grill, and so on. The beer being served is the offspring of a German brewery established in Mexico in the late 19th century. The white jacket worn by the rushed waiter is called a "filipina," a give-away of its origin. The night ends at a Howard Johnson, where the operator does not remember the long distance code for Mexico City, but has no doubts about how to call Los Angeles.

Are these citizens less Mexican than those who live in the central or southern regions of the country? Or on the contrary, does their ability to resist and ratify their own make them an example of what we should be? Pure Mexican? If pure Mexican is the watch-word, then we shall have to pay attention, and in our zeal for purity we shall have to eliminate north-ern Mexico and perhaps a large part of the center as well: the modernness of Aguascalientes or the large General Motors plant in Silao, Guanajuato, will not be compatible with this purist zeal. We have problems because only the unifying myth of the in-digenous passes the test, and such mythicizing is in danger of extinction, or at least severe reduction. Subcomandante Marcos is the best example of such demagogical falsity. He can cite Gramsci or Sartre to promote understanding of the occult wisdom of in-digenous phrases. He can smoke a pipe, which is not native as far as I know, and stock up on walkie-talkies. But his essential mission is to protect original purity from the possibility of allowing Others, the indigenous, to escape from misery.

From rural and indigenous to urban and mestizo, the 20th century in Mexico jolted those who thought in terms of inimitable realities. Today, almost sev-enty percent of all jobs are in the tertiary sector, in services. The decreased size of the economically ac-tive population in the primary sector, basically in ag-riculture, imposes a reality that does not leave much margin for the mythology utilized by the Revolution to legitimate its popular nature. Diego Rivera denied his French training, and instead of evolving towards the abstract—a logical process experienced by many of his contemporaries—became a bulwark of nation-alism. The murals of the Secretaría de Educación Pública building are increasingly seen as an exalta-tion of an indigenous world that has very little in com-mon with 21st-century Mexico. The idea of a set and unchanging identity is undergoing a crisis.

nuevo con un afán concentrador, de alguna forma centralista. La imagen suplantó al concepto. ¿Cómo compaginar esa historia en nuestros días?

Pero si al México del siglo XXI le ha de ocurrir lo que a otros países que se industrializan y se urbanizan, lo que veremos en los próximos decenios será precisamente una creciente diversidad religiosa. Las expresiones de ello no sólo están en las tristemente tradicionales persecuciones en San Juan Chamula, sino también en Morelos, o en Hidalgo, o Nayarit, o Querétaro, etc., con la entrada de nuevas opciones, que indebidamente son llamadas sectas. Allí vivimos a diario. Traslademos las esencias de O'Gorman al presente: "...no es menos evidente que dada la índole tradicionalista, dogmática, absolutista, y enemiga de novedades del programa ibero, su trasplante sólo podía concebirse con la rigidez de la mera repetición de un modo de ser consagrado como inalterable". Flexibilidad, una visión dinámica, ser y dejar de ser, dialéctica dirían los marxistas, esa capacidad de mirar la vida como un fluido, que recuerda las líneas de *Piedra de sol* de Octavio Paz: "...ser, dejando de ser". Algo hay en la noción estática de identidad que se confronta con la sociedad contemporánea.

Herbert Marcuse se rebelaba frente a la amenaza de la unidimensionalidad del ser humano en la era industrial; peor aún, ahora nos amenaza "el pensamiento único". Pero si algo también queda claro en este inicio de siglo, es la búsqueda por un creciente ámbito de identidad individual. Un ciudadano belga de origen flamenco, que trabaje para una corporación transnacional o multinacional, Mitsubishi por ejemplo, que paga impuestos en Costa Rica, tendrá supongo una noción bastante deslavada de sus deberes para con un nacionalismo que no le permita ser sólo sí mismo.

¿Por qué la televisión multiplica sus opciones? ¿Por qué la exhibición dejó atrás la idea de la gran sala y se reprodujo en muchas pero pequeñas? Porque el comercio busca regresar a la oferta especializada. Todo indica que la modernidad está impulsando vida a un nuevo individualismo, y no en el sentido peyorativo que se le da en nuestras sociedades. Cada quien debe ser capaz de escoger el diseño de su demanda cultural específica e irrepetible. Si alguien quiere mirar cine francés y es apasionado de los cuartetos, pues que le sea posible conseguir ambos productos. Si, en cambio, es apasionado del pensamiento de Habermas o Sloterdijk, pues que haya librerías que se lo ofrezcan, y si además, después de algún concierto desea comer tailandés, pues que encuentre ese servicio.

The middle income groups in our nation are searching for a stable place from which to continue getting their news from CNN, or buying at a reasonable price a good CD by Diana Krall, the essential Canadian jazz musician. The tension could not be more obvious. Identity in the singular form, in the 21st century, does not give us a margin for maneuverability. What is the nationalistic nature of Abraham Zabludowsky's architecture or the Mexican trait of González de León? The colors. Yes, the colors from the magnificent work of Pedro Coronel remind us of some of the emotions provoked by the color of Mexican pueblos, but if this painter from Zacatecas had a purpose, it was precisely to tread on universal ground—easily proven by visiting his splendid museum.
The impression would be that we no longer fit in "identity", because the measure is too rigid, too narrow, and its original structure weakened. It is a concept that excludes. A particularly complicated matter exists: the union of religion and nationalism. David Brading has studied in-depth the problem of the birth of the Mexican nation-state in a severe and pragmatic (adjectives are mine) conjunction of interests between the Catholic church and the nascent country. Thus, "indigenous" was one of the unbendable official sources of what is "truly ours," and which reminds us immediately of that confrontation (yes, now a confrontation) with the resistant deities and finally their replacement by the official religion. But it is there, within that seemingly remote story, where a still unsolved problem was born. As a result, the Pope's visits have generated tensions. As a result, growing religious diversity is not a welcome topic. We all know the story: diversity was decapitated and replaced by monotheism. But at that point the redemptive mother of Mexicans arose as exclusive territory, the Virgin of Guadalupe. Under her protection, acts have been committed and omitted, once again in a zeal that somehow harbors centralism. The image displaced the concept. How can that story be arranged in our days?
But if 21st-century Mexico must undergo the same experiences as other nations that have become industrialized and urbanized, what we shall see in upcoming decades will be precisely a growing diversity of religion. The evidence is not only in the sadly traditional persecutions of San Juan Chamula, but also in Morelos, Hidalgo, Nayarit, or Querétaro, etc., with the introduction of new options, improperly called sects. We live there every day. Let us transfer the essence of O'Gorman to the present: "...it is not less evident that given the traditional, dogmatic, absolutist and change-resistant nature of the Iberian program, its transplantation could be conceived only with the rigidity of simply repeating a sacred as well as unalterable way of being." Flexibility, a dynamic vision, to be and not to be, a dialectic as the Marxists would say, that ability to see life as fluid, a reminder of the lines from Piedra de sol by Octavio Paz: "...being, not being." There is something in the static notion of identity that borders on contemporary society.

La globalización en esto pareciera inexorable. Se podría tomar al *discman* como símbolo de los "objetos nómadas" de los que hablaba Jacques Attali. Es en esa oferta de crecientes posibilidades para diseñar la individualidad cada día con más precisión, que la identidad mítica de los mexicanos se mira como un lastre que puede ahogarnos. O quizá no es así el asunto. Quizá la que está en peligro es ella. ¿Cómo va a ser capaz esta rígida jaula de atrapar el despegue y el vuelo incontenible de millones de mexicanos que con sólo apretar un botón se encuentran de hecho ya viajando por las realidades cambiantes de nuestro mundo? ¿Cómo va a enfrentar ese México de las entelequias de las que habla O'Gorman la fantástica realidad de nuestra frontera norte, donde de hecho, como lo ha señalado Fuentes, ya existe un nuevo país sin fronteras, integrado por el territorio sur de Estados Unidos y nuestras ciudades fronterizas del norte?

Estas son ya las condicionantes de la producción cultural de nuestro país, que no por sentirse miembro de un tratado comercial muy importante tiene ya su futuro definido. Revisemos las cifras, incluso si se llegase a firmar el tratado comercial de toda la América, que nos llevaría a los 650 millones de consumidores. Nuestra porción del mundo se está empequeñeciendo. Como hispanohablantes, podríamos llegar a los 550 millones en un planeta de nueve o diez mil millones. Como territorio poblacional, primero estará el universo de los asiáticos, con alrededor del 60% de la población total. Después vendrán los africanos, con un 20%; de la Patagonia a los hielos del polo, América toda, sólo será el 10% y, finalmente, quedará Europa empequeñecida, con el 8%. Si seguimos en la búsqueda de "lo puro" y seguimos empeñados en entender nuestro ombligo y poco más que eso, cuando levantemos la mirada, habremos, de nuevo, llegado tarde a nuestra cita con la historia. Ese será el campo de juego de nuestra producción cultural.

Herbert Marcuse rebelled against the threat of the single dimensionality of humans in the industrial era; even worse, we are now threatened by "one-track thinking." But if something remains clear at the beginning of this century, it is the search for an enlarged setting of individual identity. A Belgian citizen of Flemish origin who works for a transnational or multinational company, such as Mitsubishi, which pays taxes in Costa Rica, will have, I suppose, a quite faded notion of his duties with regard to a nationalism that does not allow him simply to be himself.

Why does television multiply the options? Why did shows leave behind the idea of a large forum to reproduce themselves in many small forums? Because business wants to return to a specialized supply. All indicates that modernity is infusing life in a new individualism, and not in the pejorative sense attributed by our societies. Each person must be capable of selecting the design of his specific, unique demand. If someone wants to watch French movies and is a fan of quartets, he should be able to obtain both products. If, on the other hand, he is a fan of the thinking of Habermas or Sloterdijk, there should be book stores that offer their writing, and if he wants to eat Thai food after a concert, he should be able to find such a restaurant.

Globalization in this process would seem inexorable. The Discman could be taken as a symbol of the "nomadic objects" referred to by Jacques Attali. Within that growing supply of possibilities for designing individuality with greater precision each day, the mythical Mexican identity is seen as a weight that may drown us. Or perhaps that is not the problem. Perhaps identity is in danger. How will such a rigid cage be able to trap the takeoff and uncontainable flight of millions of Mexicans who, at the push of a button, are already traveling through the changing realities of our world? How is Mexico of the entelechies referred to by O'Gorman going to face the fantastic reality of our northern frontier where, as Fuentes indicated, there is already a new country without borders that consists of the southern territory of the United States and our northern border cities?

These are now the conditioning agents of the cultural production of our nation, which is guaranteed no sure future by its membership in a very important trade agreement. Let us review the figures and include even the possibility of a trade agreement for the entire Americas, which would take us to 650 million consumers. Our portion of the world is shrinking. As

Quizá entonces deberíamos entrar a una relectura de nuestro ser, pero en otras coordenadas. "La cultura, o es universal o no es cultura", lanzó Alfonso Reyes, en una de las más provocadoras expresiones para nuestra particular forma de ver el asunto. Leamos en Rulfo entonces aquella materia de la condición humana que sólo pudo ser descubierta por los ojos de Rulfo, pero que igual la puede entender un tahitiano. Miremos las fotografías de Álvarez Bravo, conscientes del carácter universal que las imágenes encierran. En esa aproximación, Carlos Mérida deja de ser guatemalteco, o Szyszlo peruano, o Guayasamín ecuatoriano, o Matta chileno, o Portocarrero cubano, o Toledo mexicano (perdón, oaxaqueño) o Calatraba español (perdón, valenciano). Los nacionalismos, ha escrito Eric Hobswbawm, son una enfermedad. Si ponemos énfasis en la posibilidad de encontrar cada día más orígenes específicos para la producción cultural, seremos cada día más incapaces de entender el lenguaje universal.

En el siglo XX, los estados-nación se multiplicaron por tres. Aún así, en aritmética simple, a cada estado le corresponderían alrededor de 30 etnias. La diferencia intolerante, como objetivo, se mira como un cáncer incontenible. Encontrar los puntos de coincidencia conduce a otro rumbo. Las búsquedas en sentido contrario —por ejemplo, allí está ese brillante texto de Eulalio Ferrer sobre los usos universales del color— parecieran débiles frente a la reivindicación siempre pequeña y menor, siempre política, siempre politizada, de los nacionalismos artísticos. La discusión es vieja, pero no termina a pesar de ser bastante clara. La verdadera cultura es una, lo demás es folclor.

El folclor es bello, puede serlo, pero ¿qué queremos conservar de las polonesas, o de Lizt o Tchaikovsky o Smetana, de Moncayo o de Astor Piazzola, para traer la discusión al presente? ¿Queremos lo húngaro, o lo ruso, o lo argentino en exclusiva, o por el contrario, nos atrae esa frontera indeleble en la cual el tango de Piazzola deja de ser argentino para convertirse en algo universal?. Recientemente el "cucurrucucú paloma" ha servido a Pedro Almodóvar por vía de Caetano Veloso, o viceversa, para desnudar un mundo sensible que poco tiene que ver con lo "mexicano puro". Moustaki es un francés por residencia, nacido en Alejandría, que tiene en su haber un gran éxito *Le métèque*, acepción que denota el tratamiento que se le puede dar al otro, desde quien lo es. Todos lo somos.

Spanish speakers, we could reach a total of 550 million on a planet of nine or ten billion. As a population group, the universe of the Asians would be in first place, with approximately 60% of the total population. Then would come the Africans, with 20%; from Patagonia to the North Pole, all of the Americas would be only 10%; and in last place, a diminished Europe with 8%. If we continue to search for "purity" and if we continue staring at our navel, when we look up we will have once again arrived late for our meeting with history. And that will be the playing field for our cultural production.

Perhaps then we should begin a new reading of our being, but on other coordinates. "Culture is either universal or it is not culture," fired out Alfonso Reyes, in one of the most provocative expressions for our particular way of viewing the matter. Let us read in Rulfo about that aspect of the human condition discovered only by the eyes of Rulfo, but equally understood by a Tahitian. We see the photographs by Álvarez Bravo, aware of the universal character the images contain. In such an approximation, Carlos Mérida is no longer Guatemalan, or Szyszlo a Peruvian, or Guayasamín an Ecuadorian, or Portocarrero a Cuban, or Toledo a Mexican (sorry, a Oaxaqueño) or Calatraba a Spaniard (sorry, a Valenciano). Nationalism, as Eric Hobswbawm wrote, is an illness. If we put emphasis on the possibility of finding each day more specific origins for cultural production, we shall each day be more incapable of understanding the universal language.

In the 20th century, the number of nation-states tripled. Even so, simple arithmetic shows that each nation has approximately thirty ethnic groups. Intolerant difference as an objective is seen as an uncontrollable cancer. Finding points in common leads to another path. Searches in an opposite direction (the brilliant text, for example, by Eulalio Ferrer about the universal uses of color) would seem weak compared with the recovery, always small and minor, always political, always politicized, of artistic nationalism. The discussion is old but unending, although quite clear. True culture is one—the rest is folklore.

El siglo XXI, han advertido las Naciones Unidas, es el siglo de las migraciones del campo a las ciudades, de los países pobres a los ricos, del sur al norte, la mayoría de las ocasiones. México será escenario en el siglo XXI de los tres fenómenos a la vez. La migración campo-ciudad disminuirá severamente a fines de la primera década. Todo indica que de los alrededor de 140 millones que seremos a mitad del siglo, sólo alrededor del 10% habitará en las zonas rurales. México será testigo también de la migración hacia los países ricos. Los 300 mil mexicanos que emigran anualmente, o los casi mil, diariamente, hacia los Estados Unidos de Norteamérica, nos lo recuerdan sin tregua. Estamos, sin embargo, menos alertas de los sureños que penetran por nuestra frontera sur. Unos en tránsito, otros no. Somos simultáneamente pobres frente al norte, ricos frente al sur. Los dos flujos son del sur al norte, como también ocurre internamente. De Oaxaca o Michoacán hacia el Distrito Federal o Chihuahua. ¿Y esto qué tiene que ver con la gráfica, con el arte y su futuro? Yo diría que todo.

Si la búsqueda inútil y demagógica de la particularidad, del exclusivismo, continúa, lo que haremos es inhibir las fuerzas creativas de los mexicanos, así en general, cuyos orígenes étnicos, raciales, religiosos, culturales de verdad que pueden enriquecer nuestro ser nacional, si es que algo así existe. ¿De dónde surge esa energía creativa si no es precisamente de esa sana confrontación de formas de ver el mundo, si no es precisamente de ese reconocimiento del otro? ¿Qué de la riqueza cultural del Mediterráneo si no es por el contacto intercultural entre África y Europa, entre el Este y el Oeste, se defina éste como lo que sea, dependiendo del observador, o entre Oriente y Occidente? Para ese tipo de encuentros obligados, México puede ser un continente muy adecuado por su localización geográfica, no así por su actitud frente a la diversidad. Adiós, entonces, a las rigideces nacionalistas, adiós a los mitos inamovibles. Bienvenida la sociedad abierta a los otros, a nosotros mismos. Bienvenida la "impureza" cultural que quiebra el singular, identidad. Estático nada, mejor un torbellino de identidades.

Folklore is or may be pretty, but what do we want to preserve from the polonaises, or from Liszt or Tchaikovsky or Smetana, from Moncayo or Astor Piazzola, to bring to this discussion? Do we want what is Hungarian, Russian, or Argentinean exclusively, or on the contrary, are we attracted by that indelible border on which Piazzola's tango stops being Argentinean in order to become universal? The cry of "cucurrucucú paloma" has recently served Pedro Almodóvar through Caetano Veloso, or vice versa, to expose a sensitive world that has little to do with being "pure Mexican." Moustaki is a resident of France, a native of Alexandria, and has to his credit the huge success of Le métèque, an acceptance that denotes the treatment that can be given to the Other, wherever he may be. We all are Others.

The 21st century, the United Nations has warned, will be the century of migrations from the country to the city, from poor nations to rich nations, from south to north on most occasions. Mexico will be a stage in the 21st century for all three phenomena. Migration to the cities will sharply decrease at the end of this decade. All indicates that out of the approximately 140 million of us at mid-century, only 10% will live in rural areas. Mexico will also witness migration to the wealthy nations. We are reminded of the fact unrelentingly by the 300 thousand Mexicans who cross each year (almost one thousand per day) into the United States. We are less alert, however, to the residents from the south who enter our territory through our southern border. Some are in transit, others are not. We are simultaneously poor with regard to the north, rich with regard to the south. Both flows are from south to north, as is our internal flow. From Oaxaca or Michoacán to the Federal District or Chihuahua. And what does this have to do with graphics, with art and its future? Everything, I would say.

If the useless and demagogical search for uniqueness, for exclusiveness continues, what we will do is inhibit in general the creative forces of Mexicans whose ethnic, racial, religious and cultural origins can truly enrich our national life, if such a thing exists. What is the source of that creative energy if not precisely the healthy confrontation of ways of looking at the world, if not precisely that recognition of Others? Is not the cultural wealth of the Mediterranean due to the intercultural contact between Africa and Europe, between East and West, or however it may be defined, or between Orient and Occident? For this type of forced encounters, Mexico may be very adequate because of its geographical location, but not because of its attitudes toward diversity. Goodbye then to nationalistic rigidity, goodbye to immovable myths. Welcome to the society open to Others, to ourselves. Welcome to the cultural "impurity" that fractures the singular form of identity. Static, not at all. Better, a whirlwind of identities.

Si Presto
Al Cobrar Molesto
Choco Milk
LOS NIÑOS SON EL FRUTO DEL MAÑANA
Cepacol
20 Pastillas
Sabor FRESA
CHOCOLATE
Doña María
SEMIAMARGO PARA MESA
JABON ZOTE PARA UN LAVADO FINO
MAIZENA
NESCAFÉ
CARLOS V

MILECHE
MILECHE
MILECHE
PROTEGENOS
720 PIEZAS
MERMELADA
MERMELADA
MERMELADA
Coronado
"SIGUARAYA" CANDLE

El tiempo no es necesariamente
la medida del movimiento, sino más bien
"cualquier aparición periódica de ideas".

John Locke

CAPÍTULO DOS

CHAPTER TWO

La plástica mexicana del siglo XIX, un acercamiento entre la formación estética y la rememoración histórica

Mexican Art of the 19th Century: Aesthetic Development and Historical Recollection

Elisa García Barragán

Elisa García Barragán

A MI MODO DE VER, FUE PRECISAMENTE SIGUIENDO EL ORDEN DE UNA CADENA CAUSAL QUE Lupina Lara ha seleccionado para la presente edición la larga nómina de creadores cuyo análisis, a simple vista, se antoja como un detenido paseo a través de lo que pareciera una insalvable distancia entre la estética del siglo XIX y la creatividad plástica actual, la de hoy día en los albores del siglo XXI, trayecto que, sin embargo, se acorta al examinar la producción de los veinticinco artistas escogidos, cuyas obras se atan más que en influencias en analogías de estimación y sobre todo en el compromiso con una ética conductora de su quehacer, al igual que en el aprecio por inscribir esas obras dentro de una mexicanidad humanista, arraigada en la historia y la religión, fuentes que exigen el retrato, el paisaje, lo cotidiano y las costumbres dentro del deambular a través de los diversos estilos y modalidades, es decir, el paso del academicismo al romanticismo, o bien la búsqueda de apoyo en el simbolismo modernista. El arte decimonónico se desarrolla a través de formas y precisos cromatismos en un amplio abanico de disparidades eclécticas. Reitero, diversidad de modalidades, pero eso sí, las más de las veces, fortalecidas de universalidad.

Celebro la idea de la estudiosa de volver los ojos hacia aquella centuria, génesis de la conciencia nacional del México moderno, voluntad permisora de una revisión de parte de la historia del arte –hoy poco recordada–, producción al mismo tiempo desvelada en el multifacético prisma de lo que nos fue y sigue siendo propio, esencial. Importante rememorar ese tiempo, dador para el arte de afanes libertarios, mismos que cancelaron antiguas jerarquías y desafectos dentro de la productividad plástica.

Si el XVIII fue el "Siglo de las Luces, de la Razón", el XIX sería el "Siglo de la Historia". Jacobo Burckhardt explicaba tal mudanza de pensamiento: "Nuestro objetivo es el pasado, que muestra una liga obvia con el presente y el futuro. Nuestra idea directriz es la de la cultura, la sucesión de etapas culturales entre dos diferentes pueblos y en el sentido mismo de esos pueblos".[1]

Asimismo, para él, los historiadores de aquella centuria fijaban como motor de toda transformación histórica "el espíritu humano, a la vez mentalidad y conciencia intencional", proceso en el que "el arte jugaba al lado de la religión y de la ciencia un papel particular como revelador de la vida social, de las formas de existencia compuestas al mismo tiempo de la revisión del pasado: la naturaleza espiritual, la interioridad, la esencia, el valor intrínseco de la dinámica histórica".[2]

De ahí que no resulte ocioso pasar revista, a vuelo de pájaro, a lo sucedido en la plástica mexicana a partir del triunfo de la Guerra de Independencia, lucha consolidadora de otros modos de vida y que daría lugar en el transcurso de su difícil discurrir a la confirmación de un nuevo sentido patrio, a un afecto nacionalista. De igual manera, es bueno recordar que en el campo del arte los avatares independientes cancelaron de algún modo el neoclasicismo, y la crisis económica resultante frenó asimismo la acción de la Academia de las Tres Nobles Artes de San Carlos, institución en donde surgiera el citado estilo, ya que en la ciudad de México y a partir de 1815 las enseñanzas artísticas casi se interrumpieron. Poco quedaba del inicial esplendor que en 1803 impactara al notable científico y viajero alemán, el barón Alexander von Humboldt,

[1] JACOBO BURCKHARDT CITADO EN JÖRN RÜSEN, "ESTHÉTISATION DE L'HISTOIRE ET HISTORIZATION DE L'ART AU XIX SIÈCLE. REFLEXIONS SUR L'HISTORICISME (ALEMAND)", *HISTOIRE DE L'HISTOIRE DE L'ART*, PARIS, MUSÉE DU LOUVRE, KLINSIECK, 1997, P. 185 (COLLECTION "CONFERENCES ET COLLOQUES" DU LOUVRE). [2] *OP. CIT.*, P. 184.

IN MY OPINION, IT WAS PRECISELY A LINKED THOUGHT process that led Lupina Lara to select the roster of artists for this edition: artists who seem so appealing to analyze in the form of a slow walk down the apparently unmanageable path from 19th-century aesthetics to the artistic creativity of the dawn of the 21st century. The trajectory is shortened, however, by examining the production of the twenty-five selected artists. Their works are tied less to influences than to analogies of estimation and especially to a commitment to artistic ethics, as well as to the inclusion of art in a Mexican humanism rooted in history and religion (required sources for diverse styles and types of portraits, landscapes, and genre painting): from academic art to romanticism, or a search for support in modernistic symbolism. The art of the 19th century develops through form and precise chromatics in a wide array of eclectic disparities. I reiterate, diverse types, yet most of the time strengthened by universality.

I applaud this scholar's idea of turning her attention to that century, to the genesis of national awareness of modern Mexico, and I applaud her willingness to review a part of art history that is scarcely remembered today: works viewed in the multifaceted prism of what was and continues to be our own, essential. It is important to remember that era, so generous for art desiring freedom—freedom that in turn annulled ancient hierarchies and disaffection in artistic productivity.

If the 18th century was the "century of light and reason," the 19th would be the "century of history." Jakob Burckhardt explained this change of thinking: "Our objective is the past, which shows an obvious association with the present and the future. Our guiding idea is culture, the succession of cultural stages between two different peoples and in the feelings of those peoples."[1] According to Burckhardt, the historians of that century defined the impetus of all historical transformation as "the human spirit, along with mentality and intentional conscience." In this process, "art played, beside religion and science, a particular role as a revealer of social life, of the forms of existence composed of a review of the past: the spiritual nature, the interiority, the essence, the intrinsic value of historical dynamics."[2]

It is therefore not unproductive to examine, from a bird's eye view, the occurrences in Mexican art after the triumph of the War for Independence—a consolidating struggle of other lifestyles that would pave the way, during its difficult unfolding, for the confirmation of a new patriotic feeling, a nationalistic attachment. It is also good to remember that in the field of art, independent vicissitudes somehow cancelled neoclassicism, and the resulting economic crisis slowed the operation of the Academia de las Tres Nobles Artes de San Carlos, the institution from which neoclassicism had arisen; artistic instruction was interrupted almost entirely in Mexico City in 1815. Little remained of the initial splendor that had impressed the important German scientist and traveler, Baron Alexander von Humboldt, in 1803. He had commented in his Political Essay on the Kingdom of New Spain on the exemplarity of the institution, which was attended by young people of all social levels, with no distinction as to color—Indians, mestizos and whites; within

quien en su *Ensayo político sobre el reino de la Nueva España,* se detiene ante la ejemplaridad de aquel establecimiento, al cual accedían centenares de jóvenes de todos los niveles sociales, sin distinción de color: indígenas, mestizos y blancos, en donde en adecuadas instalaciones el interés de los profesores era propagar entre el alumnado "el gusto por la elegancia y la belleza".

No obstante tal paréntesis en la actividad de la Academia, el vacío en las cátedras fue subsanado gracias a la creatividad de artistas anónimos, los más de extracción popular, quienes hicieron su mejor esfuerzo para inmortalizar la gesta independentista, para lo cual realizaron retratos ideales o apegados a la vera efigie de aquellos valientes héroes, e igualmente desarrollaron pinturas con el puntual relato de lo sucedido en el lapso que aproximadamente abarcó de 1810 a 1840, descripciones que no pocas veces se apoyaron en la alegoría para una mayor elocuencia del relato del hecho histórico. Caudillos iniciadores del movimiento: Miguel Hidalgo y Costilla, Ignacio Allende, José María Morelos y Pavón, etcétera, por sólo mencionar unos cuantos, fueron inmortalizados en pinturas poseedoras de un encanto *naïf,* más que de excelencia artística, profuso grupo de manifestaciones en el que es importante destacar el espléndido retrato anónimo de Morelos, en el cual todavía se advierte una reflexión del ideal neoclásico al lado de la pervivencia de algunas de las normas de la retratística virreinal.

Ante la casi nula participación de la Academia de San Carlos en el fomento de las artes plásticas, la descripción artística del México de entonces quedó en manos de un disímbolo grupo de extranjeros, artistas viajeros, quienes con fines diversos recorrieron el país plasmando al óleo, la acuarela, la litografía y el grabado: la naturaleza, las ruinas prehispánicas, los monumentos históricos, paisajes urbanos, costumbres regionales y tipos humanos, creación captadora de la casi totalidad del país. A uno de ellos, el italiano Claudio Linati, se debió la introducción de la litografía en México en 1825. Las primeras láminas coloreadas con tema mexicano aparecieron en su libro *Trajes civiles militares y religiosos de México*, editado en Bruselas en 1828.

Entre los más destacados están los ingleses Daniel Thomas Egerton, Frederick Catherwood y John Philips; los alemanes Friedrich von Waldeck, Karl Nebel y Joan Moritz Rugendas; los franceses Jean Baptiste-Louis Gros y Édouard Pingret; el italiano Pedro Gualdi, etcétera. Su arte se desenvolvió en imágenes de ciudades, paisajismo urbano, vistas de la espléndida naturaleza de las zonas tropicales, tipos vernáculos, todo ello mediante la finura de línea, añadiendo al preciosismo dibujístico su talento colorista. Tal vez uno de los más interesantes sea el alemán Rugendas, quien capturó la "fisonomía" de diversas regiones mexicanas al lado de usos, oficios y costumbres del país; asimismo, la de bellas criollas y mestizas, etcétera. Apuntes y óleos de pinceladas gruesas, pastosas, y una paleta de intensas tonalidades, logran una verdadera voluptuosidad cromática, calidades que han permitido a sus críticos señalar en su pintura afinidades con la obra del romántico francés Eugène Delacroix. Al paso del tiempo sería el mexicano Casimiro Castro quien en diversas publicaciones deje constancia, no sólo de las vistas de la ciudad capital, primordialmente en *México y alrededores*, sino igualmente de los otros habitantes de la amplia geografía mexicana y de las costumbres de tan diferentes territorios del país, así como el día a día de los diversos tipos. Relevante hacer referencia a su *Álbum del ferrocarril mexicano,* con los espléndidos paisajes de las feraces regiones veracruzanas avistadas en el trayecto del tren.

Las luchas en el territorio nacional impedían la expansión de una política cultural estable. Sería hasta principios de la década de los cuarenta que Francisco Javier Echeverría, conciliario en la Junta de Gobierno de la Academia de San Carlos, apoyado por la Secretaría de Justicia e Instrucción Pública, lograra que el gobierno conservador del general Antonio López de Santa Anna expidiera un decreto para reorganizar esa Escuela. Esta orden, fechada el 2 de octubre de 1843, permitía que los directores de las principales disciplinas fueran contratados "de entre los mejores artistas de Europa". Concursos periódicos y becas a estudiantes, no sólo para actuar en México, sino incluso en el extranjero y, además, "premios de adquisición" de las obras triunfadoras serían acertados estímulos.

Dos artistas catalanes fueron contratados en Roma, Italia, para encargarse de las direcciones de Pintura y Escultura: Pelegrín Clavé para la primera y Manuel Vilar para la segunda; ambos arribaron a México en enero de 1846. Los flamantes maestros de inmediato revisaron los planes de estudio, estableciendo la primacía de la práctica de dibujo del natural, el del yeso, del claro-oscuro, el anatómico, la perspectiva y el paisaje, etcétera, etcétera, así como el empleo de modelos vivos y de maniquíes, en fin, todo aquello que era una exigencia e imprescindible herramienta en las academias europeas. El 6 de enero de 1847 abrió sus puertas la renovada institución. En ese mismo año llegaron varios profesores; en 1855, el italiano Eugenio Landesio para ocuparse de la enseñanza del paisaje. Artistas que además de ejercer la docencia dejaron su propia obra: creación de excelente calidad. Esencial aportación y completa novedad en el ámbito de la escuela fue la construcción de galerías para exposiciones. El adelanto se hizo rápidamente perceptible, y ya en 1850 en la primera muestra que conjuntó obra de maestros y estudiantes, quedó clara la existencia de muchos talentos.

Pelegrín Clavé y Manuel Vilar, quienes habían perfeccionado sus estudios en la Academia de San Lucas de Roma, pusieron en práctica lo ahí aprendido. Los principios estéticos de ambos son los de la escuela purista, enseñanzas prolongadas en el pensamiento de "los Nazarenos", grupo de procedencia germánica que ante el agobio de temas profanos pretendía volver a la representación religiosa, principalmente en la pintura. Es decir, los nuevos directores retomaron la temática de los primitivos italianos, actitud que en México fue muy del agrado de las autoridades y de algunos hombres de letras de filiación conservadora, así como de la población capitalina en general, ya que los asuntos bíblicos tratados por los jóvenes estudiantes interesaban por su mensaje moral dramático. Con la academia se encauzaría a los alumnos en asuntos más de religiosidad, de Historia Sagrada, pese a que en su ejercicio personal el director de pintura prefirió el retrato, género en el que destacaría y quehacer con el que buscaba dar a cada personaje que posaba ante su vista la perfección, tomada del repertorio de las ideas clásicas a la manera del francés Jean Auguste Dominique Ingres.

Para agilizar los buenos resultados, se haría hincapié en el dominio riguroso del dibujo por sobre los efectos colorísticos, aunque sin descuidar

its appropriate installations, the professors' interest was to promote among the student body "the taste for elegance and beauty."

In spite of this parenthesis in the Academia's activity, the emptiness in the classrooms was remedied by the creativity of anonymous artists, mostly from the lower classes, who made their best efforts to immortalize the exploits of independence. They produced portraits that were idealized or that adhered to the true image of brave heroes, and paintings that precisely related events from approximately 1810 to 1840: descriptions that often made use of allegory for greater eloquence in reporting historical fact. The caudillos who initiated the movement—Miguel Hidalgo y Costilla, Ignacio Allende, José María Morelos y Pavón, to name only a few—were immortalized in paintings endowed with more naïve charm than artistic excellence. Worthy of mention in this profuse group of representations is the splendid anonymous portrait of Morelos, which reveals a reflection of the neoclassical ideal along with remnants of the standards of viceregal portraiture.

Due to the almost nonexistent participation of the Academia de San Carlos in promoting the visual arts, the artistic description of Mexico in those years remained in the hands of a dissimilar group of foreigners—traveling artists—who toured the country with various purposes, using oils, watercolors, lithographs and engravings to describe creatively almost the entire nation: scenes from nature, pre-Hispanic ruins, historical monuments, urban settings, regional customs and human types. One of them, Claudio Linati, is responsible for having brought lithography to Mexico in 1825. The first colored plates with Mexican topics appeared in his book, Trajes civiles militares y religiosos de México, published in Brussels in 1828. The most outstanding of these artists include Daniel Thomas Egerton, Frederick Catherwood and John Philips from England; Friedrich von Waldeck, Karl Nebel and Joan Moritz Rugendas from Germany; Jean Baptiste-Louis Gros and Édouard Pingret from France; and Pedro Gualdi from Italy. Their art developed images of cities, urban landscapes, views of the splendid nature of the tropical zones, and vernacular types—all through refined lines plus the artistic preciosity of their talent as colorists. One of the most interesting of these artists may have been the German, Rugendas, who depicted the "physiognomy" of various regions of Mexico along with typical practices, skills and customs, as well as the beautiful criollo and mestizo women. Sketches and oil paintings with thick, pasty brushstrokes and a palette of intense tonalities attain true chromatic voluptuousness—qualities that have permitted Rugendas' critics to point to similarities between his painting and that of the French romantic, Eugène Delacroix. Over time, it would be the Mexican, Casimiro Castro, who would leave evidence in various publications, not only of views of the capital city, mainly in México y alrededores, but also of other inhabitants of the nation's wide geography, the customs of its different territories and daily life. Relevant reference is made to his Álbum del ferrocarril mexicano, with splendid landscapes of the fertile regions of Veracruz sighted during the train's crossing.

Strife within national territory hindered the expansion of stable cultural policy. It would not be until the early 1840s that Francisco Javier Echeverría, a member of the board of directors of the Academia de San Carlos, supported by the Ministry of Justice and Public Education, would be able to obtain a decree from the conservative administration of General Antonio López de Santa Anna to reorganize the school. This order, dated October 2, 1843, stipulated that the directors of the principal disciplines could be contracted "from among the best artists of Europe." Periodical contests and student scholarships, not only for Mexico but also for studies abroad, in addition to "acquisition prizes" of the winning works would be sure stimuli.
Two Catalonian artists were hired in Rome, Italy, to direct painting and sculpture: Pelegrín Clavé and Manuel Vilar, respectively. They arrived in Mexico in January of 1846, and immediately revised the curriculum to establish the primacy of drawing from life, drawing from the antique, chiaroscuro, anatomical drawing, perspective and landscapes, etc., as well as the use of live models and mannequins; in short, all that was required as an indispensable tool in the European academies. On January 6, 1847, the renovated institution opened its doors. That same year various professors arrived, and in 1855, the Italian, Eugenio Landesio, would take charge of landscape painting. In addition to teaching, these artists left behind their own work: creations of excellent quality. Essential and completely new for the school was the construction of galleries for exhibitions. Progress was quickly perceptible, and the first showing of 1850, of both student and teacher work, made clear the existence of many talents.
Pelegrín Clavé and Manuel Vilar, who had perfected their studies at Rome's Accademia di San Luca, put into practice what they had learned in Europe. The aesthetic principles of both were of the purist school—teachings that followed the line of thought of the Nazarenes, a group of German origin determined to renew religious representations, principally in painting, as a reaction to the oppression of profane topics. In other words, the new directors returned to the topics of the Italian primitives, an attitude highly pleasing for the Mexican authorities and certain well-educated conservatives, as well as the population of Mexico City in general: the Biblical topics depicted by the young students were of interest because of their moral, dramatic message. The academy would channel students into matters more related to religion and the scriptures, although the school's director of painting preferred portraits in his own work; he would become well-known in portraiture and attempt to depict all of his sitters with perfection—a perfection taken from the repertoire of classical ideas like those of the French artist, Jean Auguste Dominique Ingres. To facilitate good results at the Academia, emphasis would be placed on the rigorous mastery of drawing over color, without neglecting the effect of color on harmony and elegance. The rapid progress of beginning artists was impressive, thanks to the careful handling of composition and the teachers' direct interaction with

éstos en lo que concernía a la armonía y la elegancia. Impresiona el rápido desempeño de los neófitos artistas, gracias al cuidado que se puso en las composiciones, actuando el maestro directamente con cada discípulo, atención decisiva para que éstos alcanzaran el equilibrio, la adecuada preparación entre fondos paisajísticos o arquitectónicos y los grupos de personas. No se descuidó lo correcto del mobiliario, los trajes, el conveniente caer de los paños, el carácter táctil de las telas y de los accesorios, todo ello sin dejar de lado el estudio de estados de ánimo, emociones, arrebatos místicos, los que fueron cuidados minuciosamente. El resultado: una brillante producción englobada en elegancia, finura, delicadeza y gracia, en fin, lo que en ese momento se entendía por "buen gusto".

Paralelamente a la retratística que se desenvolvió dentro de los cánones academicistas, en la provincia Hermenegildo Bustos y José María Estrada dan un vuelco a esos principios, y se acogen en su producción a un incipiente naturalismo en la búsqueda del parecido de sus retratados, a los que dotan de un encanto especial, a veces ingenuo. Ambos impusieron su estilo y los dos han recibido el reconocimiento de la crítica. Por ejemplo, Octavio Paz afirma de Bustos: "...no es ni el heredero ni el iniciador de un movimiento pictórico: con él comienza su arte y con él acaba, la pintura de Bustos –al mismo tiempo profundamente tradicional e intensamente personal–. Se inserta en la gran tradición del retrato y, dentro de esa gran tradición, ocupa un lugar único".[3]

¡Qué bueno que la creatividad de Hermenegildo Bustos forme parte de esta edición!, pues, gracias al atento cuidado que tuvo hacia los lugareños de Purísima del Rincón, Guanajuato, dejó la crónica plástica de las diversas existencias que habitaban en su pueblo, un extraordinario registro de esas gentes que convivieron con él. Multifacético, pintor autodidacta, llevó a cabo, además: retratos, bodegones, exvotos, etcétera.

José María Estrada, por su parte, recogió la fidedigna imagen de una sociedad burguesa y algunas de sus costumbres. El artista jalisciense unió, a una incipiente formación académica, el ejercicio y aprendizaje personal. Su producción no es "popular" ni es "primitiva". Responde a esa bella singularidad en la que se deambula desde los ecos que se antojan todavía del neoclasicismo, fundamentalmente en la sutileza de las telas, hasta su loable naturalismo. Dije que mostró ciertas costumbres; sin embargo, el retrato fue medular en su creación, sería mejor decir, dejó en sus lienzos uno de los hábitos más arraigados en la población de Guadalajara, aunque no privativo de esa región: el plasmar las efigies de los niñitos difuntos, es decir, retratar a "la muerte niña".

En varios sitios de la República Mexicana se atendió al retrato, vehículo plástico incorporador de imágenes de los próceres, de lo más distinguido de la burguesía acomodada hasta el vulgo, pintura acorde con el realismo que capturó la relación directa retrato–clase social. De ese modo, motivos biográficos o históricos se alternan y a veces se confunden, conformando un singular álbum que se identifica tanto con el realismo como el naturalismo y lo popular.

[3] Octavio Paz, *México en la obra de Octavio Paz. III Los privilegios de la vista. Arte de México*, México, Fondo de Cultura Económica (Edición de Octavio Paz), 1987, p. 145.

Aquí cabe aclarar que, a medida que pasó el tiempo, la temática seguida por los pintores academicistas tuvo como sostén inspirador a las letras: la novela, la poesía, la mitología griega y romana, *La Divina Comedia;* más adelante, la historia del México antiguo, novelas como *Atala y Chactas,* del francés François René Chateaubriand, la *Graziella,* de Alfonso de Lamartine, al lado de las *Leyendas mexicanas,* de José María Lafragua, o bien, *Los mexicanos pintados por sí mismos,* de José María Rivera, y tantos otros textos inspiradores de temas que se volcaron principalmente en la pintura. El coleccionismo propició igualmente asuntos de interés. Algunos de aquellos atesoradores, en un tono de recuperación del pasado indígena, solicitaron leyendas del México antiguo. Así ocurrió con el acaudalado Felipe Sánchez Solís, quien pidió a José Obregón el despliegue plástico de la leyenda de *El descubrimiento del pulque,* siguiendo el texto de José María Lafragua. El artista muestra en su tela con singular visión tipos étnicos, indígenas bien logrados, con pleno carácter, al lado de las idealizadas figuras de Xóchitl, la protagonista y descubridora del mexicano néctar y del monarca azteca que aprobará la bebida. Princesa y rey fueron realizados en afinidad con una vestal o un Apolo helénicos. En resumen, se trataba del rechazo de la Academia hacia la belleza, el realismo autóctono.

Felipe S. Gutiérrez, figura especial dentro del grupo de primeros alumnos de Clavé, aunó a sus cualidades artísticas la sabiduría en el arte pictórico, misma que dio a conocer en su sucinto *Tratado del dibujo y la pintura.* Su inquietud y afán de aprendizaje le llevaron a viajar por Europa, Estados Unidos y Sudamérica. En Francia las innovaciones demostradas por Courbet lo encaminaron hacia un realismo objetivista. Magnífico en el retrato, se alejó del idealismo; para ello planteó una mayor naturalidad, una cierta penetración en la psicología del retratado. En Colombia abrió una Academia de Arte, y a su vuelta a México dedicó gran interés a los asuntos de la cotidianidad y el costumbrismo, y se aproximó igualmente a las naturalezas muertas, los bodegones. En su libro de teoría explica las facilidades de la pintura que se determinaba "de género": "...el pintor [...] tiene sus escenas en los templos, en las plazas públicas, en las calles y el campo. Un vendedor de frutas, una florera, un grupo de muchachos rozagantes que se burlan de un ebrio o un ciego [...] son cuadros animados, poéticos, que trasladados al lienzo bajo la magia de su pincel, causan admiración a sus contemporáneos. [...] Para pintar los cuadros de género todos los estilos son buenos y se puede agotar en ellos la nimiedad. [...] Se debe hacer chispear el genio en ellos y reproducir con fidelidad la naturaleza, que es el principal agente que los distingue y la cualidad que los hace más apreciables".[4]

Dentro de esa "retórica" de la pintura de asunto, los ámbitos de la intimidad, el diario discurrir en el que se descubre con detalle la vida familiar y las actividades en el hogar, fueron rescatados para el arte por las hermanas Josefa y Juliana Sanromán, discípulas de Pelegrín Clavé. Es necesario rememorar que la práctica artística les era limitada a las féminas de aquel momento, y si bien algunas acudieron a la Academia, les estaban

each student, decisive in enabling students to achieve the appropriate balance between backgrounds of landscapes or architecture and foregrounds with groups of people. Attention was paid to the correctness of furnishings, clothing, drapery, and the tactile nature of fabrics and accessories, without ignoring mood, emotions, or mystical trances, all painstakingly addressed. The result: brilliant output encompassed by elegance, refinement, delicacy and grace; in sum, all qualities then understood as "good taste".

Parallel to the portraiture that developed according to academic cannons, Hermenegildo Bustos and José María Estrada overturned such principles in the provinces to make use of incipient naturalism in their production; in a search for physical likeness, they endowed their work with special and at times ingenuous charm. Both artists imprinted their own style on their paintings, and have been recognized by the critics. For example, Octavio Paz affirmed that Bustos "is neither the heir nor the initiator of a pictorial movement: his art begins and ends with him—it is profoundly traditional yet intensely personal. It is part of the great tradition of portraits, and within that tradition occupies a unique place."[3]

It is wonderful that the creativity of Hermenegildo Bustos is included is this edition! Thanks to his polite concern for the residents of Purísima del Rincón, Guanajuato, he left visual evidence of the various lives led in his town—an extraordinary record of the people around him. Multifaceted, self-taught, he was a painter who produced portraits, still lifes, ex-votos and more.

José María Estrada, on the other hand, reflected the trustworthy image of bourgeois society and some of its customs. He was an artist from Jalisco who combined early academic training with practice and personal learning. His production is neither "popular" nor "primitive." It responds to that beautiful uniqueness that spans from the still appealing echoes of neoclassicism, seen fundamentally in the subtlety of fabrics, up to laudable naturalism. I said that he showed certain customs; since portraits were central in his output, however, it would be better to say that he depicted on the canvas one of the images most deeply rooted in Guadalajara, although not limited to that region: the representation of deceased children, i.e., portraits of "infant death". Various sites in Mexico produced portraits, the visual vehicle that incorporated images of illustrious citizens, from the most distinguished members of the wealthy bourgeoisie to the common man; painting in agreement with the realism that understood the direct relationship between portraits and social class. In this manner, biographical and historical motives alternate and sometimes meld to form a unique album that identifies as much with realism as with naturalism and the popular level.

It should be made clear at this point that as time passed, the topics addressed by academic painters had their inspirational basis in literature: novels, poetry, Greek and Roman mythology, and The Divine Comedy, followed by the history of ancient Mexico. Novels like Atala / René, by the French writer, François René de Chateaubriand, Graziella, by Alphonse de Lamartine, Leyendas mexicanas by José María Lafragua and Los mexicanos pintados por sí mismos by José María Rivera, as well as many other texts inspired the topics depicted

[4] Felipe S. Gutiérrez, *Tratado del dibujo y la pintura*, México, Tipografía literaria de Filomeno Mata, 1895, pp. 51-52.

primarily in painting. Collectors also promoted topics of interest. Some buyers, in an attempt to recover the indigenous past, requested legends from ancient Mexico, such as the wealthy Felipe Sánchez Solís, who asked José Obregón for a visual account of the legend of El descubrimiento del pulque, according to the text by José María Lafragua. With unique vision, the artist portrayed ethnic types and finely painted Indians of great character next to the idealized figures of Xóchitl, the protagonist and discoverer of pulque and the Aztec monarch who would approve this Mexican nectar. Princess and king were painted similar to a vestal virgin or Hellenic Apollo. In sum, the academy was rejected in favor of beauty and native realism.

Felipe S. Gutiérrez a special figure in the group of Clavé's first students, combined his artistic qualities with knowledge of pictorial art, which he revealed in his succinct Tratado del dibujo y la pintura. His restlessness and desire to learn took him on journeys through Europe, the United States and South America. In France, the innovations of Courbet directed him toward objective realism. Magnificent in the painting of portraits, he distanced himself from idealism to implement greater naturalness and a certain penetration into the sitter's psychology. In Colombia, he opened an art academy, and once back in Mexico dedicated great interest to the topics of daily life and customs, as well as the still lifes known as bodegones. In his book of theory, he explained the convenience of genre painting: "...the painter [...] has his scenes in the churches, in the public squares, in the streets and in the country. A fruit vendor, a flower girl, a group of blustering boys who tease a drunk or a blind man [...] are animated, poetic pictures that, transferred to the canvas with the magic of his brush, cause admiration among his peers. [...] To do genre painting, all styles are good and triviality can be exhausted in them. [...] There must be a spark of genius in them to reproduce nature with precision, which is the principal agent that distinguishes them and the quality that makes them most worthy of esteem."[4]

In that "rhetoric" of painting, the daily affairs, the settings of intimacy, and everyday events that reveal family life and home activities were saved for art by two sisters, Josefa and Juliana Sanromán, students of Pelegrín Clavé. It is necessary to remember that art was limited for women at that time, and although some females attended the Academia, they were prohibited from taking certain subjects, such as anatomy; in addition, it was considered degrading for women to commercialize their creativity.

During those years, and almost parallel to the renovation of the Academia de San Carlos and the arrival of the Catalonian painter, Pelegrín Clavé, young Mexican ladies were able to cultivate with eagerness, and often with great talent, a devoted appreciation for still lifes: the valuing of inanimate objects.

Regarding "painting of the humble truth," it is commonly known that the Greeks were the first painters in the western world to produce true still lifes. The echoes of these works remain in history and literature.

In spite of such precedents, during the conferences he gave at the French royal academy in the 17th century, the scholar André Félibien deemed completely unimportant the painting of inanimate objects as a central

prohibidas ciertas materias, como la de anatomía, además de que se consideraba degradante para ellas medrar con su creatividad.

Es en esos tiempos, y casi paralelamente a la ya dicha renovación de la Academia de San Carlos, coincidiendo asimismo con la llegada del pintor catalán Pelegrín Clavé, que las señoritas mexicanas pudieron cultivar con ahínco y muchas veces con gran talento, un devoto afecto hacia la naturaleza muerta; la valoración hacia los objetos inanimados.

Volviendo a la "pintura de la humilde verdad", resulta un lugar común el repetir que fueron los griegos los primeros en occidente en pintar verdaderas naturalezas muertas. Los ecos de las mismas quedan en la historia y la literatura.

Pese a tales antecedentes, ya en el siglo XVII André Félibien, en sus conferencias para la Real Academia Francesa, al jerarquizar tal temática despojaba de toda importancia a la pintura captadora de objetos inanimados como tema central del arte de caballete. El académico rezagaba al último término de su escala: flores, frutas, conchas, animales y cosas muertas, en fin, los elementos que constituyen tal arte, conceptualización que involucraba a otros pensadores de aquel tiempo y que seguiría vigente en algunos teóricos hasta el siglo XIX, tiempo en el que el bodegón en todas sus modalidades tuvo gran incremento, pues se convirtió en asunto tocado por la casi totalidad de los artistas. Insisto, fueron primero las jóvenes mexicanas las que se adhirieron al tema con floreros, fruteros, bodegones, naturalezas muertas y mesas revueltas.

Si este género empieza a tener adeptos entre los alumnos y profesores de la antigua Academia de San Carlos, éstos se cuidaban mucho de externar tal afecto, de divulgar buena parte de esta obra en las ya dichas exposiciones anuales, temerosos de la actitud de la crítica, que todavía sentía prejuicios acerca de aquellas manifestaciones pictóricas de la vida quieta. Ambivalentes juicios, externados en las últimas décadas del siglo, frenaban un abierto, un decidido cultivo de tal pintura.

No es de extrañar por ello que sea en la provincia en donde entre críticos, compradores y artistas, con mayor frescura en preferencias, la naturaleza muerta tuviera no sólo mayor aceptación, diría mejor, recibiría el total aplauso. Tal el caso de José Agustín Arrieta en Puebla.

Indiqué frescura como sinónimo de autenticidad, de apropiación de objetos menores, habituales, en composiciones espontáneas, no intelectualizadas, que dan al ordenamiento de flores, frutas, legumbres y cacharros un sentido utilitario, es decir, el acomodo previo a la elaboración de un simple o complicado platillo o de un delicioso postre.

Si bien algunos de los bodegones no reflejaban abundancia de comestibles, sí acogían un cúmulo de objetos, de enseres dispuestos con naturalidad, expresión pictórica, conjunto de heterogénea variedad que, según Ceferino Palencia: "reserva, después del retrato, la más amplia psicología de lo que peculiariza a un pueblo [...] psicología aplicable a las diversas manufacturas delatoras".[5] Pero, más que nada, estas pinturas muchas veces dejaron constancia de precedentes y resultados de un arte

[5] CEFERINO PALENCIA CITADO EN ELISA GARCÍA BARRAGÁN, *JOSÉ AGUSTÍN ARRIETA. LUMBRES DE LO COTIDIANO*, MÉXICO, FONDO EDITORIAL DE LA PLÁSTICA MEXICANA, 1998, P. 106.

coquinario, demostrador no únicamente de bellezas: floridos banquetes, jugosas frutas, etcétera, sino también ¿por qué no? de niveles de vida.

Estudios de frutas desde todos los ángulos, inclusive estando éstas y las hortalizas en canastas. A veces, algunas muestran su pulpa central, ofrecen dulzuras y mejores colores, permitiendo revisarlas por dentro y por fuera: papayas, mameyes —delatan imágenes de su edén tropical—; los toques oscuros de sus semillas acentúan la frescura y brío del conglomerado.

Ciertos amadores de la naturaleza muerta también estimaron el ámbito donde los fogones amparan ingredientes y cacharros, para llevar a buen fin el minucioso proceso del mole poblano. Me refiero a las cocinas, cuya imagen trae a la memoria lo dicho años más tarde por Proust en torno a tan modestos espacios, al hablar de una naturaleza muerta del pintor francés Chardin: "Grato el placer que nos da la vista de un buffet, de una cocina [...] ese placer que da el espectáculo de una vida humilde y de la naturaleza muerta..."[6]

Todo en un ritmo y colorido que sigue siendo frecuentado hoy día y que diera por resultado composiciones de gran atractivo, en las que la cebolla posee la misma jerarquía que el tibor francés, hasta alcanzar un concreto panteísmo, donde no existen niveles en todo lo que forman los tres reinos de la naturaleza universal, pero que en estas pinturas permean lo mexicano.

Así, ya en pleno siglo XXI, la humildad de dichas telas atrae a los artistas, que de igual manera acomodan en tendejones o en populares restaurantes las modestas viandas como reclamo para los paseantes, al enseñarles el encanto de tales sitios que se alegran con los manteles enflorecidos, los cempasúchiles y el mexicanísimo papel picado, en armonías en las que a veces priva el color de esas flores haciendo *pendant* con el refresco de naranja. Óleos y otras técnicas están pendientes de las revelaciones de tantos Méxicos y de uno solo, como se advierte hoy día, bodegones y floreros que en la actualidad siguen seleccionando los verdores y la sensualidad de los lugares del trópico con abundosas frutas, floraciones y el consabido perico.

En estos nuevos senderos, es importante subrayar la victoria del paisaje, realizado éste bajo un realismo admitido con gusto por los creadores y la crítica, actitud que trae a la mente lo dicho por el escritor naturalista Émile Zola, los artistas aprehenden "la naturaleza vista a través de un temperamento".

Dos grandes talentos: el italiano Eugenio Landesio y José María Velasco. El primero, quien se hiciera cargo de la enseñanza de paisaje, discípulo del reconocido paisajista húngaro Karoly Marko, ante la enormidad y opulencia de la naturaleza mexicana, modificó sus conocimientos previos para plasmar tan diferentes extensiones, no sólo con mayor amplitud de perspectivas, sino apegándose a la realidad cromática. Igualmente, cambia su percepción de la luz, sosteniéndose en la calidez de tonos dorados.

En cuanto a José María Velasco, el más sobresaliente de los artistas decimonónicos y destacado discípulo de Landesio, prefirió la vastedad de

[6] Marcel Proust, "Chardin" Jean-Baptiste-Siméon, en *Proust et les Peintres*, Chartres, Francia, Musée de Chartres, 1991, p. 210 (Traducción de la autora).

topic for the easel. He placed still lifes on the bottom rung of his scale: flowers, fruit, seashells, animals and dead things, in sum, the elements that comprise such art. This conceptualization involved other thinkers of the times and would remain in effect for some theorists until the 19th century, when still lifes of all types enjoyed a great increase in popularity and became a topic handled by almost all artists. I insist: the young Mexican ladies were the first to address the topic with vases of flowers, fruit bowls, bodegones, still lifes and laden tables.

Although the students and teachers of the old Academia de San Carlos began to produce such paintings, they took great care not to externalize their interest or show much of the work in the school's annual exhibitions, out of fear of critics still prejudiced against such pictorial representations of the peaceful life. Ambivalent opinions expressed during the final decades of the century hindered the open, decided cultivation of this sort of painting.

It is not unusual, therefore, that in the provinces, where critics, buyers and artists had more unaffected preferences, still lifes enjoyed not only greater acceptance, I would say, but also received total applause. Such is the case of José Agustín Arrieta in Puebla.

I used unaffected as a synonym of genuineness, of the use of small, habitual objects in spontaneous non-intellectual compositions that provide order to flowers, fruit, vegetables and crockery in a utilitarian sense; i.e., the arrangement prior to making a simple or complicated dish or a delicious dessert.

Although some still lifes did not reflect an abundance of food, they did utilize large numbers of objects or utensils placed with naturalness and pictorial expression—a set of heterogeneous variety that, according to Ceferino Palencia: "reserves, after portraits, the broadest psychology peculiar to a people [...] a psychology applicable to diverse revealing productions."[5]

Yet, most importantly, these paintings often left proof of precedents and results of an art that did not show simply the beauty of flowery banquets, juicy fruit, etc., but also—and why not?—of lifestyles.

Studies of fruit from all angles, including fruit and garden produce in baskets. Some paintings show their inner pulp, sweetness and best color, and permit revision inside and out: papayas and mamey disclose images of their tropical paradise, and the dark touches of their seeds accent the freshness and spirit of the whole.

Certain lovers of still lifes also valued the settings of stovetops with pots and ingredients for successfully completing the painstaking process of mole poblano. I am referring to kitchens, whose image was brought to mind years later by Proust when he spoke of these modest spaces in a still life by the French painter, Chardin: "The pleasure given us by the sight of a buffet, of a kitchen [...] that pleasure given by the sight of a simple existence and a still life..."[6]

All was carried out with rhythm and coloring that are still appreciated and that resulted in compositions of great attractiveness, in which onions have the same hierarchy as a French vase; such works attained a concrete pantheism with an absence of divisions among the three kingdoms of universal nature, permeated by a Mexican quality.

Now in the 21st century, the simplicity of these canvases attracts artists, who paint modest foodstuffs

los panoramas, aunque el género edificios, así como la vida urbana, no se ausentan en su pintura. Su mayor y especial interés fue para el Valle de México, al cual registró innumerables veces en un apego a la verdad, dando con magisterio y desde una amplitud de óptica sin igual la extensión de éste, en cuyo fondo, siempre vigilantes, se perfilan las atalayas de los dos volcanes que lo significan: el Popocatépetl y el Iztaccíhuatl o Mujer dormida. La paleta clara, franca, se multiplica en tonalidades de argentada luminosidad, luz que muchas veces viene del poniente, que asimismo rubrica y señala el talento de su excepcional creación.

Al respecto, Carlos Pellicer, poeta amador de la "naturacosa", como él designaba a los paisajes, definiría distancias y el amoroso objetivo del pintor de Temascalcingo:

"En el tiempo compacto
de los dosmiltrescientos metros de la altura,
los paisajes están en un solo acto.
El aire es siempre exacto
en su tiempo tonal; sabe escultura
porque un pintor en tan vastos andamios
puede fraguar los delirantes cadmios
y acompasar geométricas figuras".[7]

Necesario reiterar que a partir de lo realizado en la Academia en la segunda mitad del siglo XIX, el paisaje ha sido y es el manantial en el que más ha abrevado la pintura mexicana. Nuestro vastísimo territorio, contrastado de opulencias y resequedades, ha deslumbrado desde los balbuceos de los neófitos en la pintura hasta a aquellos artistas consagrados, mismos que han hecho de la paisajística una devoción, una mística, y que con sabiduría y maravillado éxtasis detallan panoramas tropicales de espléndido colorido o se adhieren al estéril drama de las extensiones áridas, de las estepas calcinadas. Todo ello esenciado con el paisaje actual, con los imprescindibles cactus y magueyes, con los peculiares acentos y tonalidades de cada región. Aquello que Carlos Pellicer sintetizara con la magia de su poesía en "Retórica del Paisaje":

"La flora es intocable; en cutis verde
la aguja del tatuaje, defensiva
punza el tacto a distancia.
Chiflan flores carnales
sobre el nopal que sesga sus etapas
rimadas en elipse. Si hundo los pedales
surge en esbelto prisma el cactus Órgano,
cuyo bisel alfiletero agarra
pequeñas nubes de heno.
El cactus cuya fálica erección
límite varonil marca el terreno.
El maguey en hileras militares
alerta el armamento y en su espera
endulza el agua de su sed de guerra
y emborracha al ladrón de sus panales.
Cuando se rinde el tiempo alza una lanza
de heroica flor".[8]

from small shops or popular restaurants to prove the charm of such establishments. Their work is cheered with flowered tablecloths, native cempasúchil flowers and the most Mexican of cut paper decorations in color combinations that match the flowers with the orange drink. Oil painting and other techniques are watchful for the unity and the contrasts of Mexico, as seen in still lifes that continue to depict the verdancy and the sensuality of topics with abundant fruit, blossoms and the well-known parrot.

On these new roadways, it is important to underline the victory of landscapes. They are painted with realism accepted happily by artists and critics, an attitude that brings to mind the words of the naturalistic writer, Émile Zola, that artists apprehend "nature seen through a temperament."

Two great talents, the Italian, Eugenio Landesio and José María Velasco. The first, a student of the well-known Hungarian landscapist Karoly Marko, was responsible for teaching landscape painting in light of the enormity and opulence of Mexican nature. He modified his previous knowledge to depict such different settings, not only with a broader perspective, but also in agreement with chromatic reality. Another change was his perception of light, based on the warmth of golden tones. José María Velasco, the most outstanding of the 19th-century artists and a star pupil of Landesio, preferred the vastness of open panoramas, although buildings and urban life were not absent from his painting. His greatest and special interest was the Valley of Mexico, which he recorded faithfully innumerable times, by representing its extension with authority and an unequalled breadth of vision. In the background, ever vigilant, are the profiles of the guardian volcanoes: Popocatépetl and Iztaccíhuatl, the sleeping woman. The light, frank palette is multiplied in tonalities of silver luminosity—light that often comes from the west, providing evidence of the artist's exceptional talent.

In this regard, Carlos Pellicer, a poet who loved "naturacosa" ("nature thing")—his word for landscapes—defined the distances and the object of devotion of the painter from Temascalcingo:

"In the compact time
of twothousandthreehundred meters of altitude,
landscapes are in a single act.
The air is always exact
in its tonal time; sculpture knows
why a painter on such high scaffolding
can devise the delirious cadmium
and measure geometric figures."[7]

It is necessary to reiterate that since the Academia's accomplishments of the second half of the 19th century, landscapes have been the source of most inspiration for Mexican painting. Our extremely vast territory, a contrast of opulence and dryness, has dazzled beginning and consummate artists alike, who have made landscape painting a devotion, a mystical theology, and who with wisdom and astonished ecstasy have detailed tropical panoramas of splendid coloring or have adhered to the sterile drama of the arid extensions and the calcined steppes. All is essential for today's landscape, with the

No obstante tan amplia y grata variabilidad, esas diferentes vistas en estos albores del siglo XXI dan pie para que algunos pintores denuncien en sus obras las agresiones que la "naturacosa" está sufriendo, y por ello la describen mancillada por alambres de púas, lesionada, en cenizas.

Por otra parte, el academicismo se adecua a nuevos motivos inspiradores, cambios que fueron universales. Realismo y naturalismo ponen en primer plano lo humano, aquello que atiende, al margen del placer estético, del conocer estético, a la obra diaria, la vida cotidiana, el drama, el dolor, la alegría, las pasiones. Es decir, la pintura se torna lo suficientemente flexible y dócil para recibir la huella del alma romántica. Los artistas buscan dar la intensidad de los instantes, el gesto dramático, el suspenso entre el pasado y el tiempo por venir; la melancolía, inclusive el dolor, la hiperestesia. En fin, se apoderan y demuestran esa fuerza secreta de la emoción visionaria que aprisiona el alma del pintor en el momento de fijar personas y objetos de su atención, sin soslayar los paisajes. Estados de ánimo que cuentan con el aval de una paleta más libre, más viva, y al mismo tiempo con el soporte de la delicadeza en el dibujo. Se podría decir que el cromatismo y el dibujo reafirman los estadios poéticos, al igual que a ese arte que se puede denominar tanto visionario como onírico. Paisaje, retratos anecdóticos, historia en aquellos pasajes que conmueven con su sentido épico, son temas que fueron abordados por los pintores bajo tal óptica.

Una vitalidad intensa y fuertemente narrativa, se eleva respecto de la banal sensación del momento, producción que se apega tanto a la moral como a la estética de aquellos tiempos. La llegada de la modernidad pondría en revisión los principios y las apetencias artísticas. Respecto a tales mudanzas, éstas son explicadas por Antonio Pizza y Daniel Aragó al estudiar ciertos escritos de Charles Baudelaire, el poeta "maldito": "...la modernidad; porque no hay una palabra mejor para explicar la idea en cuestión, se trata [...] de extraer de la moda lo que ésta puede contener de poético en lo histórico, de obtener lo eterno de lo transitorio. Si echamos una ojeada a nuestras exposiciones de cuadros modernos, nos asombramos de la trascendencia general de los artistas a vestir todos los modelos con trajes antiguos [...] los pintores actuales que eligen temas de esa naturaleza ilustran perfectamente a las diversas corrientes del tiempo. General aplicable a todas las épocas, se obstinan en disfrazarlos con [...] trajes de la Edad Media, del Renacimiento o de Oriente".[9] En tal transitoriedad, que se apropiaba de lo pasajero, de lo contingente, algunos retratos finiseculares adoptaron tal moda; por ejemplo, los autorretratos de Germán Gedovius.

Si los encargos privados, provenientes de mecenas, posibilitaron mudanzas en los argumentos pictóricos, también la crítica los propició, inclusive en el empleo de las diversas técnicas. En México esos enjuiciamientos los tomaron en sus manos hombres de cultura, escritores como Ignacio Manuel Altamirano, Guillermo Prieto, Manuel de Olaguíbel y el cubano José Martí, por mencionar sólo algunos. La prensa periódica acogió sus opiniones, mismas que los artistas tomaron en cuenta para su

---

[7] Carlos Pellicer citado en Elisa García Barragán, "México en el marco del paisaje", *Patrimonio artístico de México en la Cancillería*, México, Secretaría de Relaciones Exteriores, 1993, p.74. [8] *Op. cit.*, p. 72. [9] Charles Baudelaire, *El pintor de la vida moderna* (edición de Antonio Pizza y Daniel Aragó), Murcia, España, Colegio Oficial de Aparejadores y Arquitectos Técnicos, Librería Yerba, Cajamurcia, 2000, pp. 91-92 (Colección de Arquitectura, 30).

indispensable cacti and magueys, with the peculiar accents and tonalities of each region, which Carlos Pellicer synthesized with the magic of his poetry in "Retórica del Paisaje":

"The flora is untouchable; on green skin
the needle of the tattoo, defensive
punctures the touch from a distance.
Carnal flowers whistle
on the prickly pear that slants its stages
rhymed in ellipse. If I sink in the pedals
the organ cactus rises like a svelte prism,
whose pincushion surface grabs
small clouds of hay.
The cactus whose phallic erection
manly limit marks the terrain.
The maguey in military ranks
alerts the armament and during its wait
sweetens the water of its thirst for war
and inebriates the thief of its honey.
When time gives up it throws a lance
of a heroic flower."[8]

In spite of the wide and pleasant variability, these different views have caused some painters in the early years of the 21st century to denounce in their art the aggressions suffered by "naturacosa", and to describe it as stained by barbed wire, injured, in ashes.
On the other hand, academic art is adapting to new inspiring topics, universal changes. Realism and naturalism put the human in the foreground, he who awaits—at the margin of aesthetic pleasure, of aesthetic knowledge—daily work, everyday life, drama, pain, happiness, passions. In other words, painting is becoming sufficiently flexible and docile to receive the mark of the romantic soul. Artists seek to show the intensity of the moment, the dramatic gesture, the suspense between the past and the time to come; melancholy, even pain, hyperesthesia. In sum, they seize and demonstrate that secret power of visionary emotion that imprisons the painter's soul at the instant he depicts the people and objects of his attention, without evading landscapes. States of mood are backed by a more free and lively palette, while supported by delicate drawing. It could be stated that chromatics and drawing reaffirm the poetic states, as well as art that can be known as both visionary and dreamlike. According to such optics, painters have addressed the topics of landscapes, anecdotal portraits, and history in movingly epic passages.
Intense and strongly narrative vitality rises over the banal sensation of the moment, a production that adheres as much to the morals as to the aesthetics of the times. The arrival of modernity would subject principles and artistic appetites to review. Such changes are explained by Antonio Pizza and Daniel Aragó in their analysis of certain writings by Charles Baudelaire, the "accursed" poet: "...modernity; since there is no better word to explain the idea in question, is about [...] extracting from style the poetry possibly contained in history, in order to obtain the eternal from the transitory. If we glance at our exhibitions of modern pictures, we are marveled at artists' general transcendence in dressing the models in old suits [...] The current painters who select topics of that nature perfectly illustrate the diverse

movements of the time. Generally applicable to all eras, they insist on disguising them with [...] clothes from the Middle Ages, the Renaissance or the Orient."[9] In such transitoriness, which seized the passing and the contingent, some portraits adopted this style; for example, the self-portraits of Germán Gedovius.
If private commissions from art patrons made change in pictorial arguments possible, arguments were also provided by the critics, even in using different techniques. In Mexico, such judgments were taken into the hands of men of culture, writers such as Ignacio Manuel Altamirano, Guillermo Prieto, Manuel de Olaguíbel and the Cuban, José Martí, among others. The press adopted their opinions, which the artists took into account for their work. Other critics, like Rafael de Rafael or Felipe López López, dedicated themselves to evaluating art with vehement texts granting their consent and/or explaining their preferences for one artist or another. The analysis of art in Mexico, more than in any other nation of the Americas, was the fruitful stimulus that made not only artists aware of the importance of superior art for national culture, but also a sizeable nucleus of the population.
The arrival of modernism and its broad outlook made possible the taking of various paths, a multiplicity that would simultaneously conform and be a synonym of the contemporary. "Modern art" would imply greater freedom for visual art, which would attempt to become current with the liberating aesthetic cannons then in style in Europe. The late 19th-century painters, Saturnino Herrán and Julio Ruelas, exemplified two of the most outstanding moments of these variants through their work. The first depicts Mexican customs and permeates them with social awareness. It underlines its concerns through symbols, confronted by critics' demands to attend to daily events and genre painting. It is indispensable to mention Saturnino Herrán—located between two centuries and devoted to the indigenous ideal, with output that reflected an attraction to the harmony of the male sex—who exemplified in various of his paintings the recuperation of the world prior to the revolutionary outbreak of 1910, the world of the Creoles and Tehuana mestizos. His paintings also show the depth of syncretism, and religion as a fundamental point of reference for two cosmogonies: the pre-Hispanic and the Catholic, beliefs still current in some customs. And to address the topic of mestizos, a favorite of his, the painter stressed in his work and in his figures the sermon of Ramón López Velarde, a contemporary poet and friend: "We are neither Spanish nor aborigines, in spite of those who call themselves traditionalists or progressives. That phrase about 'in being an Indian my vanity is founded' is just as discredited as the metaphorical ingenuity of 'the puppies of Spain'. As a consequence, the popular cries of art, and even formal art that takes on nationalistic pretensions, must contain neither red nor white skin, but that café au lait that tinges us. Fortunately, this conviction is becoming ever more common among those who work with most seriousness."[10]
The Revista Moderna de México was the relevant vehicle for spreading modernism. Its pages made room for "nationalistic interest as well as the desires for universality. Valued in it are the initial exoticism and the diabolic, then metaphysical reflection and continentalism and

producción plástica. Otros críticos, como Rafael de Rafael o Felipe López López, se dedicaron a la estimación del arte con textos vehementes en los que otorgan su anuencia y/o explican sus predilecciones por uno u otro artista. El análisis de la plástica fue en México, más que en ningún otro país americano, el empuje que dio buenos frutos y que concientizó no sólo al gremio de la plástica sobre la importancia de un arte superior para la cultura nacional, sino igualmente a un amplio núcleo de la población.

Con la llegada del modernismo y su amplitud de miras, se posibilitó la inscripción de diversos senderos, multiplicidad que conformaría y al mismo tiempo sería sinónimo de lo contemporáneo, es decir del "arte moderno", modalidad que se involucra en una mayor apertura para las artes plásticas, las que de ese modo tratan de ponerse al día con las corrientes liberadoras de los cánones estéticos en boga en Europa. Los pintores de fin de siglo Saturnino Herrán y Julio Ruelas, ejemplifican con su producción dos de los momentos más remarcables de estas variantes. El primero recoge en su pintura el costumbrismo mexicano; lo permea de una conciencia social. Subraya sus inquietudes por medio de símbolos y correspondencias, ante el reclamo de la crítica de atender a lo propio, lo cotidiano y al paisajismo costumbrista. Es imprescindible citar a Saturnino Herrán, quien entre los dos siglos y devoto del ideal indígena, además de atraído en su plástica por la armonía de la belleza masculina, con varios de sus cuadros ejemplifica la recuperación de aquel mundo previo al estallido revolucionario de 1910, el de las criollas y las mestizas tehuanas. En sus pinturas hay también la hondura del sincretismo, la religión como punto de referencia fundamental de dos cosmogonías: la prehispánica y la católica, creencias aún vigentes en algunas costumbres. Y, atendiendo al tema del mestizaje, muy de su agrado, el pintor remachó en su obra y en sus figuras la prédica de Ramón López Velarde, poeta coetáneo a él, así como su amigo: "No somos hispanos ni aborígenes, pese a los que se llaman tradicionalistas o progresistas. Aquello de: 'en indio ser mi vanidad se funda', hállase tan desacreditado como la ingenuidad metafórica de 'los cachorros de España'. En consecuencia, los vagidos populares del arte, y aun el arte formal, cuando se anima de una pretensión nacionalista, deben contener no lo cobrizo ni lo rubio, sino este café con leche que nos tiñe. Afortunadamente, tal convicción se va extendiendo de día en día entre los que trabajan con mayor seriedad".[10]

La *Revista Moderna de México* fue el vehículo relevante para la divulgación del modernismo. En sus páginas se dio cabida "tanto al interés nacionalista como a los afanes de universalidad. En ella se valoran el exotismo y el diabolismo iniciales, la reflexión metafísica y el continentalismo después, y por último el criollismo o coloquialismo vernacular",[11] variedad de caminos que han sido destacados por buena parte de los estudiosos del movimiento, ensayos que coinciden y subrayan las mismas andaduras para la plástica mexicana albergada y difundida en la citada publicación.

---

[10] Ramón López Velarde "Melodía criolla", en *Obras* (Ed. José Luis Martínez), México, Fondo de Cultura Económica, p. 444. [11] José Emilio Pacheco, *Antología del modernismo (1884-1921)*, Universidad Nacional Autónoma de México, Ediciones Era, 1999, p. XIV (Biblioteca del Estudiante Universitario). [12] Francisco Calvo Serraller, *Paisajes de luz y muerte. La pintura española del 98*, Barcelona, España, Tusquets Editores, S.A., 1998, p. 23.

Dentro de un decadentismo afrancesado, la revista ornamentará sus páginas con el quehacer de Julio Ruelas. La individualidad y síntesis van a singularizar la obra de este espléndido dibujante, quien no escapó a la enorme fuerza de los contagios que fueron divulgados a la sombra de poetas como Moréas o Gustave Kahn, Laforgue y, sobre todo, Mallarmé, y de escritores como Huysmans, cuyos textos fueron seguidos por el movimiento simbolista, el cual se despliega en Europa entre 1885 y 1900 teniendo como principal objetivo una fuerte reacción contra el naturalismo y, en general, contra el espíritu científico positivista. Con los creadores plásticos mexicanos ocurrió algo semejante a lo que sucedió con los literatos: "que se parecían entre sí más por su reacción antinaturalista que por la similitud de su estilo personal..."[12]

Sin duda hay atmósferas morales que contaminan el universo intelectual. En el caso de nuestros artistas, tal propagación se va a dar a través de la lectura de distintas publicaciones europeas similares a la *Revista Moderna*, entre otras: *Mercure de France* y la *Revue Blanche*, en París; *Prometeo*, de Madrid; *Luz; Pel & Ploma*, *Quatre Gats*, en Barcelona, España, etcétera.

A las características del modernismo: afrancesamiento y cosmopolitismo, el título *Revista Moderna de México*, refiere el interés hacia lo nacional, sin renunciar por supuesto a la universalidad.

Lo que Ruelas plasmó en sus óleos es el clima desolado del decadentismo europeo, morbosidades y obsesiones en que ya estaban inscritos artistas relevantes, como el francés Gustave Moreau, el noruego Edvard Munch o el vienés Gustav Klimt, así como el suizo Böcklin. Aproximación de un simbolismo descrito y vivido por el grupo de "poetas malditos": Mallarmé, Rimbaud, Baudelaire, Verlaine, escritores que incorporan a su canto el amor sensual con sus crueldades, mismas que en la plástica se traducen en el apego a la figura humana, avistada en imágenes atormentadas en las que la forma femenina es protagonista y encarnación del mal.

En fin, con el modernismo se cierra un trascendente ciclo del arte mexicano. De igual manera, con esta etapa concluye la presente y parca revisión de una plástica que ha dejado profunda huella en el arte nacional, misma que Lupina Lara despliega y puntualiza en la selecta producción de tan variados artistas. La autora, insisto, en un acto memorioso, y por qué no, igualmente valorativo, atestigua la transición del arte academicista a otros estilos de la centuria seleccionada por ella. Se detiene en el satisfactorio discurrir de la pintura decimonónica, desvela valores estéticos no cancelados por las propuestas de las diversas vanguardias y de las grandes mudanzas con las que el siglo XX apartó y creyó cancelar los ecos de aquella producción. Sin embargo, y pese a tales repertorios, quedaron latentes la humanización de la pintura y su diálogo con el espectador.

Con este recuento se ha pretendido reflejar una plástica siempre enriquecida con elementos de continuidad; asimismo, de cambio. Como afirmación de tales permanencias y apropiaciones, hoy en el siglo XXI todavía se recogen los ecos de aquellos gustados géneros, los que asimismo se preservan en un ejercicio que plantea la coherencia y trascendente relevancia del arte mexicano.

Elisa García Barragán
Instituto de Investigaciones Estéticas, UNAM

lastly, creolism or vernacular colloquialism."[11] The variety of paths has been pointed out by many scholars of the movement, in essays that underline the events in Mexican art disseminated by the publication.

Within French-influenced decadence, the journal ornamented its pages with the work of Julio Ruelas. Individuality and synthesis made his splendid drawing unique. Ruelas did not escape the enormous force of the contamination spread in the shadow of poets like Moréas or Gustave Kahn, Laforgue and especially Mallarmé, and of writers like Huysmans, whose texts were followed by the symbolist movement that developed in Europe between 1885 and 1900; the movement's primary objective was a strong reaction to naturalism and in general to the scientific spirit of positivism. The experiences of Mexican artists were similar to those of writers: "who were more like each other because of their reaction to naturalism than because of their personal style..."[12]

Without doubt, there are moral atmospheres that pollute the intellectual universe. In the case of our artists, the contagion was spread by reading various European publications similar to the Revista Moderna: Mercure de France and Revue Blanche in Paris; Prometeo, from Madrid; and Luz; Pel & Ploma, Quatre Gats, from Barcelona, Spain.

In light of the characteristics of modernism—French influence and cosmopolitanism—the Revista Moderna de México directed its sights at national matters, without renouncing universality.

What Ruelas portrayed in his oil paintings is the desolate climate of European decadence, morbidity and obsessions to which relevant artists were already attached: Gustave Moreau from France, Edvard Munch from Norway and Gustav Klimt from Vienna, as well as Böcklin from Switzerland. Ruelas approached the symbolism described and experienced by the group of "poètes maudits"—Mallarmé, Rimbaud, Baudelaire, Verlaine. These writers incorporated their cruelties into their songs of sensual love, which visual art translated into adherence to the human figure; tormented images in which females are the protagonists and incarnation of evil.

Modernism closed a transcendent cycle of Mexican art. Modernism is also the final stage in this modest review of the visual arts—art that has left a deep mark on the national soul, and which Lupina Lara develops and details in the select production of widely varying artists. The author, I insist, in an act that is equally memorable and valuable, witnesses the transition from academic art to other styles of her chosen century. She pauses in the satisfactory events of the painting of the 19th century, reveals the aesthetic values not annulled by the proposals of the diverse vanguards, and the gigantic changes with which the 20th century attempted to isolate and cancel the echoes of the earlier production. However, in spite of such repertoires, the humanization of painting and its dialog with viewers have remained latent.

This account has hoped to reflect visual arts always enriched by elements of continuity and change. As an affirmation of such permanence and appropriation, the 21st century of today turns to the echoes of those well-liked genres, which are preserved in an exercise that establishes the coherence and transcending relevance of Mexican art.

Paisaje

Lupina Lara Elizondo

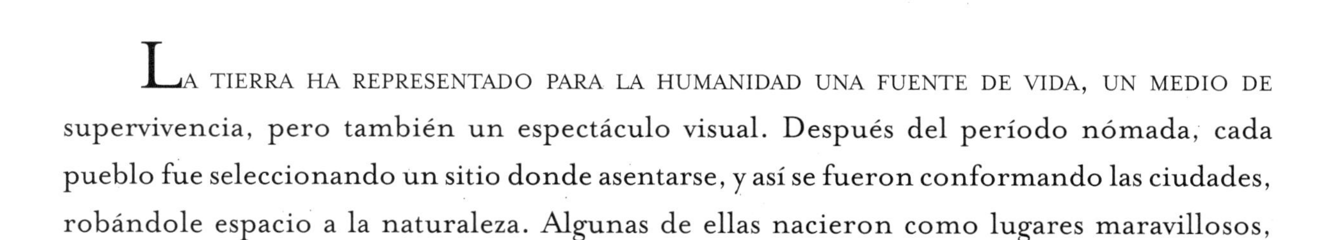

La tierra ha representado para la humanidad una fuente de vida, un medio de supervivencia, pero también un espectáculo visual. Después del período nómada, cada pueblo fue seleccionando un sitio donde asentarse, y así se fueron conformando las ciudades, robándole espacio a la naturaleza. Algunas de ellas nacieron como lugares maravillosos, cuyas construcciones han competido en belleza con la de la campiña.

Los pintores paisajistas han buscado retratar ese impacto visual y emotivo que provocan las estruendosas caídas de agua, los caudalosos ríos, las imponentes montañas nevadas, los silenciosos desiertos, las selvas, los bosques. En fin, ...la magia de los atardeceres, las nubes, el viento y la luna. También han plasmado en sus telas las hermosas vistas de las ciudades que la sensibilidad y el ingenio humano han construido. Sus pinceles recrean espacios reales o imaginarios, los cuales motivan a que el espectador viaje en imaginación y en espíritu.

En el caso del paisaje, como sucedió con el retrato, a finales del siglo XIX la fotografía vino a sustituir el trabajo de algunos pintores. Sin embargo, al paso del tiempo hemos podido observar que el paisaje ha venido conservando un lugar especial dentro del arte moderno y contemporáneo, ya que la fotografía jamás ha podido igualar la narrativa, expresividad y emotividad que logra la pintura. A más de cien años de distancia, entre otros cambios dentro de este género de pintura, encontramos que el ensueño se ha convertido en fantasía, que el realismo compite con la abstracción, y que la poética de la naturaleza se ha actualizado al lenguaje de estos tiempos.

Lo que se reclama hoy en día para el paisaje y para la naturaleza en no abusar de ella, es retribuirle en parte lo que ella con creces día a día nos ofrece; es ofrecerle un espectáculo urbano digno y a la altura de su belleza. De esta manera siempre tendremos motivos que inspiren nuestro espíritu y el de los artistas.

Eugenio Landesio
Patio de la Hacienda de Regla, 1857
Oleo sobre tela, 45.5 x 63.5 cm.
Colección Museo Soumaya

EUGENIO LANDESIO

1810-1879

A Landesio le sorprendió la gran extensión del valle de México, la vegetación y los limpios cielos. También disfrutó de la luz de nuestro país, pues encontró en ella cierta similitud con la mediterránea.

LUPINA LARA ELIZONDO

EUGENIO LANDESIO NACIÓ EN EL PUEBLO DE ALESSANO, PROVINCIA DE TURÍN, AL NORTE DE ITALIA, en el año 1810. En aquellos tiempos Italia estaba formada por diferentes principados, ducados y pequeños reinos que aún no estaban integrados como una nación. Cuando joven, siguiendo la tradición de su padre, Landesio estudió el oficio de platero. Desde niño había manifestado sus dotes de gran dibujante, por lo que su padre, a pesar de perder a un artesano con gran potencial, lo alentó a dedicarse a la pintura. Es poco lo que se ha escrito en México acerca de su vida como artista en Europa. No obstante, se sabe que estudió en la Academia de San Lucas, en Roma, bajo las enseñanzas del pintor francés Amadeo Bongeois, y posteriormente ingresó al taller del húngaro Karoly Marko, con quien tomó gusto y conocimientos acerca de la pintura de paisaje al estilo naturalista, es decir, con la mayor fidelidad al natural y con un enfoque romántico. Su desempeño en este género fue sobresaliente. Llegó a adquirir una excelente reputación, tanto en Italia como en España, la cual le permitía vivir de los encargos que con frecuencia le hacían de su trabajo. Sus obras se exhibían en la Academia de Roma. Allí fue donde Pelegrín Clavé tuvo oportunidad de apreciarlas por primera vez. Desde entonces Landesio aplicaba a su obra esa luz dorada que imprimieron a sus obras los antiguos pintores venecianos, acentuando el efecto romántico. Landesio fue contemporáneo de los grandes paisajistas europeos Corot, Blake y Turner.

En 1844 Eugenio Landesio coincidió en la academia italiana con el pintor español Pelegrín Clavé, surgiendo entre ellos una cercana amistad. Desde entonces Clavé lo consideró uno de los mejores paisajistas. Después de ese encuentro, el maestro catalán viajó a México en 1846 para dirigir la sección de pintura de la Academia de San Carlos. Entre sus primeras tareas se encontró la de reclasificar la temática de la pintura, abriendo a la llamada "pintura de género" en cada uno de sus temas. Así surgieron la pintura costumbrista, la naturaleza muerta y el paisaje como clasificaciones independientes, además del tema por excelencia en aquel entonces de la gran pintura histórica. Desde su llegada, Clavé buscó la manera de enseñar a los alumnos el paisaje. Pero no fue sino hasta unos años más tarde cuando buscó la manera de invitar a su amigo italiano a México. Para empezar, lo motiva a enviar sus obras a las exposiciones anuales de la Academia. De esta manera, en 1853 llegan a México cinco pinturas de Eugenio Landesio, correspondientes a paisajes pintados en Roma. Ellas debían participar en la quinta exposición anual de la institución. El folleto

Eugenio Landesio was born in Alessano, a town located in the northern Italian province of Turin, in 1810. At that time, Italy consisted of various principalities, dukedoms and small kingdoms not yet integrated into a nation. As a young man, Landesio followed in his father's footsteps by training to be a silversmith. Since childhood he had shown a talent for drawing, and his father, ignoring the fact that a craftsman with high potential would be lost, encouraged him to paint. Little has been written in Mexico about Landesio's life as an artist in Europe. It is known that he studied at the Accademia di San Luca in Rome, under the French painter, Amadeo Bongeois, that he later entered the workshop of the Hungarian, Karoly Marko, and that there he became interested in landscape painting of a naturalistic style and a romantic focus. His accomplishments in this genre were outstanding: he acquired an excellent reputation in Italy as well as Spain and was able to support himself with commissioned work. His paintings were shown at the Roman academy, where Pelegrín Clavé first saw them. Even then, Landesio applied to his work the golden light employed by the old Venetian masters to accent the romantic effect. Landesio was a contemporary of the great European landscapists, Corot, Blake and Turner.
In 1844, Eugenio Landesio became acquainted with the Spanish painter, Pelegrín Clavé, at the Italian academy. Clavé believed Landesio to be one of the best landscapists of the time. Two years later, Clavé traveled to Mexico to direct the painting section at the Academia de San Carlos. His initial tasks included reclassifying the study of painting by dividing the so-called "pintura de género" into each of its subtopics: genre painting, still lifes and landscapes became independent classifications, in addition to historical topics, de rigueur at the time. Clavé searched for the best way to teach students landscape painting, and after a few years made the decision to persuade his Italian colleague to come to Mexico. He began by inviting Landesio to show his work at the Academia's annual exhibitions: as a result, five Roman landscapes painted by Eugenio Landesio arrived in Mexico in 1853 for the institution's fifth annual event. The brochure published on the occasion, according to the compilation by Rodríguez Prampolini, indicates: "We see in the catalogue that the Academia has bought these five landscapes for the school's studio, which is very pleasant and useful, since the incipient painting gallery is completely lacking in landscape paintings and other paintings by good modern painters, to serve as an example for young students." The listing of the acquired paintings includes Los Apeninos, Comarca de Roma, La cueva de San Pablo, San Juan escribiendo el Evangelio and Campiña romana. In 1854, Landesio's paintings participated at the sixth exhibition of the Academia, and students began to make copies of them. The quality of Landesio's work had been recognized in San Carlos, and Clavé's initiative to contract the Italian maestro found no opposition from the board of directors. Based on ties of friendship, Clavé was able to convince Landesio to accept the position as professor of landscape painting and perspective. At that time, Europe viewed Mexico as an exotic land with overgrown jungles inhabited by strange reptiles,

publicado en esa ocasión, según la recopilación de Rodríguez Prampolini, indica: "...Estos cinco paisajes, vemos en el catálogo que los ha comprado la Academia para el estudio de su escuela, lo que es muy agradable y útil, pues falta completamente la naciente galería de pintura de paisaje y otros cuadros de buenos maestros modernos, para que sirvan de ejemplo y estudio a los jóvenes alumnos..." El registro de las obras adquiridas indica los siguientes títulos: *Los Apeninos, Comarca de Roma, La cueva de San Pablo, San Juan escribiendo el Evangelio* y *Campiña romana*. En 1854 nuevamente participan sus pinturas en la sexta exposición de la Academia y, desde entonces, los alumnos empezaron a hacer copias de ellos.

La calidad del trabajo de Landesio se había dado a conocer en San Carlos, por lo que la iniciativa de Clavé ante la Junta de Directores de la Academia para contratar al maestro italiano no encontró oposición, y debido a la amistad que le unía con Landesio, logró convencerlo de aceptar el nombramiento como profesor de paisaje y perspectiva. En ese entonces México se mostraba ante los países europeos como un lugar exótico, con selvas en las que crecían plantas gigantescas, habitaban reptiles extraños, animales como el coyote y pájaros de mil colores, como los pericos y las guacamayas. Todo ello formaba un ambiente más que interesante para un paisajista. Así que, no obstante el riesgo, Landesio aceptó la invitación y firmó un contrato por cinco años, en el que recibiría un salario anual de 11,500 pesos. Tomó un curso de español y viajó a nuestro país en 1855. De inmediato se ocupó de sus obligaciones. La Academia le asignó dos cuartos en la parte superior del edificio, desde donde podía contemplar una espléndida vista del valle. Uno de los cuartos lo ocupaba como su estudio y vivienda, y el otro para impartir sus clases.

A Landesio le sorprendió la gran extensión del valle de México, la vegetación y los limpios cielos. También disfrutó de la luz de nuestro país, pues encontró en ella cierta similitud con la mediterránea. Como apunta Justino Fernández: "Hay una intención, sobre todas, de presentar el paisaje con gran dignidad, más aún, de llevar al límite su ennoblecimiento; es aquí donde se nota el gran amor con que Landesio vio el paisaje mexicano, siempre iluminado a su manera. Un pintor que sabía construir un paisaje así, tenía que ser un buen maestro; de allí su interés por enseñar la geometría, los efectos de sombra, los espejos y refracciones y la perspectiva". Landesio fue un maestro sistemático y extremadamente disciplinado. Exigía a sus alumnos dominar el dibujo del natural, no de reproducciones ni cromos. Sabía que el color engolosinaba y su bella apariencia podría cubrir un dibujo deficiente, así como una mala perspectiva, y por ello no permitía a sus alumnos manejar el color hasta no haber pulido al máximo estas dos asignaturas. Sabía que, aun en el paisaje, el conocimiento de las proporciones anatómicas contribuía a un correcto sentido de la perspectiva. Supo combinar la parte teórica y práctica con gran exactitud. Siempre iba de lo simple a lo complicado. El pintaba en su estudio, y los alumnos podían

EUGENIO LANDESIO
HACIENDA DE SAN MIGUEL REGLA, 1857
Oleo sobre tela, 46 x 64 cm.
Colección Museo Soumaya

acudir a verlo trabajar y consultarlo en cualquier momento. Esto refleja la total entrega hacia sus alumnos, para con quienes nunca se reservó nada. En su interés por aportar el máximo de conocimientos a sus alumnos, Landesio llegó a sugerir al Presidente de la Academia la conveniencia de que los estudiantes realizaran excursiones que duraran entre quince y veinte días, a fin de tomar notas de los lugares para poder desarrollarlos más tarde en el estudio. Llenos de visión y experiencia son los escritos que Landesio publicó acerca de sus excursiones, titulados *Excursión a la caverna de Cacahuamilpa* y *Ascensión al cráter del Popocatépetl,* así como los tratados de pintura: *Cimientos del artista dibujante y pintor,* 1866, y *La pintura general o de paisaje y la perspectiva en la Academia de San Carlos,* 1867.

Los primeros cinco años de su contrato transcurrieron rápidamente, y en 1860 un grupo de maestros y alumnos, entre los que se encontraban Clavé, Vilar, Cavalari, Velasco y Coto, entre otros, escribieron cartas al director Bernardo Couto solicitándole la renovación de su contrato, argumentando su excelencia como maestro. Las peticiones fueron escuchadas. Para este entonces su amor por México y sobre todo por sus alumnos también tuvo gran peso en su decisión de quedarse, así que firmó la renovación de su contrato y continuó con sus clases. En su *Autorretrato,* que realizó antes de regresar a Italia, Landesio quiso demostrar su apego a nuestro país, pintándose envuelto en un sarape. Esta pieza rescata la imagen sensible y generosa de uno de los más notables maestros que ha tenido la Academia de San Carlos.

unusual animals like coyotes, and birds of a thousand colors, such as parrots and guacamayas—a setting of great interest for a landscapist. As a result, Landesio accepted the invitation in spite of the risk, and signed a five-year contract for an annual salary of 11,500 pesos. He took a Spanish course and traveled to our country in 1855 to begin work immediately. The Academia assigned him two rooms in the upper part of the building, where he could enjoy a splendid view of the valley. He used one of the rooms as his studio and living quarters, and the other for giving classes. Landesio marveled at the size of the Valley of Mexico, as well as its vegetation and clear skies. He enjoyed the light in our country, and found it similar to that of the Mediterranean. In the words of Justino Fernández: "There is an intention over all to present landscapes with great dignity, and furthermore, to take them to the limits of their ennobling; noted here is the great love with which Landesio viewed the Mexican landscape, always illuminated in his manner. A painter who knew how to construct such a landscape had to be a good teacher; the reason for his interest in teaching geometry, the effects of shadow, mirrors and refraction and perspective." Landesio was a systematic and highly disciplined teacher. He required that his students master

Eugenio Landesio
Mina Real del Monte, Hidalgo, 1856
Oleo sobre tela, 46 x 64 cm.
Colección Banco Nacional de México

drawing from life, rather than from reproductions or prints. He knew that color could disguise deficient drawing or poor perspective, and he would not allow his students to handle color until having polished their drawing skills. Landesio believed that even in landscape painting, knowledge of anatomical proportions contributed to the correctness of perspective. He combined theory and practice with great precision, and always advanced from the simple to the complex. He painted in his studio, and students were welcome to watch him work and ask questions at any time—evidence of his total and unrestricted commitment. To further student learning, Landesio presented a proposal to the Academia's president that students should take fifteen- to twenty-day sketching excursions to serve as a basis for studio work. With vision and experience, Landesio wrote about these excursions in Excursión a la caverna de Cacahuamilpa and Ascensión al cráter del Popocatépetl. He is also the author of two painting treatises, Cimientos del artista dibujante y pintor, 1866, and La pintura general o de paisaje y la perspectiva en la Academia de San Carlos, 1867.

The first five years of Landesio's contract passed quickly, and in 1860, a group of teachers and students, including Clavé, Vilar, Cavalari, Velasco and Coto, wrote letters to the school's director, Bernardo Couto, requesting the renewal of the contract based on teaching excellence. Their petitions were heeded. And by then, Landesio's love of Mexico and especially of teaching heavily influenced his decision to sign the new contract. In Autorretrato, which Landesio painted before returning to Italy, he showed his affection for our country by depicting himself in a serape; the piece serves as a reminder of the sensitivity and generosity of one of the most outstanding teachers ever present at the Academia de San Carlos.

Over the years, Landesio's relationship with his favorite student, José María Velasco, became increasingly close and left its mark on innumerable manifestations of mutual affection and admiration. When Velasco was near abandoning his studies because of the economic stress of supporting his mother, Landesio motivated him to request a stipend from the Academia. On that occasion, due to the high demand for student aid, a painting contest was held to determine the winner. At the end of the fifteen-day limit, Velasco was declared the scholarship recipient based on his entry, Patio del ex-Convento de San Agustín, 1860. Several years later, in 1868, Landesio served as the best man at Velasco's wedding. Landesio never married, and adopted the Velasco family as his own.

Landesio's work in Mexico included the ten paintings requested by Nicanor Béistegui, a shareholder of the Compañía de Minas Real del Monte (near Pachuca, Hidalgo), and the eight paintings of the mines and mining haciendas commissioned by John H. Buckman, the company administrator: Vista de Real del Monte, 1857, Vista de la Hacienda de Velasco, 1857,

A lo largo de los años la relación con su alumno predilecto, José María Velasco, fue haciéndose cada vez más estrecha, dejando su marca en innumerables manifestaciones de afecto y admiración mutuas. En un momento en que Velasco estuvo a punto de abandonar sus estudios debido a apuros económicos, pues tenía el compromiso de sostener a su madre, Landesio lo motivó a no claudicar y a solicitar una pensión en la Academia. En esa ocasión, debido a la demanda de aspirantes, se tuvo que organizar un concurso de pintura, en el que se solicitó a los participantes la ejecución de una pintura. Después de quince días, que fue el plazo otorgado, Velasco ganó la competencia con su obra *Patio del ex-Convento de San Agustín,* 1860, y de esta manera obtuvo la beca. Años más tarde, a fines de 1868, Landesio fungió como padrino de boda de su alumno. Como el maestro nunca se casó, desde entonces adoptó a la familia de Velasco como propia, acostumbrando visitarlos con frecuencia.

Entre las obras que Landesio pintó en México, se encuentran los diez cuadros solicitados por Nicanor Béistegui, uno de los accionistas de la Compañía de Minas Real del Monte, cerca de Pachuca, en el estado de Hidalgo, así como otras ocho vistas del Real y las haciendas de beneficio dependientes del mineral, encargadas por John H. Buckman, quien en esos años era el administrador de la compañía. Entre ellas se encuentran: *Vista de Real del Monte,* 1857, *Vista de la Hacienda de Velasco,* 1857, *Hacienda de Sánchez,* 1857, *Queters Coner,* 1857, *Vista de la cañada del camino de Santa María Regla, Ojo de agua de San Miguel.* Entre las obras de este período, también nos encontramos una serie de vistas panorámicas de las haciendas del arquitecto de la Hidalga, en el valle de Puebla, así como: *Hacienda de Colón, Hacienda de Matlala, Valle de México visto desde el cerro de Tenayo, El puente, El lago, El árbol, La garita de La Viga,* entre otras tantas piezas en las que nos deja ver una naturaleza vital, arrolladora, cuyos vientos llevan aroma fresco y en cuyas nubes se avecina el agua. En la obra de este gran artista poco a poco fue desapareciendo el costumbrismo que le imprimían las figuras humanas, para dar paso a la gran escena del paisaje. Landesio reúne en su pintura grandiosidad y detalle.

El emperador Maximiliano de Habsburgo mantuvo cierta cercanía con la Academia de San Carlos. Entre los registros de esas fechas, encontramos que el 4 de diciembre de 1864 asistió a la institución junto con Carlota para la entrega de premios. Allí Velasco recibió de manos del Archiduque una Medalla de Plata y un Diploma, firmado por su maestro Landesio y Urbano Fonseca, Presidente de la institución. Se sabe que ese mismo año Maximiliano encargó a Eugenio Landesio seis paisajes de gran tamaño que deberían realizarse al fresco en el Castillo de Chapultepec. En el trato se especificaron los temas, que deberían estar relacionados con asuntos de la historia mexicana. Debido a los acontecimientos que se sucedieron, Landesio nunca llegó a realizar este compromiso.

En 1868 el Gobierno de la República ordena a Landesio abandonar su clase de perspectiva, manteniendo únicamente su clase de paisaje, como penalización por haberse negado a firmar la protesta en contra de la invasión francesa. En aquellos días el gobierno había solicitado la solidaridad de la

Hacienda de Sánchez, 1857, Queters Coner, 1857, Vista de la cañada del camino de Santa María Regla, Ojo de agua de San Miguel. Landesio painted a series of panoramic views of Architect Hidalga's haciendas in the Valley of Puebla, in addition to Hacienda de Colón, Hacienda de Matlala, Valle de México visto desde el cerro de Tenayo, El puente, El lago, El árbol, La garita de La Viga, and other pieces that reveal the overwhelming vitality of nature, with its freshly scented winds and water-filled clouds. The influence of genre painting on Landesio's human figures gave way to the magnificence of landscapes, a joining of grandiosity and detail.
Emperor Maximilian of Habsburg maintained a close relationship with the Academia de San Carlos. The records of the times show that Maximilian and Carlota attended the awards ceremony at the institution on December 4, 1864. Velasco received from the archduke's hands a silver medal and diploma signed by his teacher, Landesio, and Urbano Fonseca, the school's president. That same year, Maximilian requested six large landscapes from Eugenio Landesio,

EUGENIO LANDESIO
SIN TÍTULO
Oleo sobre tela, 45 x 65 cm.
Colección Particular

población, y Landesio, considerando que en su calidad de extranjero no debía involucrarse en asuntos políticos del país, no imprimió su firma. Este hecho mermó significativamente su ingreso, lo cual compensaba con los encargos que los particulares le hacían de su obra. En su lugar, el presidente Juárez nombró a José María Velasco como maestro de la clase de perspectiva. A finales de 1871 Landesio padeció una severa enfermedad pulmonar que lo obligó a dejar temporalmente sus clases. La enfermedad se agravó hasta convertirse en una severa pulmonía. Y buscando un mejor clima para recuperarse, en el mes de diciembre Landesio se trasladó al Molino de San Cayetano, cerca de Almoloya, en el Estado de México. En el mes de enero Landesio llegó a estar al borde de la muerte, y tanto Velasco como su hermano Antonio, quien estaba estudiando medicina, acudían con frecuencia a visitarlo. Le llevaban la correspondencia que le llegaba de Italia, así como algunos víveres, y con gran afecto veían que tomara sus medicamentos, lo aseaban, lo peinaban y le ayudaban a ponerse una camisa limpia. Durante ese tiempo el maestro se vio obligado a solicitar permiso para ausentarse de sus clases. José María Velasco lo suplió provisionalmente, siendo confirmado su nombramiento por el presidente Juárez como profesor sustituto el 19 de febrero de 1872. Hasta el mes de mayo el maestro italiano se restableció y regresó a la Academia.

Eugenio Landesio fue fiel a sus principios católicos y por ello nunca estuvo a favor de las Leyes de Reforma. Por esta razón, en 1873, después de diecinueve años de docencia, bajo una fuerte presión de parte de la administración de la institución y con gran pesar, renunció a la Academia Nacional de Bellas Artes. Sin tomar en cuenta los adeudos que la institución tenía con él y a sabiendas de que no recibiría ninguna paga, continuó dando sus clases hasta que se nombró a su sucesor. El consideraba que Velasco lo sucedería. El nuevo nombramiento debía someterse a concurso, pero no fue así. Por intereses políticos, se nombró de manera arbitraria a Salvador Murillo. Este hecho propició una aguerrida polémica a través de la prensa entre Landesio y el poeta y novelista Ignacio Manuel Altamirano, quien apoyaba la nominación de Murillo. La polémica llegó a tal grado que el Ministro italiano en México intervino, solicitando a Landesio abandonar su postura. Recién nombrado Murillo, éste gestionó una beca para ir a estudiar a Europa, la cual debido a sus relaciones le fue otorgada. Abandonó su puesto, pero continuó cobrando sus honorarios como maestro, y no fue sino hasta junio de 1877 en que recién había tomado la presidencia el general Porfirio Díaz, cuando se decidió regularizar esta absurda situación. Se destituyó a Murillo y José María Velasco fue nombrado maestro de paisaje.

Los últimos años que Landesio pasó en México fueron difíciles. No se sentía a gusto alejado de la Academia que tanto amaba, y después de veintidós años de vivir en nuestro país, en 1877 decidió regresar a Italia. En su viaje de regreso, visitó a Clavé en Barcelona y viajó con él a diversos lugares de España. Antes de despedirse, acordaron volverse a ver en la Exposición Universal que

to be painted as frescoes at the Castillo de Chapultepec. The commission specified the topics, which were to deal with Mexican history, but the political events of those years prevented Landesio from starting the project.
In 1868, the Mexican government penalized Landesio for refusing to sign the protest against the French invasion, by removing him from his post as professor of perspective, and retaining him only in landscape painting. Landesio believed that as a foreigner, it would have been incorrect to involve himself in the nation's internal affairs. The penalty affected his finances significantly, and he compensated for the loss by accepting individual commissions. President Juárez named José María Velasco to replace Landesio as the teacher of the perspective class. In late 1871, Landesio was forced to suspend his teaching because of a serious lung infection, which degenerated into pneumonia. In search of a better climate for recovery, in December, Landesio moved to the Molino de San Cayetano, near Almoloya in Estado de México. In January, near death, Landesio was visited frequently by Velasco and his brother, Antonio, a medical student. They would take Landesio his correspondence from Italy, as well as supplies, and with great solicitousness would administer his medicines, help him bathe and supply him with clean clothes. Landesio was obligated to request leave from the Academia, and was replaced temporarily by José María Velasco, the official substitute assigned by President Juárez on February 19, 1872. Not until the month of May was Landesio able to return to his teaching at the Academia.
Eugenio Landesio, loyal to his Roman Catholic principles, was never in favor of the legal changes of Leyes de Reforma. As a result, in 1873, under heavy pressure from the institution's administration, Landesio sadly resigned from the Academia Nacional de Bellas Artes after nineteen years of teaching. Without taking into account the money he was owed and knowing he would receive nothing in return, he continued giving classes until his successor was named. He mistakenly believed that Velasco would replace him, and that the position would be filled on a competitive basis. For political reasons, Salvador Murillo was selected, and battle was declared in the press between Landesio and the poet and novelist, Ignacio Manuel Altamirano, who supported Murillo's nomination. The conflict became so severe that the Italian minister in Mexico intervened to request Landesio to rescind his opinions. Once Murillo was named to the post, he obtained funds through his official relationships to study in Europe and left the school, yet continued to collect his teacher's salary. Not until June of 1877, was this absurd situation regularized by the incoming president, General Porfirio Díaz. Murillo was dismissed and José María Velasco designated professor of landscape painting.
Landesio's final years in Mexico were difficult. He was not happy away from his beloved Academia. In 1877, after twenty-two years of living in our country, he decided to return to Italy. While on his journey, he paid a visit to Clavé in Barcelona, and traveled with him to various parts of Spain. Before separating, they agreed to meet at the universal exposition to be held in Paris the following year; according to their correspondence, both knew that Velasco's work would participate by representing Mexico in Spain's pavilion. Landesio traveled

se celebraría en París el siguiente año, y según algunas cartas ambos sabían que la obra de Velasco participaría, representando a México en el pabellón de España. Landesio viajó a Roma, en donde se encontró con su sobrino Giovanni y sus sobrinos nietos. Allí se interesó por la pintura moderna que se estaba realizando en Italia; así se lo comenta a Velasco en una de sus cartas.

to Rome to visit his nephew, Giovanni, and his children. He wrote Velasco that he was becoming interested in the modern painting then being produced in Italy. In 1878, Landesio traveled to Paris, where he experienced the satisfaction of admiring one of the most outstanding paintings of his former student, José María Velasco: Valle de México desde el cerro de Santa Isabel. He enthusiastically viewed the monumental piece, and with tears in his eyes realized that his student had surpassed his teaching. He was in the presence of a truly spectacular landscape painting. Following that emotional moment, Landesio returned to Rome. He fell ill from malaria after an outing to the country, and on January 29, 1879, died at his nephew's house in Rome. Eugenio Landesio, one of the most famous landscapists of the 19th century and a renowned teacher of Mexico's Academia de San Carlos, left the Mexican people with the gift of his students, in particular José María Velasco, along with the marvelous tradition of landscape painting. Landesio and his students have taught us to love and feel proud of our land.

EUGENIO LANDESIO
HACIENDA DE COLÓN, 1857-58
Oleo sobre tela, 83 x 117 cm.
Colección Particular

En 1878 Landesio viajó a París, en donde tuvo la satisfacción de admirar una de las obras más sobresalientes de su antiguo alumno José María Velasco: *Valle de México desde el cerro de Santa Isabel.* Con gran regocijo admiró la monumental pieza, y con lágrimas en los ojos y gran entusiasmo reconoció que éste había superado sus enseñanzas. Estaba frente a uno de los más espectaculares paisajes. Después de ese emotivo momento regresó a Roma, en donde después de realizar una excursión al campo cayó enfermo de malaria. Eugenio Landesio, uno de los paisajistas más destacados del siglo XIX y reconocido maestro en la Academia de San Carlos de México, murió el 29 de enero de 1879 en la casa de su sobrino, en Roma, dejando al pueblo mexicano el orgullo de sus alumnos, y en especial el de José María Velasco, y en ellos la maravillosa tradición de la pintura paisajista. Landesio, al igual que sus alumnos, nos ha enseñado a amar nuestra tierra; a sentirnos orgullosos de ella.

Casimiro Castro
El pueblo de Ixtacalco tomado en globo,
México y sus alrededores, lámina no. 29
Litografía polícroma, iluminada, 23 x 33 cm.
Colección Particular

Casimiro Castro

1826-1889

Casimiro Castro plasmó ese México que se transportaba en carruajes, a caballo, y a través de chalupas, canoas y trajineras que circulaban en los centenarios canales naturales del valle de México.

Lupina Lara Elizondo

El antecedente de la litografía fue el grabado. Este llegó a México en los inicios de la Colonia. Se sabe que la primera imprenta de América fue instalada en 1539 en la ciudad de México por el italiano Giovanni Paolo. Estas técnicas se enseñaron a los aprendices de manera verbal. Y no fue sino hasta finales del siglo XVIII cuando Jerónimo Antonio Gil creó la primera escuela de grabado en un local que se encontraba ubicado junto a la Casa de Moneda, en donde unos años más tarde se habría de constituir oficialmente la Academia de San Carlos. A principios del siglo XIX, la lucha de Independencia provocó que la actividad de los grabadores se fuera viniendo a menos, y no fue sino hasta mediados de siglo, con la reestructuración de la Academia, cuando con la contratación en Europa del grabador inglés Jorge Agustín Periam esta actividad volvió a tomar su rumbo. A partir de este momento surge en México un grabado de gran calidad técnica y de estilo romántico. El sucesor de Periam fue Luis G. Campa, quien continuó enseñando a los estudiantes las diferentes técnicas de grabado, como el grabado en madera, al buril y al humo, entre otras.

Por su parte, el origen de la litografía en México nos remite al italiano Claudio Linati, quien llegó a nuestro país en 1825 trayendo la maquinaria para instalar el primer taller litográfico, con el apoyo del gobierno mexicano. Linati había conocido en Bruselas a don Manuel E. Gorostiza, encargado de los negocios de México en Bélgica, y con él gestionó este proyecto. De aquí que se le considere el introductor de este oficio a nuestro país. Linati enseñó estas técnicas a sus primeros ayudantes mexicanos: José Gracida e Ignacio Serrano. Su estancia en nuestro país fue corta; se extendió cerca de un año. En 1832 buscó regresar a este país que lo había cautivado, pero lamentablemente murió unos cuantos días después de haber desembarcado en costas mexicanas en el estado de Tamaulipas, a causa de la fiebre amarilla. Este primer taller que fundó Linati, posteriormente, entre fines de 1829 y principios de 1830, fue donado a la Academia Nacional de San Carlos, quedando como maestro Ignacio Serrano.

A mediados del siglo encontramos una gran cantidad de litografías en los libros de literatura, poesía e historia, y en revistas cuyo carácter por lo general abarcaba temas políticos o religiosos, sin faltar las revistas de moda, en las que se reproducían los figurines con los últimos diseños europeos. La litografía proliferó en el campo de la música, en la reproducción de cancioneros y de música impresa, y por supuesto en su campo más fértil, que al igual que en el grabado fue el de las artes

CASIMIRO CASTRO
ESTACIÓN DE ORIZABA, ALBUM DEL FERROCARRIL MEXICANO, LÁMINA NO. 15
Litografía polícroma, 24 x 35.5 cm.
Colección Particular

LITHOGRAPHY WAS PRECEDED BY ENGRAVING, WHICH reached Mexico in the early colonial period. An Italian, Giovanni Paolo, installed the first press in the Americas in Mexico City in 1539. Apprentices learned printing techniques through verbal instruction. Much later, in the late 18th century, Jerónimo Antonio Gil opened Mexico's first school of engraving next to the Casa de Moneda on the future site of the Academia de San Carlos. In the early 19th century, Mexico's struggle for independence brought a downturn in engraving activity, which would not resume its course until the middle part of the century with the restructuring of the Academia and the hiring of the English engraver, George August Periam. At that time, engraving with high technical quality and a romantic style began to be produced in Mexico. Periam's successor was Luis G. Campa, who continued teaching various engraving techniques, including woodcuts and the use of the burin.
Lithography, on the other hand, arrived in Mexico in 1825 with the Italian, Claudio Linati, who brought the machinery to install the nation's first

plásticas, en donde nos ofrece preciosas imágenes de monumentos, paisajes abiertos y paisajes urbanos, junto con las fiestas y costumbres de la época.

Adicionalmente al taller de litografía y grabado existente en la Academia, en 1836 se abrió el primer taller comercial de litografía, bajo los apellidos Rocha y Fournier. Dos años más tarde apareció un segundo taller: Mialhe y Decaen. El francés José Antonio Decaen se separó de su socio para formar una nueva empresa, la cual vendió y volvió a adquirir en diversas ocasiones, y entre 1855 y 1856, el señor Decaen, entonces asociado con Víctor Debray, publica un importante libro titulado *México y sus alrededores.*

Al hablar de la litografía y el grabado en el siglo XIX, resulta obligado mencionar la importante participación de los artistas viajeros extranjeros que, motivados por las deslumbrantes descripciones que en el viejo continente se hacían de estas tierras lejanas, visitaron nuestro país, retratándolo con sus lápices y sus pinceles. Entre ellos se encontraron Thomas Egerton, Moritz Rugendas, Pedro Gualdi, Karl Nebel, Frederick Catherwood y William Bullock, entre otros.

Todo lo anterior nos permite ubicar a uno de los más destacados litógrafos mexicanos, Casimiro Castro, quien nació el 24 de abril de 1826 en el pueblo de Tepetlaoxtoc, cercano a la ciudad de México. Basta admirar sus trabajos para descubrir sus dotes de gran dibujante. A la fecha no se han encontrado registros que nos indiquen que haya estudiado en alguna institución en particular. Se sabe que el italiano Pedro Gualdi –quien llegó a México como escenógrafo de una compañía operística– dio clases de perspectiva en la Academia de San Carlos, y que Casimiro Castro aprendió el oficio de la litografía como discípulo suyo. Sin embargo, no se ha encontrado ningún registro que lo acredite como alumno de dicha institución. Castro llegó a captar con particular brillantez la perspectiva escénica y el extraordinario manejo del claroscuro que caracterizaron a las obras de su maestro. Podemos afirmar que otra parte de su formación se desarrolló en los talleres litográficos, al aprender estas técnicas directamente con los impresores. Pero Casimiro también encontró otra fuente para mejorar su dibujo y perspectiva: estudiando a detalle las litografías europeas que llegaban a México, actividad que realizó a lo largo de su vida.

En 1849, a la edad de veintitrés años, ilustró su primera lámina, titulada *Descripción de la solemnidad fúnebre con que se honraron las cenizas del héroe de Iguala D. Agustín de Iturbide, en octubre de 1838*, en el taller del litógrafo e impresor Ignacio Cumplido. Se sabe que en este tiempo Castro estudiaba con Gualdi, por lo que se deduce que el maestro lo asesoró en este trabajo. En 1851 litografió, en la casa editorial Navarro y Decaen, los dibujos de F. Rivière para la novela *Antonio y Anita o los nuevos misterios de México*. En ella Rivière describe los festejos con los que se celebraba en aquella época un 16 de septiembre, el aniversario de la Independencia. Posteriormente trabajará para el taller de José Antonio Decaen, realizando algunas obras para la revista *La ilustración mexicana*. Entre éstas se encontraban paisajes urbanos, dibujos arquitectónicos de edificios y monumentos, retratos, tipos populares y alegorías.

lithographic workshop under the auspices of the Mexican government. In Brussels, Linati had met Manuel E. Gorostiza, the representative of Mexican business interests in Belgium, and together the two men had planned the project. Linati is considered the founder of lithography in Mexico. He taught the technique to his Mexican assistants: José Gracida and Ignacio Serrano. His stay was brief, not quite one year. In 1832, he attempted to return to the nation that had so intrigued him, but lamentably died from yellow fever a few days after disembarking in Tamaulipas. Linati's first workshop was donated to the Academia Nacional de San Carlos in late 1829 and early 1830, and directed by Maestro Ignacio Serrano.

Many lithographs dating from the mid-1800s can be found in literature, poetry and history books, in political or religious journals, or in the fashion magazines that depicted the latest European garment designs. Lithography proliferated in the field of music, in the reproduction of songbooks and sheet music, and most especially (just as its predecessor, engraving) in the visual arts: beautiful images of monuments, open landscapes and urban scenes, along with the celebrations and customs of the times.

CASIMIRO CASTRO
EL E.S.D. IGNACIO COMONFORT VOLTEA LA POSICIÓN DEL CERRO DE SAN JUAN Y OCUPA EL CONVENTO DEL CARMEN EL 10 DE MARZO DE 1856
Litografía, 23 x 33.5 cm. Colección Particular

In addition to the Academia's workshop of engraving and lithography, a commercial lithographic workshop (the first in Mexico) was opened in 1836, under the surnames of Rocha and Fournier. Two years later a second business appeared: Mialhe y Decaen. The French co-owner, José Antonio Decaen, separated from his partner to form a new company (subsequently sold and reacquired) and then associated with Víctor Debray to publish a notable book, México y sus alrededores.
When referring to 19th-century lithography and engraving, mention must be made of the important participation of foreign artists who visited Mexico to portray the nation with their pencils and brushes, motivated by the astounding description of faraway lands. These artists include Thomas Egerton, Moritz Rugendas, Pedro Gualdi, Karl Nebel, Frederick Catherwood and William Bullock, among others.
Such background information serves as a context for studying one of Mexico's most outstanding lithographers, Casimiro Castro, born April 24, 1826, in the town of Tepetlaoxtoc near Mexico City. A perusal of his work is sufficient to confirm his talent as a draftsman. To date, no records have been found to indicate that he studied at any specific institution. It is known that the Italian, Pedro Gualdi—who came to Mexico as the stage designer for an opera company—gave perspective classes as the Academia de San Carlos, and that Casimiro Castro learned lithography as his student. However, there is no proof of Castro's attendance at the institution. Castro was able to capture with particular brightness the scenic perspective and extraordinary handling of chiaroscuro that characterized his teacher's work. We can affirm that the other part of his training occurred in the workshop, by learning techniques directly from the printers. And Casimiro found for himself another source for improving his drawing and perspective: the detailed study of European lithographs in Mexico, an activity he carried out during his entire lifetime.
In 1849, at age twenty-three, Castro produced his first printed illustration, Descripción de la solemnidad fúnebre con que se honraron las cenizas del héroe de Iguala D. Agustín de Iturbide, en octubre de 1838, in the workshop of the lithographer and printer, Ignacio Cumplido. Since Castro was studying under Gualdi at the time, it can be deduced that the maestro advised him on the project. In 1851, he made lithographs of F. Rivière's drawings for the novel, Antonio y Anita o los nuevos misterios de México, in the Navarro y Decaen publishing house. The drawings describe typical independence-day celebrations of the 16th of September. Castro also worked in José Antonio Decaen's workshop on illustrations for the magazine, La ilustración mexicana: urban settings, architectural drawings, monuments, portraits and allegories.
The noteworthy album of México y sus alrededores, from 1855 and 1856, published extraordinary lithographs by Casimiro Castro, Julián Campillo, Luis Auda and C. Rodríguez. The first edition had thirty-one illustrations and was followed by two more editions: in 1862, with forty-two illustrations, and in 1874, with forty-nine. The album is undoubtedly Casimiro Castro's most important piece of work.

Como se menciona anteriormente, en 1855 y 1856 se realiza el importante álbum titulado *México y sus alrededores,* en el que se incluyen extraordinarias litografías de Casimiro Castro, Julián Campillo, Luis Auda y C. Rodríguez. Esta edición incluía treinta y una láminas acuareladas y dio lugar a que se realizaran dos ediciones posteriores: la primera en 1862, con cuarenta y dos ilustraciones, y la segunda en 1874 y con cuarenta y nueve láminas. Esta es sin duda la obra más importante de Casimiro Castro. En este proyecto realizó en su totalidad catorce litografías, además de diecinueve con Campillo, dos con Auda y dos más con Rodríguez. En las nuevas ediciones se fueron agregando imágenes y se fueron modificando las anteriores, de acuerdo con la situación política y la historia del momento. La primera vista aérea de la ciudad de México fue realizada por Casimiro Castro, justamente para este libro, siendo ésta una de las mayores aportaciones de esta obra. Casimiro tomó

Casimiro Castro
La Alameda de México tomada
en globo, México y sus alrededores,
lámina no. 30.
Litografía, 23.5 x 33 cm.
Colección Particular

desde un globo otras importantes vistas de México y sus alrededores, logrando captar una visión panorámica de trescientos sesenta grados. Así lo muestran las vistas de *El pueblo de Ixtacalco* y *La Alameda de México*. Fue fantástico poder contemplar las ciudades y a sus habitantes desde las alturas. Este ángulo de exposición del paisaje abrió una nueva dimensión en la plástica.

Según lo apunta Roberto L. Mayer en su texto sobre Casimiro Castro, las litografías fueron adquiriendo color: "Muchas de las vistas de 'México y sus Alrededores', son a dos colores o duotono, siguiendo una técnica muy común en aquella época, según la cual se imprimía con una primera piedra, que podríamos llamar piedra fundamental, la mayor parte de la imagen en tinta color sepia oscuro o negro y, con una segunda piedra con tinta ocre claro se resaltaban los detalles y se llenaba de nubes el firmamento. Al pasar el tiempo fueron agregando colores, generalmente con piedras adicionales, una por cada

He produced a total of fourteen lithographs for the publication, and worked on nineteen more with Campillo, two with Auda and two more with Rodríguez. The new editions added images and modified previous illustrations, according to the political and historical situation of the moment. The first aerial view of Mexico City was produced by Casimiro Castro for this book, and was one of his most significant contributions. From a balloon, Casimiro depicted other well-known scenes from Mexico City and its surrounding areas, with a panoramic viewpoint of 360 degrees. Examples are El pueblo de Ixtacalco and La Alameda de México. Being able to contemplate the landscapes of cities and their inhabitants from this angle opened a new dimension in the visual arts.
As Roberto L. Mayer remarks in his text about Casimiro Castro, lithographs began to acquire color: "Many views from México y sus Alrededores are two-tone because of a very common technique of the time. The first stone, which we could call the fundamental stone, was used to print most of the image in dark sepia or black ink, and a second stone with light ochre ink emphasized the details and filled the sky with clouds. Colors were added over time, generally with additional stones, one for each color: a third stone for the blue sky and water, and in some cases, a fourth stone to give vegetation a green color. In contrast with other workshops, watercolor was used very moderately for México y sus Alrededores—only to touch up details or add infrequent colors to the illustration, such as those of the clothing."
Castro reflected the romantic sentiment of his times in México y sus Alrededores, and his impeccable drawing depicted certain 19th-century events and customs. The publication represented one of the most ambitious lithographic projects ever completed in Mexico. It was backed and directed by José Antonio Decaen, a cultivated man of French nationality whose broad vision allowed him to understand the importance of the project both in Mexico and abroad. The close friendship that developed between the printer and Casimiro facilitated the work. At a later date, family ties would be involved, with Castro's marriage to the printer's stepdaughter, Soledad Cobo, the daughter of Modesta Cobo and the printer, Boudouin. Decaen died in 1866, but his vision and experience remained in a worthy successor.
In those years, Mexico City's via of communication with Europe was the port of Veracruz, and a railway was built between the capital city and the port to enhance business and trade with the Old World. President Sebastián Lerdo de Tejada inaugurated the project in 1873. In a desire to present to Mexico and the world the nation's progress towards modernity,

the railroad commissioned Casimiro in 1877 to produce the famous Album del Ferrocarril Mexicano, with texts by the geographer, Antonio García Cubas. Some of the artists and lithographers of the times used photographs as a basis for their work, but Castro worked by making drawings from life. His plates showed the natural beauty of the sites where the track had been laid, with scenes of stations and restless passengers, of warehouses with stacked merchandise ready for transport, and of the platforms with spare parts and supplies for rail repairs.
Casimiro Castro's participation in the Album mexicano of 1855 was minimal: he worked on only some of the plates, such as Vista de Querétaro tomada desde el Templo de la Cruz and Acueducto de Querétaro. The historian, Guadalupe Jiménez Codinach, confirms in her text on Casimiro Castro that he began to manage Casa Decaen in 1880, at the age of fifty-four. During this period, he completed various projects, mostly commercial work. The text also affirms that no confirmation has been made of Casimiro's assumed trip to Europe in 1885. Some historians have believed such a trip was made because of Castro's sketches of Saint Peter's Square in Rome and the Eiffel Tower of Paris; due to a lack of proof, however, it is thought that the sketches may be copies of European engravings.
Castro's work on historical topics was also notable, as reflected by the illustration of El E.S.D. Ignacio Comonfort voltea la posición del cerro de San Juan y ocupa el Convento del Carmen el 10 de marzo de 1856. The artist's skill in scenic composition is evidenced by his depiction of the battle between the natives of Sierra Gorda and Zacapoaxtla, led by General Comonfort, then the president of Mexico. The quality of Castro's drawing is impeccable, as is his lithographic work.
Casimiro Castro loved his country, his city and his people like few others: otherwise he would never have been able to reflect such deep affection in his marvelous illustrations. His work includes oils and watercolors that show us his talents as a painter, yet the pen and pencil were his most eloquent element of expression. Casimiro Castro portrayed the Mexico that traveled in carriages, on horseback and in the canoes and flat-bottomed boats that circulated in the ancient canals of the Valley of Mexico. But the nation did not lag behind on the road to modernity, and Castro showed its progress by drawing trains steaming through mountain passes or already at the station. And his interest in typical festivities is seen in El Calvario. En San Agustín de las Cuevas, the depiction of a location in Tlalpan where cockfights were held in colonial times, and where families gathered to enjoy music and dancing, regardless of social position.

CASIMIRO CASTRO
LA GLORIETA EN EL INTERIOR DEL BOSQUE DE CHAPULTEPEC, MÉXICO Y SUS ALREDEDORES, LÁMINA NO. 31
Litografía iluminada, 23 x 33.3 cm.
Colección Particular

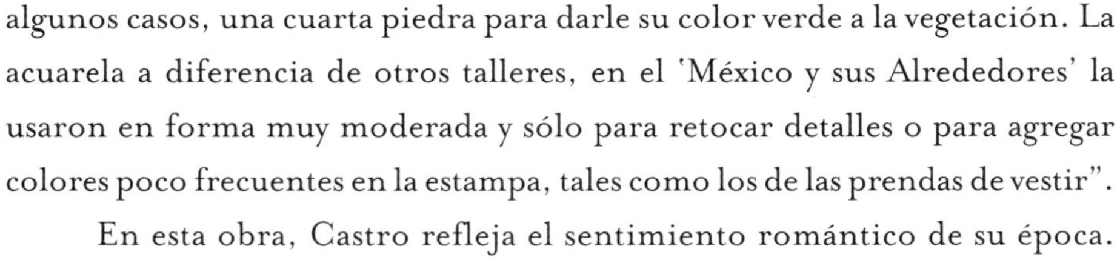

color, usando así una tercera piedra para el azul del cielo y del agua, y, en algunos casos, una cuarta piedra para darle su color verde a la vegetación. La acuarela a diferencia de otros talleres, en el 'México y sus Alrededores' la usaron en forma muy moderada y sólo para retocar detalles o para agregar colores poco frecuentes en la estampa, tales como los de las prendas de vestir".

En esta obra, Castro refleja el sentimiento romántico de su época. Su impecable dibujo captura las costumbres y algunos eventos ocurridos durante el siglo XIX. Este fue uno de los trabajos litográficos más ambiciosos que se habían realizado en México, cuya visión, respaldo y dirección recayeron en don José Antonio Decaen. El era un hombre culto, de nacionalidad francesa, y con una gran visión que le permitió concebir la importancia de este proyecto tanto para México como para el extranjero. Entre Casimiro y el impresor se desarrolló una cercana amistad que permitió el buen desarrollo del proyecto. Más tarde en esta relación se involucrarían lazos familiares, ya que al paso del tiempo Castro contrajo matrimonio con la hijastra del impresor, Soledad Cobo, hija de Modesta Cobo y el litógrafo impresor Boudouin. Decaen muere en 1866, habiendo dejado su visión y su experiencia en un buen sucesor.

En aquellos años el enlace de la ciudad de México con Europa se hacía a través del puerto de Veracruz, por lo que establecer una vía férrea que uniera a la capital con el puerto agilizaría y facilitaría el vínculo comercial y de negocios con las naciones cultas. Este proyecto fue inaugurado en 1873 por el presidente Sebastián Lerdo de Tejada. Y en un afán de dar a conocer en México y en el mundo los avances que este país daba hacia la modernidad, la empresa Camino de Fierro México-Veracruz, en 1877 encarga a Casimiro el trabajo del famoso *Album del Ferrocarril Mexicano*, incluyendo en él textos del geógrafo Antonio García Cubas. En esa época algunos artistas y litógrafos empleaban la fotografía para el desarrollo de sus trabajos; no obstante, Castro trabajó realizando todos sus dibujos del natural. En sus láminas mostraba la belleza natural de los sitios por donde el ferrocarril hacía su recorrido, presentando vistas de las estaciones con los inquietos pasajeros, de sus almacenes con las mercancías apiladas para ser transportadas, y de los andenes, en los que se mantenían las refacciones para los equipos y el material para reparar las vías.

Se sabe que la participación de Casimiro Castro en el *Album mexicano* en 1855 fue realmente mínima. Solamente trabajó algunas de las estampas, como *Vista de Querétaro tomada desde el Templo de la Cruz y Acueducto de Querétaro*. La historiadora Guadalupe Jiménez Codinach, en su texto sobre el artista Casimiro Castro, confirma que asumió la dirección de la Casa Decaen en el año 1880, cuando tenía cincuenta y cuatro años. En ese tiempo realizó diferentes trabajos, en su mayoría proyectos comerciales para diferentes establecimientos. También afirma que no se ha podido confirmar el supuesto viaje que Casimiro hizo a Europa en 1885. Esto había sido

deducido por algunos historiadores, tomando como base unos apuntes que Castro realizó sobre la Plaza de San Pedro en Roma y la Torre Eiffel de París; sin embargo, este hecho no se ha confirmado y se cree que los apuntes puedan corresponder a copias de grabados europeos.

Castro también trabajó los temas históricos de manera notable. Así lo refleja la lámina *El E.S.D. Ignacio Comonfort voltea la posición del cerro de San Juan y ocupa el Convento del Carmen el 10 de marzo de 1856*. En ella se advierte su habilidad para la composición escénica al ilustrar la batalla entre los indígenas de la Sierra Gorda y Zacapoaxtla, encabezados por el general Comonfort, entonces Presidente de la República Mexicana. La calidad de su dibujo es impecable, al igual que el trabajo litográfico.

Casimiro Castro amó como pocos a su país, su ciudad y su gente, porque de no haber sentido un afecto tan profundo jamás hubiera podido reflejarlo de la manera en que lo hizo en sus maravillosas láminas. Entre sus obras nos encontramos algunos óleos y acuarelas que nos demuestran también sus dotes de pintor; sin embargo, son el lápiz y la pluma su mejor elemento de expresión. Casimiro Castro plasmó ese México que se transportaba en carruajes, a caballo, y a través de chalupas, canoas y trajineras que circulaban en los centenarios canales naturales del valle de México. Pero México no se quedó atrás en el camino de la modernidad, así que nuestro litógrafo reflejó estos avances de diversas maneras, dibujando al ferrocarril cruzando las montañas a todo vapor y plasmando también las estaciones ferroviarias. Existen obras que reflejan las fiestas; entre ellas encontramos la que se titula: *El Calvario. En San Agustín de las Cuevas*. El contenido de la obra sucede en Tlalpan, sitio en el cual desde la época colonial se practicaba el juego del palenque de gallos y en donde las personas se reunían a disfrutar en familia de la música y los bailes, sin considerar niveles sociales.

José María Velasco
Cardón, 1887
Oleo sobre papel, 62.3 x 46.3 cm.
Museo Nacional de Arte

José María Velasco

1840-1912

Su producción profesional inició en 1868, al concluir sus estudios en la Academia, y se extendió durante cuarenta y cuatro años, en los que llegó a pintar cerca de trescientas pinturas al óleo, además de las acuarelas, las litografías y las pinturas en miniatura.

Lupina Lara Elizondo

Durante la época colonial, el paisaje aparece en un terreno secundario, simplemente como parte de la ambientación de una escena épica, o como un fondo que tenía como objeto dar profundidad y espacio a la pintura. Por lo general, el paisaje representaba lugares imaginarios y, en ocasiones, era copiado de grabados europeos. No es sino hasta el siglo XIX, y en particular a partir de la independencia de México, cuando la pintura del paisaje empieza a adquirir importancia dentro del arte nacional. Con este acontecimiento se abrió la posibilidad de que los distintos países europeos pudieran establecer relaciones económicas, financieras y comerciales con esta nueva y rica nación, y al despertarse el interés, envían a sus pintores para que retraten con sus pinceles imágenes de este país. Entre ellos se encontraban: el inglés Daniel Thomas Egerton, el francés Edouard E. Pingret, el italiano Claudio Linati, los alemanes Friedrich Waldeck y Joan Moritz Rugendas, así como August Lohr. A todos ellos se les conoció como los pintores viajeros. Gran parte de sus trabajos llegaron a sus destinos; no obstante, algunos de ellos se quedaron en nuestro país, dejando el testimonio de un gran academicismo, el cual influyó de manera definitiva en los trabajos de los pintores de la época.

En esta atmósfera en que el naturalismo marcaba su senda, nace José María Velasco en el año 1840 en Temascalcingo, distrito de Ixtlahuaca, ahora de El Oro, en el Estado de México. Provenía de una familia próspera y preparada. Sus padres fueron don Felipe Velasco y doña Antonia Gómez, y su abuelo fue don Ramón Velasco. Este último ocupó diversos cargos públicos en su pueblo: asistente del alcalde, miembro del congreso local, comisionado de justicia y de paz, y tesorero público para la recaudación de impuestos. En 1846 murió don Ramón; sin él la vida en Temascalcingo para su familia no fue igual. Un año más tarde don Felipe puso en orden todos sus asuntos y se mudó con su esposa y sus dos hijos, Ildefonso y José María, a la ciudad de México. En esos días, soldados americanos de origen irlandés desertaban de su propio ejército para unirse al ejército mexicano, llámandose a ellos mismos El Batallón de San Patricio, y así combatir a las tropas norteamericanas que invadían nuestro país. Esta situación llevó a la familia temporalmente de regreso a Temascalcingo, y en 1849 se trasladan definitivamente a la ciudad de México. Ese mismo año José María e Ildefonso ingresan al Colegio Lancasteriano de Santa Catarina Mártir. Posteriormente ingresan a otra escuela que también manejaba el sistema lancasteriano de enseñanza, ubicada en la misma calle de Salto del Agua donde ellos vivían.

DURING COLONIAL TIMES IN MEXICO, LANDSCAPE painting was secondary: landscapes were used as part of the setting for epic scenes, or as the background that served to give paintings depth and space. They generally represented imaginary locations, and on occasions were copied from European engravings. It was not until Mexico's independence in the 19th century that landscape painting began to acquire importance in Mexican art. With independence came the opportunity for European nations to establish economic, financial and trade relations with Mexico; increasingly interested in this new, rich nation, they sent their painters to record the country's images. The foreign painters arriving in Mexico—known as pintores viajeros ("traveling painters")—included Daniel Thomas Egerton, from England, Edouard E. Pingret, from France, Claudio Linati, from Italy, and Friedrich Waldeck, Joan Moritz Rugendas, and August Lohr from Germany. A large part of their production was sent back to Europe, but some remained in Mexico, providing testimony of the pronounced academic training that was of such definite influence on the Mexican painters of the era.
In this atmosphere of increasing artistic naturalism, José María Velasco was born in 1840 in Temascalcingo in the Ixtlahuaca district, now known as El Oro, in Estado de México. He was from an educated, prosperous family. His parents were Felipe Velasco and Antonia Gómez, and his grandfather was Ramón Velasco—who served in the pueblo as assistant mayor, local congressman, justice of the peace and public treasurer for tax collections. In 1846, Ramón Velasco died, and life without him in Temascalcingo was not the same for the Velasco family. Felipe put his affairs in order and moved to Mexico City with his wife and two sons, Ildefonso and José María. They arrived in Mexico City at the time foreign deserters were joining the San Patricio battalion to aid in the Mexican army's fight against invading United States troops. The situation forced the Velasco family temporarily back to Temascalcingo, but they returned definitively to Mexico City in 1849. That same year, José María and Ildefonso enrolled in the Colegio Lancasteriano de Santa Catarina Mártir. They later attended another school in the Lancastrian system, located on the street of Salto del Agua, where they lived.
In 1850, Antonio Velasco, the third brother, was born. That year the second great cholera epidemic spread throughout Mexico City, with the loss of more than 10,000 lives, including Felipe Velasco. His widow and three young sons moved to a piece of property, owned by a brother-in-law, that was located at No. 11 Don Toribio Street, now José María Izazaga, and known as Baño de Pescaditos. Ildefonso and José María continued their schooling at the Escuela La Divina Providencia. It was here that José María discovered his love of drawing, and came to realize that drawing was the activity that most interested him in life.
When the two boys finished elementary school in 1856, they began to work full-time with their uncles, Pedro and José Guadalupe, in their rebozo business in the El Volador market. José María, however, never abandoned his desire to dedicate his life to art. A friend of his uncle Pedro and a student at the Academia de Bellas Artes de San Carlos helped him

En 1850 nació Antonio Velasco, el tercero de los hermanos. En este año la segunda gran epidemia de cólera sacudió a la ciudad de México, cobrando más de 10,000 vidas, entre ellas la de don Felipe. Doña Antonia, viuda y con sus tres hijos, se mudó a vivir a una propiedad de su cuñado, conocida como Baño de Pescaditos, en el número once de la calle de Don Toribio, que actualmente se conoce como José María Izazaga. Ildefonso y José María continuaron sus estudios en la Escuela La Divina Providencia. Fue en esta escuela en donde José María descubrió su gusto por el dibujo, y conforme lo fue ejerciendo se dio cuenta de que ésta era la actividad que más le interesaba en la vida.

En 1856, cuando terminaron la escuela primaria, empezaron a trabajar de tiempo completo con sus tíos Pedro y José Guadalupe en el negocio de rebozos que tenían en el mercado El Volador. No obstante, José María jamás abandonó su intención de dedicar su vida al arte. Un amigo de su tío Pedro y un estudiante de la Academia de Bellas Artes de San Carlos lo ayudaron a lograr sus objetivos, llevándolo a esta institución. José María ingresó a los cursos nocturnos en la Academia; durante el día trabajaba y por las noches asistía a clases, y no fue sino hasta 1858 cuando Velasco se dedicó por completo al estudio del arte.

En ese tiempo la Academia adquirió el edificio que anteriormente había servido como el Hospital del Amor de Dios, que venía rentando desde 1791, y buscó contratar a maestros de gran nivel. Para ello se contactó a la Academia de San Lucas en Roma, por ser ésta una de las más prestigiadas. Dos artistas catalanes fueron contratados: el pintor Pelegrín Clavé y el escultor Manuel Vilar. Clavé había cultivado una cercana amistad con su colega italiano Eugenio Landesio, y lo consideraba uno de los mejores paisajistas. De ahí que, en 1855, Clavé lo propusiera para impartir las cátedras de pintura de paisaje y perspectiva en la Academia. Ese mismo año Landesio llegó a nuestro país, quedando maravillado por la majestuosidad del valle de México y por la espléndida luz que lo iluminaba. El contrato de Landesio contemplaba un período de cinco años; no obstante, su estancia en nuestro país se prolongó cerca de veinte años. Durante este tiempo el maestro formó una reconocida escuela de paisajistas mexicanos; de entre ellos fue Velasco el más destacado.

En 1860 la junta de la Academia convocó a los estudiantes a un concurso de paisaje, en el cual se otorgaría una beca al estudiante ganador. Landesio seleccionó el patio del ex-Convento de San Agustín como tema del concurso. José María obtuvo el Primer Lugar y con ello se hizo acreedor a la beca. En esa época Velasco realizó una serie de pinturas del natural, agregando a algunas episodios históricos, y a otras, escenas cotidianas, y entre éstas pintó una nueva versión del *Ex–Convento de San Agustín,* 1861. En enero de 1862 se llevó a cabo la *XII Exposición* de la Academia. Con su segunda versión del *Ex–Convento de San Agustín,* obtuvo una Medalla de Plata y un Diploma. Esto provocó que se escribieran diversos artículos en el periódico *El Siglo XIX* en los que se elogiaba al estudiante y se hacían notar sus sobresalientes dotes como pintor.

Velasco fue cimentando su pintura sobre un dibujo detallado y preciso, así como en una visión profunda y científica de la naturaleza. Prueba de ello son la gran cantidad de apuntes y estudios a lápiz, y los pequeños bocetos al óleo que realizó sobre rocas, ríos, nubes, hojas y las frondas de los árboles. Su producción temprana lo muestra: *Estudio para la caza, Una vertiente en el río, Vertiente del río, Paisaje de Teoloyucan, Cerro de la Bruja de Coyotepec, Paisaje de la expedición a la Hacienda de Tetla* y *Rocas de tepetate del río del Olivar del Conde* (La Magdalena), 1863.

Hacia fines de 1862 Velasco volvió a recibir una Medalla de Plata y el Diploma correspondiente, al presentar la obra *Cabrío de San Angel.* En 1863 exhibió *La Alameda de México* en la categoría de pintura al natural, y nuevamente obtuvo Medalla de Plata y Diploma. El 4 de diciembre de 1864 el emperador Maximiliano asistió a la entrega de premios del último día de clases de la Academia. En este evento Velasco recibió de manos de Maximiliano una Medalla de Plata y un Diploma por su obra *La caza.*

Su producción profesional inició en 1868, al concluir sus estudios en la Academia, y se extendió durante cuarenta y cuatro años, en los que llegó a pintar cerca de trescientas pinturas al óleo, además de las acuarelas, las litografías y las pinturas en miniatura. Algunos cambios significativos en su obra han permitido a los expertos clasificar su producción artística en seis etapas. La primera de ellas inició en 1868 con sus pinturas del Bosque de Chapultepec y se extendió durante cinco años, concluyendo en 1873. En la última ocasión en que Velasco presentó sus trabajos como estudiante de la Academia, ya habiendo adoptado ésta el nombre de Escuela Nacional de Bellas Artes, recibió un reconocimiento de manos del Presidente de la República, Benito Juárez, por su obra *Ahuehuetes y Castillo de Chapultepec.* Durante los dos años siguientes Velasco visita con gran frecuencia el Bosque de Chapultepec, haciendo estudios de los árboles. El 15 de septiembre es nombrado como nuevo profesor de perspectiva en la Academia. Gracias a los

to reach his goal by taking him to the Academia. There José María enrolled in night courses, and worked during the day, and it was not until 1858 that he was able to devote his time completely to studying art. During those years, the Academia purchased the building it had been leasing since 1791, the previous Hospital del Amor de Dios, and made an effort to hire highly qualified teachers. Contact was established with the prestigious Academy of St. Luke in Rome, and two Catalonian artists were contracted: the painter, Pelegrín Clavé, and the sculptor, Manuel Vilar. Clavé had cultivated a friendship with his Italian colleague, Eugenio Landesio, and considered him one of the best landscape artists of the time. In 1855, Clavé proposed Landesio for teaching landscape painting and perspective at the Academia. That same year, Landesio arrived in Mexico, and was marveled by the majesty of the Valley of Mexico and its splendid light. Landesio's contract was initially for five years, but his stay in our country stretched to almost twenty. During this time, he established a well-known school of Mexican landscape painters, among whom Velasco was the most outstanding.

José María Velasco
Valle de México desde
el río de los Morales, 1891
Oleo sobre tela, 46 x 62 cm.
Museo Nacional de Arte

In 1860, the Academia's council announced a landscape painting contest that would award a scholarship to the winning student. Landesio selected the patio of the Ex-Convento de San Agustín as the topic for the contest. José María won first prize, and the scholarship. At the same time, Velasco completed a series painted from life, with the addition of historical episodes to some and daily scenes to others, including a new version of Ex–Convento de San Agustín, 1861. This second version won a silver medal and a diploma in January of 1862, at the Academia's XII Exposición. Various articles of praise that appeared in the El Siglo XIX newspaper pointed to Velasco's talents as a painter. Velasco based his painting on detailed and precise drawing, as well as a profound and scientific vision of nature. Proof of his interest in the natural world is provided by his numerous pencil sketches, his small oil studies of rocks, rivers, leaves and foliage, and his early production: Estudio para la caza, Una vertiente en el río, Vertiente del río, Paisaje de Teoloyucan, Cerro de la Bruja de Coyotepec, Paisaje de la expedición a la Hacienda de Tetla y Rocas de tepetate del río del Olivar del Conde (La Magdalena), 1863. In late 1862, Velasco once again received a silver medal and diploma, this time for Cabrío de San Angel. In 1863, he exhibited La Alameda de México in the painting from life category, again winning a silver medal and diploma. On December 4, 1864, Emperor Maximilian attended the Academia's year-end awards ceremony, and gave Velasco a silver medal and diploma for La caza. Velasco began painting professionally in 1868 after graduating from the Academia, and would continue to paint for forty-four years. He produced close to three hundred oils, in addition to watercolors, lithographs and miniatures. Certain significant changes in Velasco's work have permitted the experts to classify six stages of his output. The first stage opened in 1868 with his paintings of the Bosque de Chapultepec and lasted five years, until 1873. On the final occasion that Velasco presented his work as a student of the Academia, which by then had changed its name to Escuela Nacional de Bellas Artes, he received a prize from Mexico's president, Benito Juárez, for the painting entitled Ahuehuetes y Castillo de Chapultepec. During the following years, Velasco often visited the Bosque de Chapultepec and made studies of the trees. On September 15, he was named professor of perspective at the Academia. Thanks to the steady income the position would provide, Velasco was able to marry María de la Luz Sánchez Armas on November 9 of the same year. They formed a family of thirteen children, of whom eight survived to adulthood: Francisco, Guadalupe (painter), Mercedes, María de la Luz (painter), Manuela, Antonia, José María and María. Landesio was the best man at Velasco's wedding, and since he never married, he adopted his former student's family as his own. In 1868, Velasco began to contribute lithographs to the Flora del Valle de México publication. His eighteen descriptive plates of plant morphology earned him membership in the Sociedad Mexicana de Historia Natural, and he published various articles in the society's official journal, La Naturaleza.

ingresos que este empleo le iba a proporcionar, tomó la decisión de contraer matrimonio con doña María de la Luz Sánchez Armas el 9 de noviembre del mismo año. Con ella formó una familia que se integró por trece hijos, de los cuales sobrevivieron ocho: Francisco, Guadalupe (pintora), Mercedes, María de la Luz (pintora), Manuela, Antonia, José María y María. Landesio fue su padrino de boda, y como nunca se casó, adoptó a la familia de su alumno como propia.

En 1868 Velasco empezó a colaborar con la publicación *Flora del Valle de México,* en la ejecución de litografías. Desarrolló dieciocho placas que describían la morfología de las plantas. Sus aportaciones le valieron para ser nombrado miembro numerario de la Sociedad Mexicana de Historia Natural, y en la revista *La Naturaleza,* órgano oficial de la sociedad, José María publicó varios artículos.

José María Velasco
Valle de México desde
el cerro de Santa Isabel, 1875
Oleo sobre tela, 137.5 x 226 cm.
Museo Nacional de Arte

El pintor acostumbraba acompañar a su esposa a visitar a su madre a la Villa de Guadalupe, y aprovechaba esas visitas para hacer algunas excursiones cercanas. En 1873 visitó las áridas laderas del Cerro de Atzacoalco, y con la vista desde ese lugar, realiza su primer gran paisaje del valle de México: *Valle de México desde el Cerro de Atzacoalco.* En esta obra ya se empieza a advertir esa luz transparente y la fineza en los detalles, sello distintivo de este gran pintor. Esta obra lo hizo merecedor de una Medalla de Oro, la más alta distinción en esa época, que le fue entregada por el Presidente de la República, Sebastián Lerdo de Tejada. Posteriormente realizó tres versiones sobre el mismo tema. A esta época corresponden diversas versiones de sus cuadros *Vista de Tlaxcala, Bosque de Pacho* y *Volcán de Orizaba.* Con motivo de la celebración del Centenario de la ciudad de Filadelfia, Velasco preparó su segunda gran obra monumental,

Velasco often accompanied his wife to her mother's home at Villa de Guadalupe, and would take advantage of the trip to visit nearby locations. In 1873, an outing to the arid hillsides of the Cerro de Atzacoalco resulted in Velasco's first large landscape of the Valley of Mexico, Valle de México desde el Cerro de Atzacoalco, *which evidenced the transparent light and fine details that would become so characteristic of Velasco's work. The painting earned a gold medal, the highest distinction of the times, awarded by the Mexican president, Sebastián Lerdo de Tejada. Velasco subsequently painted three versions of the same topic. Also from that era are diverse versions of* Vista de Tlaxcala, Bosque de Pacho *and* Volcán de Orizaba. *To participate in the centennial celebrations of the city of Philadelphia, Velasco prepared his second monumental work,* Valle de México desde el Cerro de Santa Isabel, 1875; *in 1876, he traveled to the United States to receive the first prize in the exhibition, as well as commissions for fourteen copies of the painting.*
In 1877, the Museo Nacional de la Ciudad de México began to distribute its official publication, Anales, *and Velasco started to contribute as a draftsman by illustrating the research studies published in the journal. Two of his oil paintings from this period are outstanding:* Pirámide del Sol *and* Pirámides del Sol y de la Luna, 1878. *He was named professor of landscape painting, and took on the subjects that Landesio had taught for so many years. Velasco motivated his students to paint from life. That same year, he participated in Paris' universal exhibition with* Valle de México desde el cerro de Santa Isabel. *The painting had previously received the first prize and a silver medal from President Porfirio Díaz. In Paris, the piece captured the attention of the public as well as the critics, and led to requests for seven copies. One was given to Pope Leo XIII and is still to be found in the Vatican. This large work marks the end of the third stage of Velasco's painting.*
In 1881, Velasco painted Puente curvo del Ferrocarril Mexicano *and* Cañada de Metlac. *In 1889, he repeated the second topic for the exhibition in Paris. This topic concluded Velasco's fourth artistic period, and opened the way in 1881 to his fifth stage, which began with several views of the Popocatépetl and Iztaccíhuatl volcanoes that he painted while on a trip to Cuernavaca. The topic would be repeated in his studio work. Also corresponding to this period are various views of* Valle de México desde el Cerro de Santa Isabel. *In 1883, Velasco painted* Vista de Chapultepec, *and in 1884,* Vista de Chapultepec desde la Calzada de la Reforma. *In 1884, Velasco showed* Barranca de Metlac *and* Valle de México *at the grand* Universal Exhibition of New Orleans.

Valle de México desde el Cerro de Santa Isabel, 1875, y en 1876 viajó a los Estados Unidos, logrando el Primer Premio en la exposición, así como encargos para hacer catorce copias de dicha obra.

En 1877, el Museo Nacional de la Ciudad de México empezó a circular su publicación oficial, *Anales*, y ese mismo año Velasco inicia su colaboración como dibujante, ilustrando las investigaciones que en ella se publicaban. De este período destacan dos óleos suyos: *Pirámide del Sol* y *Pirámides del Sol y de la Luna*, 1878. En ese tiempo se le nombró como nuevo profesor de paisaje, asumiendo las mismas asignaturas que Landesio había enseñado por tantos años. Velasco motivaba a sus alumnos a pintar del natural. Ese mismo año participa en la *Exposición Universal* de París con *Valle de México desde el cerro de Santa Isabel*. Con esta obra Velasco había recibido el Primer Premio y una Medalla de Plata de manos del presidente Díaz. En París, esta pieza cautivó al público y a la crítica, provocando que se solicitara a Velasco repetirla siete veces más. Una de ellas fue regalada al Papa León XIII y hasta la fecha permanece en el Vaticano. Esta gran obra marca el fin de la tercera etapa de su pintura.

En 1881 pintó *Puente curvo del Ferrocarril Mexicano* y *Cañada de Metlac*. En 1889 repitió este último tema para participar nuevamente en la *Exhibición Universal* de París. Con este tema concluye su cuarto período artístico, dando paso en 1881 a su quinta etapa, que inicia con las obras que realiza en un viaje a Cuernavaca, en el que pintó diferentes vistas del Popocatépetl y del Iztaccíhuatl, repitiendo este tema en su estudio. También a este período corresponden diversas vistas del *Valle de México desde el Cerro de Santa Isabel*. En 1883 Velasco pintó *Vista de Chapultepec*, y en 1884 *Vista de Chapultepec desde la Calzada de la Reforma*. En 1884 Velasco participa con sus obras *Barranca de Metlac* y *Valle de México* en la gran *Exhibición Universal* que se llevó a cabo en la ciudad de Nueva Orleans, en los Estados Unidos. Estando en la exhibición, recibió con gran dolor la noticia de la muerte de su hermano Ildefonso.

En 1887 el pintor viaja a Oaxaca con el fin de pintar la catedral de esa ciudad, y aprovecha el viaje para pintar la flora y realizar estudios geológicos. Entre otras obras, pinta: *Vista de la ciudad y valle grande de Oaxaca, Vista de Mitla, Vista de Guelatao* y *Cardón*, ejecutando diversas pinturas sobre la vista de los volcanes desde Atlixco, en Puebla. La quinta etapa de su pintura concluye en 1889, con un largo viaje a Europa a otra gran *Exhibición Internacional* en París. Durante la travesía pintó *La bahía de La Habana* y *Mar Atlántico*. México participó con ciento dos obras, de las cuales sesenta y ocho eran de José María Velasco. A fines de 1889 el gobierno francés le otorgó la condecoración de Caballero de la Legión de Honor.

En 1890 inicia su sexta etapa artística. De esta época son: *Valle de México desde el Río de los Morales* y *Volcán de Orizaba desde la Hacienda de San Miguelito*. En 1891 el artista pintó dos obras con el tema *Camino a Chalco con los volcanes*, volviendo a abordar este tema en su estudio. En 1892 Velasco pintó la *Hacienda de Chimalpa*. En 1893, participó con *Lumen in coelo*, 1872, en la siguiente *Exhibición Internacional*, en esta ocasión en Chicago. A su regreso, Velasco traía consigo el Diploma que había conquistado su obra.

En 1901 la princesa Khevenhuler, de la casa real austríaca, viajó a México para atender la inauguración de una capilla construida en el cerro de las Campanas, en Querétaro, cerca de donde Maximiliano, Mejía y Miramón fueron ejecutados. Velasco la invitó a cenar a su casa y le regaló una pintura titulada *Cerro de las Campanas*. Como agradecimiento a ese gesto, el Emperador de Austria lo reconoció con la Cruz de los Caballeros de la Orden de Francisco José. En 1902 hizo otra versión de ésta para conservarla como recuerdo de aquel evento.

En 1901 Velasco pintó *Valle de México visto desde Chapultepec* y *Valle visto desde el Tepeyac*, repitiendo este último tema cuatro veces más. A principios de 1903, el arquitecto Antonio Rivas Mercado solicita la destitución del maestro de su cargo como profesor de perspectiva. La actitud tan carente de sensibilidad y de reconocimiento lo hirió muy profundamente. En esa época pintó una serie de pequeños paisajes que reflejaban su estado de ánimo, y quizá la pieza que en forma más evidente nos revela su tristeza es *El Calvario*, pintada en 1909. En 1908 José María Velasco terminó de escribir su libro *El arte de la pintura*. En junio de 1910 Velasco dejó el Museo después de treinta años de trabajo. No obstante sus esfuerzos por sobreponerse, la tristeza no se alejaba. Una mañana se levantó, y a pesar de sentirse indispuesto, se puso a pintar un paisaje en miniatura, el cual no concluyó. José María Velasco murió en la ciudad de México la tarde del 27 de agosto de 1912, a los setenta y dos años de edad.

José María Velasco
Popocatépetl e Iztaccíhuatl
Oleo sobre tela, 50 x 70 cm.
Colección Particular

While at the exhibition, he received with great remorse the news of the death of his brother, Ildefonso.
In 1887, Velasco traveled to Oaxaca to paint the city's cathedral, and took advantage of the trip to paint the region's flora and carry out geological studies. Some of the paintings he completed were Vista de la ciudad y valle grande de Oaxaca, Vista de Mitla, Vista de Guelatao and Cardón, as well as several paintings of the volcanoes from Atlixco, Puebla. The fifth stage of his painting concluded in 1889, with a long trip to Europe to another international exhibition in Paris. During the crossing, he painted La bahía de La Habana and Mar Atlántico. Mexico participated in the exhibition with one hundred and two pieces, of which sixty-eight were by José María Velasco. In late 1889, the French government made Velasco a chevalier of the Legion of Honor.
In 1890, Velasco began his sixth stage as an artist. Products of this era were Valle de México desde el Río de los Morales and Volcán de Orizaba desde la Hacienda de San Miguelito. In 1891, Velasco painted two pieces based on Camino a Chalco con los volcanes, and returned to the topic in his studio. In 1892, he painted the Hacienda de Chimalpa. In 1893, Lumen in coelo, 1872, participated in the International Exhibition, this time in Chicago. On his return to Mexico, Velasco brought home the diploma earned by his work.
In 1901, Princess Khevenhuler from the Austrian royal family traveled to Mexico to attend the inauguration of a chapel built on the Campanas hill in Querétaro, near the spot where Maximilian, Mejía and Miramón had been executed. Velasco invited her to dine at his home and presented her with a painting entitled Cerro de las Campanas. In appreciation, the Emperor of Austria awarded him the Cross of the Order of Francis Joseph. In 1902, Velasco painted another version of the topic as a reminder of the event.
In 1901, Velasco painted Valle de México visto desde Chapultepec and Valle visto desde el Tepeyac; he repeated the topic four times more. In early 1903, the architect Antonio Rivas Mercado requested the maestro's termination as professor of perspective. Rivas Mercado's insensitive and unappreciative attitude hurt Velasco deeply. He painted a series of small landscapes that reflected his sadness, perhaps most evident in El Calvario, from 1909. In 1908, José María Velasco wrote the final lines of his book, El arte de la pintura, and in June of 1910, he left the Museo after thirty years of work. In spite of his efforts, he was unable to overcome depression. His final painting, a miniature landscape begun one morning he was feeling unwell, was to remain unfinished. José María Velasco died in Mexico City on the afternoon of August 27, 1912, at the age of seventy-two.

Enrique Sánchez
Una tarde por el valle, 2002
Acrílico sobre lino, 200 x 305 cm.
Colección Particular

Enrique Sánchez

Tradición y modernidad en el paisaje

Después de un diálogo pausado y sereno con el paisaje, la agitada actividad del mundo moderno ha invitado a Enrique Sánchez a responder a esta comunicación bajo un lenguaje altamente expresivo, reflejado en una serie de obras realizadas en este nuevo siglo.

Lupina Lara Elizondo

El paisaje es un retrato que nos muestra el rostro de la naturaleza, un retrato de esa superficie caprichosa y bella que cubre la tierra y que en muchos lugares tristemente se ha cubierto de cemento. El espectáculo que nos ofrecen las nubes, el cielo, las montañas, los valles, los ríos y las plantas ha motivado a los creadores de diferentes épocas a emplear sus pinceles, robándole así una imagen al universo. Entre ellos se encuentra Enrique Sánchez, destacado pintor mexicano que nació en la ciudad de Guadalajara en 1940. Su padre, Vicente Sánchez, fue en su tiempo un gran paisajista. Por este motivo, los años de infancia de Enrique estuvieron rodeados de brochas, pinceles, óleos, telas y del fuerte olor del aguarrás. Nos dice que se acostumbró a mirar a su padre pintar, y agrega: *"Cuando niño nunca me interesó pintar. Acabando la secundaria, tuve otras inquietudes: estudié para ser oficinista y tuve diferentes empleos. Entre ellos, trabajé para La Casa del Arte, un negocio donde se vendían materiales para los pintores. En esa empresa se inició la primera fábrica de óleos en México, que se llamaron Colores Velázquez. Antes de eso, todos los óleos tenían que ser importados. Mi padre fue quien preparó esas fórmulas y se encargó de su producción. Realizaba mi trabajo con responsabilidad, pero no estaba del todo satisfecho. De pronto, como a los diecisiete años, empecé a hacer algunos dibujos por mi cuenta, sin mostrárselos a mi padre. Pero un día él me sorprendió dibujando y me dijo: –¡Dibujas bien! ¿Por qué no te metes a pintar? ¿Qué no me has visto pintar?– Le hice caso y me puse a pintar. Cuando vio mi trabajo, me dijo: –Puede ser que dándole fuerte al oficio llegues a pintar bien. Sigue intentando".*

Enrique tomó en serio las palabras de su padre, y al poco tiempo se inscribió en la Escuela de Pintura y Escultura La Esmeralda. Entre sus maestros se encontraban Benito Messeguer y Raúl Anguiano, y al respecto comenta: *"Fue muy importante el paso por la academia. Creo que las enseñanzas que recibí me hicieron más efecto después, que durante los años de estudio. De momento no se asimila todo, pues a los diecisiete años no tiene uno conciencia ni la visión plena de lo que es la pintura, ni tampoco experiencia, pero el conocimiento se queda y poco a poco va saliendo. Otra cosa que me aportó la academia fue el tener la oportunidad de conocer a fondo otros géneros y estilos en la pintura, pues hasta ese momento mi visión se limitaba al paisaje que hacía mi padre".*

Enrique Sánchez
A través de los árboles, 2000
Acrílico sobre tela, 100 x 120 cm.
Colección Particular

Tradition and Modernity in Landscapes

Landscapes are portraits of the face of nature, portraits of the earth's surface—a surface that is beautiful and capricious but sadly patched with cement in many locations. The magnificence of the clouds, sky, mountains, valleys, rivers and vegetation has motivated artists from many eras to borrow their painted images from the universe. One of these artists is Enrique Sánchez, an outstanding Mexican painter born in the city of Guadalajara in 1940. His father, Vicente Sánchez, was a well-known landscapist of his time. Enrique's childhood was spent among brushes, oils, canvases and the strong smell of turpentine. He tells us that he would watch his father paint: "When I was a boy, painting did not interest me. After finishing secondary school, I had other interests: I studied to be an office worker and I had various jobs. One of them was at La Casa del Arte, a business that sold supplies for painters. It opened the first oil paint factory in Mexico, called Colores Velázquez. Before that, all oil paints had to be imported. My father prepared the formulas and was in charge of production. I was a responsible employee, but I was not totally satisfied. All of a sudden, when I was about seventeen years old, I began to draw on my own, without showing my work to my father. But one day he caught me drawing and said, 'You draw well! Why don't you start painting? Haven't you seen me paint?' I followed his suggestion and started painting. When he saw my work, he said, 'If you work hard at it, you might become a good painter. Keep trying.'"
Enrique took his father's words seriously, and enrolled at the Escuela de Pintura y Escultura La Esmeralda. He comments that two of his teachers were Benito Messeguer and Raúl Anguiano: "My passage through the academy was very important. I think the education I received had more of an effect on me after I finished my studies. You don't assimilate everything at once—at age seventeen, you do not have a full vision or awareness of what painting is. Nor do you have the experience. But the knowledge stays, and reveals itself little by little. The academy also gave me the opportunity to become thoroughly familiar with other styles of painting: before then, I had been limited to the landscape painting my father did."
After three years of study, Enrique left the academy to paint independently. Thanks to an unselfish father who had recognized his talent, Enrique had discovered that painting would be his lifelong activity. He found himself alone in his studio. There were no longer teachers, but the attractive challenge of a path

Después de tres años de estudio, Enrique dejó la academia para dedicarse a pintar por su cuenta. Eso era lo que quería hacer por el resto de su vida, y lo había podido encontrar gracias a un padre que, alejado de egoísmos, reconoció su talento. En ese momento se encontró solo, en su estudio. Ya no había maestros, únicamente lo acompañaba el gran reto que lo atraía y lo invitaba a emprender un camino que no presentaba límite alguno. La inspiración y el ánimo lo estimulaban, así que los cuadros empezaron a acumularse y, aunque entre los clientes de su padre lograba vender algunos de ellos, se iba haciendo necesario mostrar su obra a un público más amplio. Pero los jóvenes artistas, al iniciar su carrera, carecen de opciones, pues no son lo suficientemente maduros y conocidos como para que sus obras interesen a las galerías. Sin embargo, necesitan un foro donde iniciarse, en donde dar a conocer su trabajo. Enrique acudió con sus cuadros al Jardín del Arte, una pintoresca plaza al sur de la ciudad de México, en donde los artistas muestran sus obras a cielo abierto.

Durante esos primeros años, Enrique dio rienda suelta a una gran cantidad de inquietudes. Incursionó en el paisaje, en lo figurativo, en lo abstracto, en el expresionismo. Fue una etapa sumamente enriquecedora, pues aunada a su disciplina en el ejercicio del oficio y a los riesgos de aventurarse a experimentar nuevos caminos, se unía la motivación de saber que existía alguien a quien le gustaba su obra. También lo motivaba la crítica constructiva de sus colegas y amigos. Todo ello fue acelerando en él el proceso de maduración, y al poco tiempo las galerías empezaron a buscar su obra. En un abrir y cerrar de ojos esta primera etapa fue quedando atrás, para dar paso a nuevas experiencias. Sin embargo, el artista siempre guarda con nostalgia el recuerdo de aquellos días gloriosos, llenos de ilusiones, en los que se está dispuesto a pagar cualquier precio con tal de poder pintar. Un período se cierra dando paso a otro, pero afortunadamente la inquietud en el artista nunca termina. El sigue siempre, como es el caso de Enrique Sánchez, incursionando en nuevos caminos, dejando evidencia de ello en telas que frecuentemente quedan guardadas en el taller. También es cierto que al paso del tiempo el contacto con los clientes queda limitado al día en que se inauguran las exposiciones. Sobre ello Enrique reflexiona y comenta: *"Todo eso se extraña. Pero por otro lado, al dejar que las galerías hagan su trabajo, nos queda más tiempo libre para convivir con nuestros temas, para reflexionar y estudiar todo aquel horizonte de conocimiento que va inquietándote conforme avanzas en este camino, y sobre todo tiempo para ponerte a pintar".*

En los años setenta, cuando Enrique ya había sentado sus bases en el paisaje, cierto día en que había ido a pintar por la carretera de Toluca, cerca de Cuajimalpa, y regresaba a la ciudad, se encontró con el que se

without limits. He was stimulated by inspiration and enthusiasm, and his finished work began to accumulate; although he was able to sell some pieces to his father's clients, it became obvious that he needed to show his work to a broader public. Young artists beginning their careers, however, lack options: they are not sufficiently mature or well-known to be of interest for the galleries, but need a place to begin to introduce their work. Enrique took his paintings to the Jardín del Arte, a picturesque plaza in southern Mexico City where artists show their work under the open sky.

During those early years, Enrique gave free rein to his wide interests. He experimented with landscapes, figurative work, abstractionism and expressionism. It was an extremely productive time for Enrique: in addition to the discipline of painting and the adventure of testing new waters, he was motivated by knowing that people liked his work and that his colleagues and friends were willing to offer their constructive criticism. His process

Enrique Sánchez
El Tepozteco desde Tabachines,
Estado de Morelos, 2002
Acrílico sobre lino, 100 x 200 cm.
Colección Particular

of artistic maturation increased in speed, and galleries soon began to request his work. In the blink of an eye, he was able to move on to new experiences, but with the artist's nostalgic memory of those glorious, illusion-filled days when a beginner is willing to make any sacrifice to paint. One stage gives way to the next, but an artist's interests are fortunately boundless. Artists are motivated, as is Enrique Sánchez, to explore new byways and leave fresh evidence on the canvas, which may remain in the studio. It is also a truth that over time, a painter's contact with clients is limited to the opening of exhibitions. Enrique reflects and comments on this fact: "You miss all that. But on the other hand, when you let the galleries do their work, you have more free time to interact with your topics, to meditate and study the horizon of knowledge that comes to interest you as you progress. And you especially have more time to paint."

By the 1970s, Enrique had put down his roots in landscape painting. One day on his way back from painting along the Toluca highway, near Cuajimalpa, he discovered what would become his major topic. He remembers that emotion-filled moment: "It was one of those days that the wind had cleaned the air and you could seen the whole Valley of Mexico: majestic, splendid, tremendous... I saw it and was enraptured... And at that moment I told myself: 'I think that one hundred years after José María Velasco, this beautiful valley can still be painted, from a current point of view.'" Thus began the passionate relationship between the imposing Valley of Mexico and its untiring admirer, Enrique Sánchez, who has taken his viewpoint of its magnificence to the highest extreme. He has surrendered to the Valley of Mexico with inexhaustible appreciation, by looking, feeling, devoting long hours and sharing his happiness and infinite pleasure in painting it.

As a young man, Enrique participated in mountain climbing. On numerous occasions he climbed Popocatépetl, Ixtaccíhuatl and almost all of the hills that surround the Valley of Mexico. His familiarity with the orography of the zone—the exact shape of the volcanoes, the characteristics of the Sierra Blanca—and his awareness of its particular details have enabled him to paint the valley with impeccable realism. This has been his passion. Enrique Sánchez' large formats permit the appreciation of space in all its magnitude, from the nearby bushes and rocks up to the endless sky marked by heavy clouds and seemingly united in the distance with faraway mountains. In an instant the viewer's eye travels from the foreground to the infinite, to return with enjoyment to its starting place. Sánchez' skill in handling space and the atmosphere gives us at times the impression of entering the painting. We set aside our immediate reality and for an instant have the sensation of leaving the room to take a breath of the pure mountain air depicted on the canvas.

The Valley of Mexico has not been the sole motivation for Enrique Sánchez' canvases. Our lovely Mexican land has rewarded him with spectacular views, including

convertiría en su gran tema. En palabras recuerda ese emotivo momento: *"Era uno de esos días en que los vientos habían limpiado la atmósfera y se apreciaba todo el valle de México: majestuoso, espléndido, tremendo... Lo vi y me quedé extasiado... Y en ese momento me dije: —Creo que, a cien años de distancia de José María Velasco, todavía se puede pintar este precioso valle, bajo una visión actual"*. Así inició esta relación apasionada entre el imponente valle de México y su incansable admirador, Enrique Sánchez. El ha llevado la visión de este gran espectáculo a los más elevados extremos. Se ha entregado a él con inagotable aprecio, mirándolo, sintiéndolo, dedicándole largas horas, compartiendo con él su alegría y el infinito placer que siente al pintarlo.

De joven, Enrique había practicado el alpinismo, escalando innumerables veces el Popocatépetl, el Ixtaccíhuatl y casi todos los cerros que rodean el valle de México. Conoce muy bien la orografía de esta zona: la forma exacta de los volcanes, las características de la Sierra Blanca, y consciente de todos esos detalles que otorgan particularidad a este gran valle, lo ha pintado con impecable realismo. Esa ha sido su gran pasión. Las telas de Enrique Sánchez son de gran formato para que el espacio se pueda apreciar en toda su magnitud, desde los arbustos y rocas cercanas hasta ese infinito cielo, que luce rasgado por nubes cargadas de agua y que parece unirse al fondo con las distantes montañas. En un instante la vista del espectador recorre las distancias; va de un primer plano hacia el infinito y con deleite regresa nuevamente al primer plano. Su habilidad para manejar el espacio y las atmósferas en ocasiones llega a provocarnos la sensación de entrar en el cuadro. Dejamos a un lado nuestra realidad inmediata, y por un instante sentimos como si abandonáramos la habitación en que nos encontramos para respirar el aire puro de las montañas.

No sólo el Valle de México ha motivado las telas de Enrique Sánchez. Nuestra hermosa tierra mexicana le ha obsequiado espectaculares vistas, como la del Cerro del Tepozteco, desde la zona de Tabachines; el Cerro de la Silla, en Monterrey; el Cañón del Sumidero, en Chiapas; la Barranca del Cobre, en Chihuahua; la selva que se extiende entre Veracruz, Chiapas y Tabasco, como tantos otros espléndidos lugares, pues a lo largo de los años Enrique ha recorrido casi todas las carreteras y caminos de la República.

En estos tiempos, en medio de una apabullante inercia hacia las propuestas de vanguardia, esta obra paisajista de corte académico se sostiene firme, apuntalada en su gran oficio y en su espléndida belleza. Desde que José María Velasco nos dejó su gran legado de paisajes, por lo general la pintura del Valle de México ha sido referida a sus grandes obras. Sin embargo, cada artista aborda el tema a su manera, empleando su propia técnica, y esto es justamente lo que hay que apreciar en los paisajistas contemporáneos, entender en qué radica la belleza de sus propuestas.

ENRIQUE SÁNCHEZ
VOLCANES EN EL VALLE, 2000
Acrílico sobre lino, 80 x 110 cm.
Colección Particular

En el año 1972 Enrique Sánchez planeó un interesante proyecto al lado de su familia. Con su esposa y dos de sus hijos emprendió un viaje en el que recorrió en automóvil y un remolque-casa diferentes países de Europa. Su objetivo principal era pintar y visitar museos, acercándose así a las grandes obras del Arte Universal. El remolque hacía las veces de casa y de taller. En este viaje, que se extendió durante un año, ensayó diversas técnicas, ejecutando obras motivadas por los paisajes abiertos, las iglesias, las plazas, los canales y callejones que lo inspiraban a su paso. No contaba con un itinerario fijo; se detenía a visitar y a pintar, tanto tiempo como el espectáculo y la curiosidad se lo pedían. No había forma de transportar cuadros frescos ni de esperar a que éstos secaran. Por ello, trabajó en acrílico y adaptó su técnica, incursionando en el impresionismo. Los cuadros terminados viajaban a México, en donde con anticipación ya tenían dueño. Fue un viraje interesante, que le obligó a educar su vista y su pincel a captar con rapidez la composición, las luces y las sombras, al igual que la atmósfera de la escena. Fue una experiencia fascinante que le permitió experimentar otra visión del paisaje. Años más tarde, Enrique ha vuelto a retomar el

the Cerro del Tepozteco from the Tabachines area; the Cerro de la Silla in Monterrey; Sumidero Canyon in Chiapas; Barranca del Cobre in Chihuahua; and the tropical forest that extends through Veracruz, Chiapas and Tabasco. Over the years, Enrique has traveled on almost all of the nation's highways and roads.
At the present time, in the midst of crushing indifference to the proposals of the vanguard, Sánchez' academic landscape work stands tall, supported by its own beauty and the artist's mastery. Ever since José María Velasco left us his grand legacy of landscapes, paintings of the Valley of Mexico have generally been influenced by his work. Yet the approach and techniques employed by each artist in addressing the topic are precisely what must be appreciated: they enable us to understand the source of the attractiveness of contemporary landscapes. In 1972, Enrique Sánchez undertook an interesting

ENRIQUE SÁNCHEZ
LA NATURALEZA Y EL CAOS
Acrílico sobre lino, 150 x 200 cm.
Colección Particular

family project. In the company of his wife and two of his children, he traveled by car, pulling a camper, through various countries in Europe. His principal objective was to study the masterworks of universal art by visiting museums and painting. The camper served as house and workshop. During the year-long journey, Sánchez tested diverse techniques and produced work inspired by the open landscapes, churches, squares, channels and narrow streets. The family had no set itinerary, and Enrique followed the demands of his curiosity and the view itself in making stops to paint. Since transporting wet paintings or waiting for them to dry was impossible, Enrique worked in acrylic and adapted his technique by experimenting with impressionism. The finished paintings were sent to waiting buyers in Mexico. The circumstances of the trip obligated Sánchez to modify his vision and brushwork to capture quickly the composition, light, shadow and atmosphere of each scene. It was a fascinating experience that allowed him to paint landscapes from another point of view. Years later, Enrique returned to impressionism in a desire to paint with illumination that does not invade space but simply speckles it with white. It is pleasurable to work with freedom, to change techniques at will, to experiment with new challenges and to follow one's own mind in creating.

In the case of our artist, his devotion to the topic, always intense, always alive, always interested, along with the demands and rigor he imposes on his well-honed craft, have served to convince the eyes of experts who appreciate virtuosity and talent. In 1962, Sánchez held his first solo exhibition at the Instituto de Arte México. He later exhibited at the Galería de Arte Londres, the Galería del Ateneo Cultural "Alethia", the Galería Toulouse-Lautrec, the Galería Misrachi, the Galería Tere Hass, the Galería de Arte Marstelle and the Galería de Arte Cordourier, all in Mexico City. In the United States, Sánchez has shown his landscapes at the Golden Legend Gallery in the state of Oregon, at the Coach Mortgage Company in Houston, Texas, and at the Panamerican Society of New England in Boston, Massachusetts; in Europe, at the Universiteit Van Amsterdam Van Wiscunde in Holland and at the Free University of Brussels, Belgium. His work has also participated on different occasions at Christie's in New York as well as in more than seventy collective exhibitions.

Following a calm, lengthy dialogue with landscapes, the agitated activity of the modern world has invited Enrique Sánchez to respond with highly expressive language that has been reflected in a series of work completed in this new century. These pieces conserve references

impresionismo, en un afán de revivir aquella pintura fresca, iluminada de otra manera, en la que la luz no invade el espacio, sino que simplemente lo salpica, manchando de blanco los objetos. Es agradable trabajar con libertad, y así poder cambiar de técnica por antojo propio y poder experimentar nuevos retos y recrear lo que a uno le apetezca.

En el caso de nuestro artista, su entrega al tema, siempre intensa, siempre viva, siempre interesada, aunada a la exigencia y el rigor que impone a su depurado oficio, le han valido para conquistar el ojo del experto, de quien aprecia el virtuosismo y el talento. En 1962 realizó su primera exposición individual en el Instituto de Arte México. Posteriormente ha expuesto en la Galería de Arte Londres, en la Galería del Ateneo Cultural "Alethia", en la Galería Toulouse-Lautrec, en la Galería Misrachi, en la Galería Tere Hass, en la Galería de Arte Marstelle, y en la Galería de Arte Cordourier, todas ellas en la ciudad de México. En Estados Unidos ha presentado sus paisajes en la Golden Legend Gallery, en el estado de Oregon; en la Coach Mortgage Company, en Houston, Texas, y en la Panamerican Society of New England, en Boston, Massachusetts. En Europa, en la Universiteit Van Amsterdam Van Wiscunde, en Holanda, y en la Universidad Libre de Bruselas, Bélgica. Su obra también ha participado en diferentes ocasiones en la casa de subastas Christie's, en Nueva York, así como en más de setenta exposiciones colectivas.

Después de un diálogo pausado y sereno con el paisaje, la agitada actividad del mundo moderno ha invitado a Enrique Sánchez a responder a esta comunicación bajo un lenguaje altamente expresivo, reflejado en una serie de obras realizadas en este nuevo siglo. Ellas conservan las referencias de su gran realismo, particularmente en los cielos bordados de nubes grises. Pero en estos cuadros la tierra habla, se expresa desde lo más profundo de sus entrañas, empleando con gran maestría una voz abstracta. En algunos de ellos podemos advertir un grito desgarrador que revela su protesta, su rebeldía ante la devastación de la naturaleza; en otros la exclamación no se escucha, pero se siente el dolor y la tristeza. En ciertas pinturas, entre tajantes pinceladas rojas y negras y gruesos empastes lumínicos se contiene un entusiasmo, una euforia que se vislumbra como canto al futuro y a la esperanza. Es agradable apreciar el contraste que se crea entre la serenidad del cielo y la vibrante actividad de la tierra.

Estos trabajos recientes, como toda su obra, reafirman un auténtico talento y el dominio de una depurada técnica; ellos nos permiten guardar para la posteridad el mejor rostro de nuestra querida casa, la Tierra.

to realism, particularly in the skies studded with gray clouds, yet the earth speaks from its deepest core with the mastery of an abstract voice. In some paintings we can perceive the blood-curdling cry that reveals the artist's protest against the devastation of nature; in others, the exclamation is unheard, but the pain and sadness felt. Certain pieces, among the blunt red and black brushstrokes and luminous impasto, contain an enthusiasm, a euphoria that appears as a song to the hope of the future. An agreeable contrast between the serenity of the sky and the earth's vibrancy is created.
The recent work of Enrique Sánchez, like all of his production, reaffirms an authentic talent and the mastery of studied technique. It allows us to keep for posterity the best face of our beloved home, the earth.

ENRIQUE SÁNCHEZ
CONTRASTE NATURAL
Acrílico sobre lino, 150 x 200 cm.
Colección Particular

Guillermo López Beltrán
Sin título
Oleo sobre tela, 100 x 120 cm.
Colección Particular

Guillermo López Beltrán

Efectos de la naturaleza

Tenía la idea de que José María Velasco había dicho todo lo que se podía decir al respecto, pero al observar el giro que dieron al paisaje el doctor Atl y Clausell, se sintió invitado a continuar por ese camino.

Lupina Lara Elizondo

Guillermo es originario de San Andrés Tuxtla, Veracruz, en donde nació el año de 1953. Esta es una zona selvática que nos ofrece la belleza de su paisaje, conformado por lagunas profundas, ríos despeñados y espectaculares caídas de agua, como el Salto de Eyipantla. Junto con Santiago Tuxtla y Catemaco, forma una región rica en tradiciones culturales, como lo muestra su concurrido calendario de festividades. Gracias a su espléndido clima, a la fertilidad de su tierra y al conocimiento que trajeron consigo expertos cubanos en el siglo XIX, San Andrés ha destacado a nivel mundial por la fabricación de extraordinarios puros. En este lugar mágico, uno de los centros principales de la gran cultura Olmeca, transcurrió la infancia de nuestro pintor. Guillermo recuerda esa vista cerrada de la exuberante selva, de las garzas en los lagos, y dice: *"Recuerdo las leyendas de mi abuela. Mi abuela es olmeca totalmente. Ella nos platicaba que cuando ellas iban a lavar la ropa a la laguna, se les prohibía jugar con los chaneques, que eran niños desnudos que se aparecían. Les decían que, si se ponían a jugar con ellos, se podían extraviar. Los chaneques son los duendes. También nos contaba que un día que explotó el volcán, del cielo llovieron peces. Entre mis recuerdos tengo presente una imagen del mercado de Catemaco, en donde vendían un pescado plateado en canastas; los veía brillar en el fondo, rodeado de papel periódico. Siempre pensé en hacer un cuadro, que hasta la fecha no he hecho"*. Guillermo también recuerda las fiestas y los carnavales, en los que se concursaba por el rey feo. *"Había varios contendientes, que junto con su comitiva danzaban durante varios días en las calles, y las personas les donaban dinero. El que juntara más dinero indicaba que había ganado en popularidad. En una ocasión, yo formé parte de la comitiva del rey feo"*.

Después de unos años la familia se trasladó a Catemaco, en donde Guillermo cursó la primaria, y acerca de sus inicios en el dibujo comenta: *"Creo que todos los que ahora nos dedicamos a la pintura, desde pequeños manifestamos cierta inclinación hacia la plástica. En la primaria habíamos cuatro niños que destacábamos en los dibujos y competíamos unos contra otros. Yo no sé si ellos tuvieron los estímulos posteriores para continuar. Por eso ahora, cuando salgo al campo y veo a los niños, hijos de campesinos, les presto colores y papeles para que se pongan a pintar, y les deseo que si les gusta, ojalá encuentren los apoyos necesarios que les permitan continuar. Ellos trabajan con una gran espontaneidad; aquella que buscaban Miró y Picasso y que a veces es tan*

GUILLERMO IS A NATIVE OF SAN ANDRÉS TUXTLA, Veracruz, where he was born in 1953. His homeland is a a lush tropical zone that offers us the natural beauty of its deep lagoons, fast-flowing rivers and spectacular waterfalls, like the Salto de Eyipantla. Along with Santiago Tuxtla and Catemaco, the town forms part of a region rich in cultural traditions, as documented by its crowded calendar of festivities. Thanks to its splendid climate, the fertility of its soil and the know-how brought by Cuban experts in the 19th century, San Andrés has been known worldwide for the production of extraordinary cigars. This magical location, one of the principal centers of the flourishing Olmeca civilization, witnessed Guillermo's childhood. He remembers the water birds and the darkness of the exuberant rain forest: "I remember the legends of my grandmother. She is pure Olmeca. She used to tell us that when they went to wash clothes in the river, they were not allowed to play with the chaneques, their word for the naked children who would appear. They used to say that if they played with the chaneques, they could get lost. The chaneques are elves. My grandmother also used to tell us that one day the volcano erupted, and fish fell from the sky. My memories carry an image of the market of Catemaco, where they sold silver fish in baskets; I would watch them shine in the bottom, surrounded by newspaper. I always wanted to do a painting of it, but I haven't yet." Guillermo also remembers the fiestas and the carnivals, with their ugliest king contests. "There were various contestants, who would dance through the streets with their processions for several days. People would give them money, and the one who received the most money would win. Once I took part in the ugly king procession."

After a few years, the family moved to Catemaco, where Guillermo attended elementary school. He comments on his beginnings in drawing: "I think that all of us who now paint for a living showed a certain inclination for art when we were young. In elementary school, there were four of us who were good at drawing and we competed against each other. I don't know if the others had the incentive to continue. That is why when I go to the country and see children, country children, I loan them colors and paper so that they can paint, and I hope that if they like it, they can find the necessary support to be able to continue. They work with great spontaneity—the spontaneity that Miró and Picasso looked for and that sometimes is so hard to find." Guillermo also remembers that the town store sold matches of the La Central brand, which had images of famous paintings on their covers. The store offered a poster where the matchbook covers could be collected, and a complete collection could be exchanged for a small painting. Guillermo was one of those who earned the prize.

As a boy, Guillermo liked to accompany his father to his job as a heavy equipment operator. For a time he drove a grader for a roadbuilding company that was building a highway from Catemaco to the sea. "Until that road was built, the people in Catemaco knew only sweet water; we had never seen the ocean." Guillermo would leave the house with his father at four in the morning to avoid the heat, and would cross

difícil encontrar". Guillermo también recuerda que en la tienda del pueblo se vendían las cajitas de cerillos de La Central, aquellas que traían la imagen de pinturas famosas. La tienda ofrecía una cartulina en donde podían coleccionarse, y a quien completara la colección se le regalaba una pequeña pintura. El fue uno de los que obtuvo el premio.

Antes de que cumpliera los catorce años, a Guillermo le gustaba salir a trabajar con su padre. El manejaba maquinaria pesada, y entonces operaba una motoconformadora para una empresa que estaba construyendo el camino que comunicaría a Catemaco con el mar. *"Hasta que se construyó ese camino, los de Catemaco sólo conocíamos el agua dulce; nunca habíamos visto el mar".* Salía con su padre a trabajar a las cuatro de la mañana para evitar el calor, cruzaban la sierra y bajaban hasta el mar. Guillermo disfrutaba observando el paisaje. Recuerda una ocasión en que vio un amanecer en la playa. *"De momento todo estaba color plata: el mar y los ríos. Y, de repente, todo se pintó de rojo. Los ríos parecían venas de sangre que penetraban entre las montañas. Fue un espectáculo que a la fecha no olvido".* Sus ojos lo miraban todo; no perdía detalle. Las piedras también lo inquietaban. Y sobre esas experiencias, comenta: *"En una ocasión tuve la oportunidad de mirar una pintura de Clausell en un libro. Cuando la miré, sentí un fuerte escalofrío, pues por primera vez encontré a alguien que veía lo que yo veía. Observé todos los colores que él encontraba en las piedras, y yo también los había encontrado. Yo veía en una piedra tonos lilas, rojos, azules y morados. Y, en 'Las fuentes brotantes', él también los había encontrado. Por alguna razón fue un encuentro que marcó una huella".*

Posteriormente, Guillermo se trasladó a la ciudad de México para continuar sus estudios de preparatoria. Y sobre la elección de su camino, comenta: *"No es fácil tomar la decisión para dejar todo y dedicarte de lleno a la pintura. Yo, por ejemplo, nunca pensé que iba a ser pintor; las necesidades me orientaban a otras cosas más remunerativas. Pensé en ser abogado, después busqué algo como Economía, y eso fue lo que estudié. Al mismo tiempo trabajé en la Secretaría de Salud. Formaba parte del sindicato, y después de muchos años, fue este grupo el que sin proponérselo me llevó a encontrar mi camino. Me pedían que ideara carteles, murales y volantes. Desarrollando los dibujos y pintando las paredes, poco a poco me fui dando cuenta de lo que realmente me gustaba. Después de diecisiete años en el mismo empleo, pensé en abandonar el camino de la Economía, y aunque no dejé el trabajo, me metí a estudiar pintura en La Esmeralda en el año 1982. Pensé mucho las cosas antes de tomar la decisión. No sabía si los cinco años que iba a dedicar a los estudios, redituarían en algo para mi familia; no era el mejor momento para darme el lujo de desperdiciar el tiempo de esa manera. Pero cuando lo hice, me dije a mí mismo: —Bueno, si no funciona, lo dejas y ya—. Nunca imaginé que me fuera a ir bien, pues como yo no me identificaba con los cuadros abstractos que se exhibían en*

GUILLERMO LÓPEZ BELTRÁN
NOPALES
Oleo sobre tela, 100 x 80 cm.
Colección Particular

los museos, los cuales eran muestra de la exitosa pintura de vanguardia, tenía la consideración de que quien no formaba parte de ese grupo no tendría ninguna aceptación. Pero con todo y todo, decidí tomar el riesgo".

Los años en La Esmeralda fueron arduos. El primer año dice que fue el de prueba, pues habiendo aprendido a trabajar por su cuenta a través de los carteles que le pedían, formó una serie de trucos en su oficio. Así que tuvo que deshacerse de ellos para aprender de raíz las bases del dibujo, la perspectiva y la composición. Comenta que en el segundo año estuvo a

the mountains to the sea. He enjoyed the scenery. He remembers watching the sun come up over the beach. "All of a sudden, everything was silver: the ocean and the rivers. Then everything turned red. The rivers looked like blood vessels that penetrated the mountains. It was a sight that I have not yet forgotten. "His eyes saw everything without missing a single detail. He was also interested in the rocks, and comments: "I once had the chance to see a painting by Clausell in a book. When I saw it, I got goose bumps because for the first time I had found someone who saw what I saw. I looked at all the colors that he found in the rocks, and which I had also found. I saw shades of lilac, red, blue and purple on one rock—the same colors he had found in Las fuentes brotantes. *For some reason, it was an encounter that left a mark."*

Guillermo moved to Mexico City to attend high school. He comments on his career selection: "It is not easy to make the decision to leave everything and devote yourself full-time to painting. I, for one, never thought I would be a painter. Necessity oriented me towards higher paying occupations. I thought about being a lawyer, then I looked for something like economics, and that is what I studied. At the same time I worked at the Ministry of Health. I was a union member, and after many years, the union unintentionally helped me find my way. They asked me to design posters, murals and fliers. By developing drawings and painting walls, I gradually realized what I really liked. After seventeen years in the same job, I considered leaving my career as an economist. Although I did not quit my job, I started studying painting at La Esmeralda in 1982. I thought about things a lot before deciding. I did not know if the five years I was going to dedicate to studying would benefit my family; it was not the best moment in life for me to be wasting time. But when I started, I told myself, 'If it doesn't work, you can just quit.' I never imagined that I would do well because I did not identify with the abstract paintings on exhibit at museums—examples of successful avant-garde work. I thought that anyone not part of that group would not be accepted. But I decided to take the risk anyway."

Guillermo's years at La Esmeralda were difficult. He considered the first year a trial period. Since he had learned to work on his own when designing posters, he used a series of shortcuts in his work. He was forced to abandon his habits to learn the basics of drawing, perspective and composition. Guillermo comments that he almost quit school the second year due to a lack of improvement in his work. "I really did not feel satisfied about what I was doing."It was not until his third year that he began to see results. His work started to take shape, with congruency, and he felt he could express himself with more freedom. That year marked the turning point, and Guillermo was able to complete his degree. Two teachers influenced his training: Hermenegildo Sosa and Gilberto Aceves Navarro. Guillermo states that he had no intention of being a landscapist, although he had been an avid hiker. He believed that José María Velasco had said all there was to say about landscapes, but the interpretations of Doctor Atl and

punto de desertar, de dejar todo, pues no veía ninguna mejoría en su trabajo: *"Realmente no me sentía satisfecho con lo que hacía"*. Fue hasta el tercer año en que vio los frutos. Su trabajo empezó a tomar forma, había en él cierta congruencia; sentía que podía expresarse con más libertad. Ese año salvó todo, y así continuó hasta terminar la carrera. Dos maestros influyeron en su formación: Hermenegildo Sosa y Gilberto Aceves Navarro. Guillermo dice que él tampoco tenía la idea de ser paisajista, a pesar de que el tema siempre lo había inquietado, pues desde chico practicó el montañismo con bastante asiduidad. Tenía la idea de que José María Velasco había dicho todo lo que se podía decir al respecto, pero al observar el giro que dieron al paisaje el doctor Atl y Clausell, se sintió invitado a continuar por ese camino. Se identificó con el impresionismo y con el espacio abierto, encontrando así su propio estilo.

"Algunas veces hago retrato. Pero lo mío es esto (el paisaje), *y a pesar de que son casi quince años, siento que aún tengo mucho por explorar"*. ¿Cómo fue que Guillermo encontró su estilo? *"Yo tenía grandes problemas cuando estaba en La Esmeralda, pues no tenía un tema ni un estilo. Mis*

GUILLERMO LÓPEZ BELTRÁN
CERRO DEL AJUSCO
Oleo sobre tela, 110 x 100 cm.
Colección Particular

GUILLERMO LÓPEZ BELTRÁN
SIN TÍTULO
Oleo sobre tela, 100 x 130 cm.
Colección Particular

compañeros tenían un tema, pero quizá como yo entré ya grande y había visto tanta pintura, pues no se me antojaba hacer un 'tamayito' o un 'toledito' (refiriéndose a hacer copias de ellos). *Tenía deseos de hacer algo propio, y entonces me di cuenta de que mi estilo era interpretar la realidad. Yo no tenía que andar copiando nada. Yo podía poner algo enfrente y me sentía capaz de interpretarlo, es decir, pintarlo como yo lo veía. Desde entonces, ese se volvió mi estilo".* Dentro de los pintores universales que más admira, se encuentran Rembrandt, Turner, Corot, Van Gogh y Gauguin, estos últimos integrantes de la última etapa del impresionismo, que desembocó en nuevas concepciones de la pintura.

En 1987 terminó sus estudios y no fue sino hasta el año siguiente cuando Guillermo se retiró de su empleo para dedicarse de lleno a este oficio. Probó hacer las dos cosas simultáneamente, pero con el horario del trabajo no tenía tiempo para pintar. Hacía uno o dos cuadros cada seis meses, ya que a él le gusta pintar del natural, como a sus antepasados, y no le era posible atender sus obligaciones laborales y salir a "paisajear". Una vez liberado de horarios, la cantidad de tiempo que invirtió le permitió reunir la suficiente obra para empezar a exhibir, y aunque han sido pocas

Clausell invited him to follow the same path. He identified with Impressionism and open spaces, and was able to find his own style.
"Sometimes I paint portraits. But this is my area (landscapes). Although almost fifteen years have passed, I feel that I still have much to explore." How did Guillermo find his style? "I had major problems while I was at La Esmeralda because I had no topic or style. My classmates had a topic, but since I started at an older age and had seen so much painting, it did not appeal to me to be 'Little Tamayo' or 'Little Toledo' (by copying them). I wanted to do something of my own, and I realized that my style was to interpret reality. I did not have to be copying anything. I could face something and feel capable of interpreting it—painting it as I saw it. That became my style." The universal masters Guillermo admires most are Rembrandt, Turner, Corot, Van Gogh and Gauguin (considered the final stage of Impressionism and the basis of new concepts in painting).

In 1987, Guillermo finished his studies, and the following year left his job to devote himself entirely to painting. He had attempted to carry out both activities simultaneously, but his working hours did not leave him sufficient time to paint. He was producing one or two paintings every six months, since he liked to paint from life, like his predecessors, and his employment obligations prevented him from going "landscaping". Once freed from rigid schedules, Guillermo was able to paint enough to exhibit; and although his showings have been few, they have all met with success. At the present time, Guillermo, like many other artists, finds it difficult to organize an exhibition: his work sells and does not accumulate. He sells his work to support himself and to meet demand. Guillermo's first exhibition was held in 1986 at the Universidad Cristóbal Colón of the port of Veracruz. That same year he showed his work at the Galería Auditorio Alejo Peralta of the Instituto Politécnico Nacional. In 1991, he exhibited at the Ateneo Español de la Ciudad de México, and for the next five years participated at the Galería Talento Arte Visual, also in Mexico City.

Guillermo is a man who is noble, humble and interested in his work, and is infinitely thankful for the moment he decided to be an artist. Painting requires him to feel the earth, to smell it, look at it, caress its rocks, rub its grass and dip his hands in its rivers until he establishes intimate, direct communication—and to do so again and again in order to make the earth the basis for his livelihood. Guillermo does not like to paint from sketches, but prefers to be faced by the grand setting of nature. Doctor Atl said that sketches take possession of all of the landscape's emotion, and weaken the original work. In this aspect, López Beltrán is in agreement.

For more than fifteen years, López Beltrán has painted the grandiose Valley of Mexico and its surrounding areas. He comments: "The landscape on the plains is different. It offers a view of the wide horizon, one hundred and eighty degrees. Your gaze becomes lost in the infinite. The jungle, on the other hand, asks you to hesitate at the foreground to enjoy the richness of the textures and vibrant colors. Contemplating the plains produces calm; the jungle produces movement. And although I am a native of the continent's northernmost jungle, I have never painted it; my life as an artist has been lived in the central highlands and its surrounding areas."

The work accumulated by López Beltrán reveals that he can paint and is willing to consider any natural feature as a topic. He never ignores the grand moment of a special effect of nature. His easel is anchored on the panoramic views of contrast, more than on perfect organization. An example is the flower growing area around Atlixco, Puebla, which López Beltrán finds overly perfect and artificial: "I do not know what is going to happen to my painting the day I go to the southeast and encounter the jungle. I do not know how I will interpret it... The volcanoes were not necessarily my initial topic. I worked on them by accident: it was a commission and a thousand interpretations more emerged. Sometimes I am able to paint after the rain, when everything looks refreshed. You see something like peaceful water and you are newly enthusiastic—it revives you. It is a moving sight."

sus exposiciones públicas, todas ellas han tenido éxito. En la actualidad, como sucede a muchos artistas, le es difícil reunir suficientes piezas para integrar una exposición, pues éstas se van vendiendo. Las vende, un tanto porque de eso vive, pero también por cumplir con la demanda del momento. Su primera exposición se realizó en 1986 en la Universidad Cristóbal Colón del puerto de Veracruz. Ese mismo año expuso en la Galería Auditorio Alejo Peralta del Instituto Politécnico Nacional. Posteriormente, en 1991, exhibió en el Ateneo Español de la Ciudad de México, y durante los siguientes cinco años presentó su obra en la Galería Talento Arte Visual, también en esta ciudad.

Guillermo es un hombre noble, sencillo, interesado en lo que hace, y agradece infinitamente el momento en que se comprometió con la labor de ser un artista. Para pintar necesita sentir la tierra, olerla, mirarla, acariciar sus piedras, frotar la hierba, meter las manos a sus ríos, hasta establecer una comunicación más íntima, más directa. Necesita hacerlo una y otra vez para alimentarse de ella. Al pintar no le gusta partir de bocetos; prefiere pintar de frente al gran escenario que es la naturaleza. El doctor Atl decía que los bocetos se llevan toda la emotividad del paisaje, quitándole fuerza a la obra original. En este aspecto, López Beltrán se identifica con el gran paisajista.

Durante más de quince años ha pintado el grandioso valle de México y sus alrededores. Sobre ello comenta: *"El paisaje de la planicie es diferente. Ofrece la vista del gran horizonte, a ciento ochenta grados. La mirada se pierde en el infinito. La selva, por el contrario, te pide detenerte en el primer plano para gozar de la riqueza de sus texturas y de sus colores vibrantes. Contemplar la planicie provoca calma; la selva provoca ímpetu. Y, siendo originario de la selva alta más al norte de todo el continente, nunca la he pintado, pues mi vida de artista se ha desarrollado en esta meseta central y sus alrededores".*

Los trabajos que ha acumulado López Beltrán revelan que él puede pintar, dispuesto a encontrarse con cualquier accidente natural. Se pone a pintar, pero nunca deja pasar ese gran momento en que sucede un efecto especial de la propia naturaleza. Su caballete se ancla en las vistas panorámicas que muestran contrastes, más que en aquellas en donde todo está perfectamente organizado, como en los paisajes de Atlixco, Puebla, en donde siembran flores y la vista, para su gusto, es demasiado perfecta y artificial. Dice: *"No sé qué vaya a pasar con mi pintura el día que vaya al sureste y me encuentre con la selva. No sé cómo la vaya a interpretar... Los volcanes no necesariamente fueron mi tema inicial. Trabajé en ellos por accidente; fue un encargo que me pidieron, y de allí surgieron mil interpretaciones más. A veces logro pintar después de la lluvia, cuando todo está como resucitado. Ve uno cómo el agua calma y reanima; cómo es que ella devuelve la vida. Es un espectáculo conmovedor".*

Respecto al color, López Beltrán sigue las reglas del impresionismo, tomando como base los colores primarios. *"Ves que en esta corriente no se maneja el negro ni los grises. Si se requiere el azul, se pone directo, y lo que yo hago es exagerar su uso. Esta es otra de las reglas del impresionismo. Esto lo aprendí en La Esmeralda. Yo, antes, tan sólo era un buen dibujante, nada más. No me atrevía a mezclar colores; allí les perdí el miedo".*

La composición está lograda a capricho, las importancias están asignadas bajo su propia voluntad. Algunas veces el primer lugar lo ocupan los volcanes; en otras, los magueyes; en otras, los maizales. No hay una jerarquía a seguir, más que lo que le va dictando la vista y su propia sensibilidad. Prefiere pintar a diario. Comenta que Picasso decía: "Yo no busco, encuentro". Así que él ejerce el oficio con cierta disciplina. Pinta a diario, ya que esto le permite que no se desperdicien los momentos de inspiración.

With regard to color, López Beltrán follows the rules of Impressionism, based on the primary colors. "You see that this painting does not use black or gray. If blue is needed, it is applied directly, and I exaggerate its use. That is another rule of Impressionism, which I learned at La Esmeralda. Before, I was simply a good drafts-man, nothing more. I did not dare mix colors, but I lost my fears at La Esmeralda."

López Beltrán's composition is based on whimsy, and importance is assigned at will. At times, he gives prior-ity to the volcanoes; at other times, to the magueys; at still others, to the cornfields. The only hierarchy is his eyesight and sensitivity. He prefers to paint daily, and cites Picasso: "I do not search; I find." López Beltrán exercises his craft with discipline—every day, to take advantage of the moments of inspiration.

GUILLERMO LÓPEZ BELTRÁN
PAISAJE DE VOLCANES CON MAGUEYES
Oleo sobre tela, 120 x 150 cm.
Colección Particular

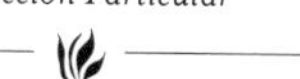

Naturaleza Muerta

Lupina Lara Elizondo

A PRINCIPIOS DEL SIGLO XIX EL GÉNERO DE LA NATURALEZA MUERTA SIGUIÓ OCUPANDO EL lugar secundario que durante mucho tiempo se le había asignado en los círculos académicos, en donde se le consideraba un tema de poca relevancia, aunque sí útil en la formación de los pintores, ya que les permitía ejercitar el manejo de la luz y del color. Esta es la razón por la cual en las exposiciones de Salones oficiales de aquella época, rara vez se mostraban naturalezas muertas o bodegones. Los temas por excelencia en este tiempo fueron la mitología, los asuntos históricos y los temas religiosos. No fue sino hasta 1860 cuando algunos pintores franceses, como Courbet y Manet, entre otros, buscando liberarse de los rígidos cánones que les imponía la Academia, siguen el camino propuesto por el pintor francés del siglo XVIII, Siméon Chardin. Ellos recorrieron la senda de pintores españoles, como Zurbarán, Goya y Velázquez, encontrando en la pintura de los objetos un horizonte a través del cual contemplan la posibilidad de renovar la pintura. El avance más contundente en esta dirección lo dio Cézanne, con sus naturalezas muertas. El trabajó este tema con un gran interés, ya que le permitía descubrir, desde un punto de vista analítico, la naturaleza oculta en los objetos.

En México, durante el virreinato, los cuadros de comedor fueron bastante escasos; sin embargo, este género alcanzó gran popularidad en el siglo XIX. Pero no obstante el interés que se había despertado, en la Academia continuó considerándose, al igual que sucedía en Europa, como un tema de menor nivel. Los pintores académicos que realizaban estas pinturas no las exhibían en la institución, pero recurrían a ellas debido a que la burguesía de la época pagaba muy buenos precios por estos temas. Quienes también realizaron cuadros de comedor fueron los pintores de la provincia y las pintoras mujeres, quienes por no tener la aspiración de obtener becas para ir a estudiar al extranjero, no se veían sometidos a la presión de ejecutar obras muy complejas y de temas históricos.

Fue común en el siglo XIX entre los pintores, aun entre los más prestigiados, y quizás por las razones expuestas, no tener el cuidado o el interés en firmar sus obras. Por ello es que, principalmente en este género, nos encontramos con una gran cantidad de pinturas que se clasifican como anónimas.

José Agustín Arrieta
Mesa revuelta
(licorera verde de cristal, florero de porcelana en capelo y candelabro)
Oleo sobre tela, 87 x 62 cm. Colección Particular

José Agustín Arrieta

1803-1874

En la composición de estos lienzos encontramos un común denominador:
sus bodegones han sido pintados todos sobre la misma mesa,
y el artista acostumbraba pintar todos desde el mismo ángulo.

Lupina Lara Elizondo

José Agustín Arrieta nació en el pueblo de Santa Ana Chiautempan, Tlaxcala, en el año de 1803. Se le ha identificado como pintor poblano debido a que, cuando tenía cuatro años, su familia se mudó a vivir a la ciudad de Puebla, en donde vivió toda su vida. En 1807 México todavía formaba parte de las colonias del reino de España. Muchas de las capitales virreinales respaldaban su importancia con su producción minera. El caso de Puebla era distinto: su bonanza económica se debía a la actividad manufacturera y al pujante comercio que realizaba como paso obligado entre la capital y el puerto de Veracruz. En tiempos de la Colonia llegó a ser la segunda ciudad en importancia y una de las ciudades más bellas. Diversas circunstancias inclinaron a las órdenes religiosas a fundar conventos, colegios y hospitales en ella, lo cual le redituó en una población más preparada.

El siglo XIX trajo consigo muchos contratiempos que repercutieron en las finanzas de la capital poblana, entre ellos la inestabilidad política y las consecuencias que acarreó la formación de un país independiente. A esto se adicionaron las epidemias, y con la aparición de los centros agrícolas en la zona del Bajío, se inició la competencia con la producción de los campesinos y de las haciendas. El movimiento de independencia obligó a la sociedad a participar en la reorganización del país. Más pronto de lo que se preveía, los comerciantes europeos empezaron a abrirse camino en México, ya que esta actividad les había estado prohibida durante todo el período colonial, cuando España era el único país con el que se comerciaba. Con ello surgió otra fuente de competencia para los productos de fabricación poblana. La industria más fuerte era la textil, que en los buenos tiempos había llegado a producir hasta el cincuenta por ciento de la producción nacional. Ahora, incluso esta industria, se veía muy afectada con la llegada de los productos extranjeros.

El caso del arte fue muy distinto, ya que con la guerra de independencia el presupuesto se había destinado a cubrir otras necesidades, y al concluir este período se logró que se empezara a dar un nuevo impulso a esta actividad.

Algunas personas describieron al pintor José Agustín Arrieta como un indio de extracción humilde. Lo primero es imposible, pues su padre, Tomás Arrieta, era hijo de español y criolla, y su madre era mestiza; de aquí sus facciones afiladas y su barba gruesa y clara. Lo segundo se puede referir a que durante los primeros años de su vida haya podido haber tenido oportunidad de

José Agustín Arrieta was born in the town of Santa Ana Chiautempan, Tlaxcala, in 1803. His family moved to the city of Puebla when he was four years old, and he spent his entire life there, leading to his designation as a painter from Puebla. In 1807, Mexico still formed part of the Spanish colonies. Many of the viceregal capitals based their importance on mining. Puebla's case was different: its economic bonanza was due to manufacturing activity and the bustling commerce that resulted from its location on the trade route between Mexico City and the port of Veracruz. During colonial times, Puebla became the second most important city in Mexico and one of the most beautiful. Diverse circumstances persuaded the religious orders to found convents, schools and hospitals in Puebla, a situation that was reflected in a more highly educated population.

The 19th century brought many reverses that affected the finances of Puebla's capital city, including political instability and the consequences of establishing an independent nation. In addition, there were epidemics, and the formation of agricultural centers in the Bajío region translated into rural competition for Puebla's peasants and haciendas. The independence movement obligated society to participate in reorganizing the nation. Sooner than expected, European merchants began to arrive in Mexico after having been barred for the entire colonial period, when trade had been restricted to Spain. Their entry resulted in another source of competition for products made in Puebla. Textiles were the state's strongest industry, and in good times had been responsible for up to fifty percent of national production. Now even textiles were substantially affected by the introduction of foreign products.

The situation for art was very different. At the end of the war for independence and its budgetary requirements, new impetus was given to art.

Some described José Agustín Arrrieta as a humble Indian. Such racial typing is incorrect since his father, Tomás Arrieta, was the son of a Spaniard and a Creole, and his mother was a mestizo; José Agustín had sharp features and a strong chin. The description of poverty may refer to the fact that as a child, Arrieta may have had the opportunity to be exposed to the creative activity of the serape weavers of Tlaxcala. He was the seventh child in a family of nine, and according to tax records, his father had a barbershop at Costado de San Pedro #5.

It was long believed that Arrieta was a self-taught artist; however, new studies have revealed the contrary, with records of his education at the Academia de Bellas Artes in Puebla. At the time of his studies, just as in the Academia de San Carlos, the school in Puebla was under the influence of European painting, principally from Flemish painters and Spanish realism.

At age twenty-three, Arrieta was married to María Nicolasa Varela y Molina. During the early years of his marriage, he painted most of his religious work and opened what was then known as an obrador de pintura (painting workshop), a place where children and young apprentices were given classes. Lasting peace had not been achieved by the insurgent victory,

sensibilizarse respecto a la actividad creativa de los tejedores de sarapes de Tlaxcala. José Agustín fue el séptimo hijo en una familia integrada por nueve hermanos, y según los registros de la oficina de contribuciones, se sabe que el padre tenía una barbería en la casa número 5 de la calle Costado de San Pedro.

Durante mucho tiempo se creyó que Arrieta había sido un artista autodidacta; sin embargo, nuevos estudios revelan lo contrario, afirmando que se preparó en la Academia de Bellas Artes en Puebla. En aquellos tiempos, al igual que sucedía en la Academia de San Carlos, la escuela poblana se encontraba bajo la influencia de la pintura europea, principalmente de los pintores flamencos y del realismo español.

A los veintitrés años contrajo matrimonio con María Nicolasa Varela y Molina. En ese tiempo pintó la mayor parte de sus temas religiosos y abrió lo que en aquella época se conocía como un obrador de pintura, un lugar en donde se impartían clases a niños y jóvenes aprendices. El triunfo insurgente no logró una paz duradera, y así llegaron tiempos difíciles que requirieron la preparación de tropas para defender los distintos intereses de los bandos de oposición. El general José Joaquín de Herrera ocupó la ciudad, ya que las tropas contrarias no habían logrado impedirlo. En este marco de sucesos, nació el primer hijo del pintor; más adelante llegarían tres más. Desafortunadamente y debido a su fragilidad, ninguno de ellos logró sobrevivir más allá de su primera infancia. Esto quedó confirmado en las listas en las cuales estaban los nombres de los individuos que eran aptos para el servicio de las armas, registradas en el año 1853. En ellas figuraba José Agustín como ciudadano casado y sin hijos.

Arrieta se inscribió como soldado del Tercer Batallón de Infantería. Esto nos hace suponer que pudo haber participado en la defensa de la ciudad cuando ésta fue sitiada por los generales Arista, Durán y Lemus, luchando en contra de las reformas liberales. Durante el período del gobernador José Múgica Osorio, había muy pocos alumnos que podían darse el lujo de asistir a las lecciones que impartía. Sus ingresos se habían reducido considerablemente y se vio en la necesidad de buscar otros medios para cubrir los gastos que implicaban las necesidades básicas de su familia. En poco tiempo logró un empleo como conserje en el Congreso. Este ingreso adicional le permitió seguir comprando los materiales necesarios para seguir ejerciendo su verdadero oficio. Trabajaba jornadas largas con la tranquilidad de haber hecho a un lado los agobios económicos. El resultado de su esfuerzo le permitió participar en varias exposiciones de sobresaliente importancia. En la Academia de Puebla exhibió en los años 1851, 1853 y 1855, y también lo hizo en la Academia Nacional de San Carlos.

La ciudad de Puebla fue el escenario más estratégico del país para las batallas entre liberales y conservadores, y no fue sino hasta 1857 en que la ciudad regresó al poder de los conservadores al aceptar el Plan de Tacubaya. Se cuenta con muy pocas referencias de nuestro artista en la época de la

José Agustín Arrieta
Nuestra Señora de la Luz
Oleo sobre tela, 127 x 95 cm.
Colección Particular

intervención francesa y del Imperio. En 1865 volvió a exponer en la Academia Imperial de San Carlos en la ciudad de México.

En el año de 1867 se dio fin a la intervención extranjera y a la lucha en contra de los conservadores. La ciudad quedó muy afectada y con gran cantidad de predios cuyas viviendas y edificios fueron destruidos por completo. Algunas iglesias se encontraban en ruinas al haber sido víctimas de incendios e impactos de ataques dinamiteros. Las Leyes de Reforma habían vuelto a entrar en vigor, respaldando la expulsión de frailes y monjas de sus conventos. Al poco tiempo de estos acontecimientos, murió la esposa de José Agustín y, no obstante el golpe moral, Arrieta siguió trabajando e impartiendo sus clases en el Hospicio del Estado. El hospicio había sido fundado con el fin de poder auxiliar a los pobres, enseñándoles un oficio. Su ánimo nunca volvió a ser el mismo; sin embargo, su entrega a la pintura lograba distraerlo de su soledad.

however, and hard times required the training of troops to defend the diverse interests of the opposition groups. General José Joaquín de Herrera occupied the city of Puebla, unimpeded by the defending troops. In this framework of events, Arrieta's first child was born, followed by three more in later years. Unfortunately, due to fragile health, none survived childhood, a fact confirmed by the 1853 registry of individuals apt for armed service, which listed José Agustín as married and without children.
Arrieta enlisted as a soldier in the Third Infantry Battalion. We can thus assume that he may have participated in the defense of the city when under siege by Generals Arista, Durán and Lemus in their fight against liberal reforms. During the term of Governor José Múgica Osorio, there were very few students who could afford to attend Arrieta's classes. His income dropped considerably and it became necessary for him to seek other means for covering family expenses. Without delay he found work as a concierge in the State Congress. The extra wage allowed him to continue buying the necessary supplies for his true profession. He worked long days with the peace of mind of having overcome his economic difficulties. His efforts bore fruit with his participation in various important exhibitions. He showed his work at the Academia de Puebla in 1851, 1853 and 1855, as well as at the Academia Nacional de San Carlos.
The city of Puebla was the nation's most strategic battleground in the conflict between liberals and conservatives, and it was not until 1857 that the city returned to conservative rule on accepting the Plan of Tacubaya. There are very few references to our painter during the era of the French intervention and Empire. In 1865, he once again exhibited at the Academia Imperial de San Carlos in Mexico City.
The year of 1867 marked the end of foreign intervention and the struggle against the conservatives. The city of Puebla had been severely damaged, with the complete destruction of many houses and buildings. Some churches were in ruins, victims of fire and dynamite attacks. The reenactment of the Reform Laws backed the expulsion of monks and nuns from their convents. Soon after these events, José Agustín's wife died, yet he continued to work and give classes at the Hospicio del Estado in spite of the heavy personal blow. The hospice had been founded to aid the poor by teaching them a craft. And although Arrieta was unable to regain his former enthusiasm, his devotion to painting represented a respite from solitude.
We know he lived in poverty, although perhaps a product of the simplicity and modesty with which he always viewed his work. He was not unaware, however, of the praise received by his paintings. His last participation in the exhibition of the Academia

JOSÉ AGUSTÍN ARRIETA
CUADRO DE COMEDOR
(VASO CON CERBALES, GATO Y PALOMAS)
Oleo sobre tela, 67 x 92.5 cm.
Grupo Financiero Inverlat

Nacional de San Carlos was in 1869, and by this time, there were many collectors in Mexico City who were truly interested in his work.
After six years of widowhood, Arrieta died, on December 22, 1874, surrounded by his closest friends, including students and others who held him in sincere esteem. The absence of his closest family members was heartfelt, but his wife, children and brothers and sisters had preceded him in death. Arrieta died in peace, with the knowledge that he had left the world the best of himself: his canvases full of color and the love of daily life.
Arrieta's work encompasses paintings of different types. In first place is his religious work, which could not be absent in a society as pious as that of Puebla in Arrieta's lifetime. Many of his paintings were produced to adorn churches and others were commissioned by families. These works include paintings honoring the Virgin Mary: La Virgen de Guadalupe, La Virgen de la Merced, Nuestra Señora de la Luz; others were

Sabemos que vivió en la pobreza, aunque quizás esto haya sido producto de la sencillez y modestia con la que siempre vio su trabajo. No por ello dejó de estar consciente de los elogios que recibían sus cuadros. La última vez que participó en la exposición de la Academia Nacional de San Carlos fue en 1869, y para entonces ya contaba en la ciudad de México con una gran cantidad de coleccionistas realmente interesados en su obra.

Seis años transcurrieron desde que había quedado viudo cuando falleció, el 22 de diciembre de 1874, rodeado de sus más cercanos amigos, algunos de ellos alumnos y otros, personas que verdaderamente lo amaban. En esos momentos se hizo sentir la ausencia de los familiares más cercanos, pero su esposa, sus hijos y hermanos ya se habían ido. No obstante, él murió en paz, sabiendo que dejaba al mundo lo mejor de él mismo: sus lienzos llenos de colorido y de su amor por lo cotidiano.

Los trabajos de Arrieta abarcan distintos géneros. En primer lugar, se encuentra la obra religiosa, misma que no podía estar ausente en una sociedad tan piadosa como lo era la poblana de su época. Muchos de sus cuadros fueron destinados a adornar iglesias y otros los realizó para cumplir encargos de las familias. Entre ellos se encuentran cuadros que honraban a la Virgen: *La Virgen de Guadalupe, La Virgen de la Merced, Nuestra Señora de la Luz;* otros estuvieron dedicados a la Santísima Trinidad, a Cristo y a algunos santos, entre muchos otros a los que no se les ha podido seguir la huella. Realmente sus cuadros no fueron muchos en cantidad, y no todos ellos reunieron la calidad que el pintor alcanzó en obras posteriores; este hecho se confirma principalmente en sus cuadros más tempranos.

Otro de los géneros que trabajó fue el del retrato; al respecto cabe recordar el auge del retrato cuando no existía la fotografía. Sus cuadros cautivaron el gusto de sus contemporáneos. Muchos de ellos admiraron sus temas de personajes célebres y de destacadas damas de la sociedad poblana, y se sintieron invitados a solicitarle la realización de sus propios rostros, además, porque en Puebla no existían muchos artistas que se dedicaran a ejecutar este ramo. Entre éstos se encuentran los retratos del *General Luis G. Osollo, Antonia Ferrer de Freitas,* y *Su último amor.* También podríamos incluir el de *La Magdalena,* en el que representa a una mujer que no obstante su sensualidad refleja una gran austeridad, producto de la reconciliación que ha logrado en su espíritu.

Es un hecho que la pintura mexicana del siglo XIX dio a conocer, además del paisaje urbano, las costumbres de la época. Sin embargo, Arrieta no trató este tema porque fuera la moda o porque se encontrara inmerso en la inercia del costumbrismo; por el contrario, lo ejecutó con una

dedicated to the Holy Trinity, to Christ and to certain saints, in addition to others yet to be located. Arrieta's paintings were not numerous, and not all of the early pieces attained the quality of his later work.

Arrieta also painted portraits, popular in the days before photography. His paintings captured the taste of his contemporaries. Many admired his portrayal of famous persons and well-known women in Puebla society, and were motivated to request work; not many artists in Puebla painted portraits at that time. Arrieta's work includes General Luis G. Osollo, Antonia Ferrer de Freitas, *and* Su último amor. *We could add* La Magdalena, *the portrait of a woman who reflects great austerity in spite of her sensuality, a product of the reconciliation of her spirit.*

It is a fact that 19th-century Mexican painting presented urban landscapes as well as the customs of the

José Agustín Arrieta
Cuadro de comedor (mortero de bronce, frutero de cristal cortado, sopera, platón de plata y florero verde de cristal prensado)
Oleo sobre tela, 67.2 x 92.5 cm. Colección Particular

times. However, Arrieta did not deal with this topic because it was stylish or because he was immersed in the inertia of genre; on the contrary, he painted from personal motivation. Proof is provided by the rich detail of his scenes in plazas, pulquerías and kitchens. Women appear almost always in typical Puebla costume, with sensual dresses that accent their full figures, and in flirtatious poses. Not lacking are pendants, necklaces, lace and embroidered shawls. The long skirts reveal bare feet, and an occasional bold view of the ankles. It is thought that one of the models for Arrieta's work may have been his wife. Others may have been plump young women he requested to pose. During those times, well-to-do women went out on the arms of their husbands, and strolled with them through the streets and plazas. Women of more modest means were frequently busy with housework. Arrieta depicts them in the market, selecting fresh vegetables, or in the kitchen, stirring the chocolate or seasoning a traditional mole poblano *sauce. Other typical characters in Arrieta's paintings were beggars, dandies, soldiers, the poor, and sometimes children clinging to their mothers' skirts.*

Arrieta's still lifes were called "dining room pictures" to refer to the location buyers assigned for their hanging. Perhaps Arrieta's most abundant production was of this type. At times, they were ordered in pairs, or in fours. In such cases, Arrieta considered the work a series, and signed only one painting. The composition of these canvases shows a common denominator: his still lifes were all painted on the same table, and from the same angle. Normally the edge of the table on which the objects are arranged is shown at the bottom of the canvas. Arrieta was able to transmit his taste for good cooking, and especially his fondness for regional foods: mole, pipián, dulces de leche, tamales, *hot chocolate and stewed fruit. In some paintings, he displays the variety of fruit that grows in our country: prickly pears, mamey, limes, plums, pineapples, papayas, and here and there, freshly peeled oranges. With no distinction of importance he shows clay pots, reed baskets and Mexican* talavera *porcelain alongside French china, cut crystal, bottles of champagne and imported canned goods. This mixture of elements was inadvertently a true reflection of the prevailing political and social situation in Mexico, a nation that was opening to the world.*

A cat poses in several of Arrieta's paintings, surprising us with his disciplined refusal to pounce on the succulent treats. Also depicted are a parrot and a hen. Felipe Gutiérrez, a well-known painter of the time and a graduate of the San Carlos school in Mexico City, criticized the appearance of these animals, since he considered it a pictorial error to compose artificial situations never to be seen.

Most of Arrieta's paintings reveal his passage through the Academia, as mentioned by Justino Fernández in his book, El arte del siglo XIX *(1967), on referring to the painter's compositional ideas: "lines on the golden sections, with full awareness and accurate knowledge". Arrieta's primary objective, however, was not to comply with the artistic cannons of his time. Expressive freedom and sentiment were priorities at the moment the brush came into contact with the canvas. The figure of the* china poblana *appears on multiple occasions: a sensual mestizo woman with*

motivación personal. Prueba de ello es la riqueza de detalles que ambientan sus escenas en las plazas, en las pulquerías y en las cocinas. En ellas las mujeres aparecen casi siempre ataviadas en su papel de chinas, con sensuales vestidos que hacen resaltar su frondosidad, y mostrando coquetería. No faltan los pendientes, collares, encajes y las chalinas bordadas. Las enaguas largas siempre dejan ver los pies descalzos y en ocasiones se asoman atrevidamente los tobillos. Se piensa que una de las modelos que inspiró sus cuadros haya podido ser su propia esposa. En otros casos, muy posiblemente se haya tratado de vigorosas jóvenes de cuerpos rollizos que él mismo llamaba para que le posaran. En aquella época las mujeres acomodadas salían acompañadas, del brazo de sus maridos; con ellos paseaban por las calles y las plazas. Las mujeres sencillas frecuentemente se encontraban atareadas con las labores de la casa. Arrieta las presenta en el mercado, escogiendo verdura fresca, o en la cocina, meneando el chocolate o sazonando un tradicional mole poblano. Otros personajes típicos en las pinturas de Arrieta fueron: pordioseros, catrines, soldados, chinacos y, en algunos casos, aparecieron niños, tomados de las faldas de sus madres.

Sus bodegones recibieron el título de "cuadros de comedor", ya que éste era el lugar que los compradores les asignaban. Su obra más abundante quizás se encuentra en este género. En ocasiones se le pedían en pares, y llegaron a solicitarle cuatro cuadros al mismo tiempo. En estos casos el pintor tan sólo firmó uno de ellos, por considerarlos como una serie. En la composición de estos lienzos encontramos un común denominador: sus bodegones han sido pintados todos sobre la misma mesa, y el artista acostumbraba pintar todos desde el mismo ángulo. Normalmente el borde de la mesa en la que se encuentran asentados los diversos elementos que integran el bodegón, aparece en la parte inferior. Arrieta logró transmitir su gusto por el buen comer, y en particular su predilección por la comida típica: mole, pipián, dulces de leche, tamales, chocolate caliente y frutas en almíbar. En algunas pinturas el artista hace alarde de la variedad de frutas que se producen en nuestro país: tunas, mameyes, limas, ciruelas, piñas, papayas, y por allí aparecen frente a las naranjas recién peladas. Sin ninguna distinción de importancia aparecen las ollas de barro, las canastas de mimbre y la talavera mexicana, alternando con porcelanas francesas, cristal de Bohemia, botellas de champaña y latería importada. Esta mezcla de elementos fue, curiosamente, sin proponérselo, un fiel reflejo de la situación política y social que prevalecía en aquel momento en el que México se abría al mundo.

Un gato vivo posa en varios de los cuadros, sorprendiéndonos su actitud tan disciplinada para no lanzarse eufórico ante los suculentos manjares. De la misma manera aparecen un perico o una gallina. Un reconocido pintor capitalino de la época egresado de San Carlos, Felipe Gutiérrez, criticó la aparición de estos animales, ya que él consideraba un error pictórico integrar situaciones artificiales que nunca podríamos observar.

La mayoría de los cuadros nos revela su paso por la Academia, como lo menciona Justino Fernández en su libro *El arte del siglo XIX*, 1967, al hablar del planteamiento compositivo del pintor, en donde expresa: "los ejes en las secciones de oro, con plena conciencia y certero conocimiento". Sin embargo, nunca fue su principal objetivo cumplir con los cánones artísticos de su época. La libertad expresiva y el sentimiento tomaron prioridad al momento en que el pincel entraba en contacto con la tela. La figura de la china poblana aparece en múltiples ocasiones: mujer sensual perteneciente a la raza mestiza, de atractivas facciones y coquetamente ataviada. La blusa blanca ribeteada de encajes la luce suspendida en los hombros, justamente donde inicia la formación del brazo, permitiéndole así un escote más amplio y que por lo general quedaba cruzado por el rebozo bordado. Se ciñe éste en la cintura, dando lugar a la amplia falda. Las chinas se distinguieron por su figura esbelta y andar airoso. Las vieron en la ciudad de México, pero en donde más se arraigaron fue en la ciudad de Puebla. De allí que se les conozca como chinas poblanas.

Arrieta no se propuso ser un pintor costumbrista. El simplemente pintó lo que le gustaba y así, sin ninguna guía y recurriendo a las reglas básicas de lo espontáneo, alcanzó la cúspide del costumbrismo. Hoy por hoy, este pintor poblano ocupa uno de los lugares sobresalientes de la pintura mexicana del siglo XIX, figurando como contraparte del arte académico y como fuente de inspiración para lo que más tarde sería la Escuela Mexicana de Pintura.

IZQUIERDA
José Agustín Arrieta
China poblana
Oleo sobre tela, 90.5 x 71 cm. Colección Particular
(Cortesía Fomento Cultural Banamex)

DERECHA
El requiebro
Oleo sobre tela, 116.9 x 91 cm.
Colección Particular

attractive features and coquettish dress. By wearing her lace-trimmed white blouse low on the shoulders, right at the base of the arm, she shows a wider neckline, which is usually accented by an embroidered rebozo. The long rebozo scarf is tied at the waist of an ample skirt. The chinas were distinguished by their shapely figures and graceful carriage. Although seen in Mexico City, the fashion was most strongly rooted in the city of Puebla, resulting in the name of china poblana.
Arrieta did not propose to be a genre painter. He simply painted what he liked. Without a guide, yet supported by the basic rules of spontaneity, he reached the peak of genre painting. Today, José Agustín Arrieta holds one of the positions of excellence in Mexican painting of the 19th century. He stands as a counterpart of academic art and as a source of inspiration for what would later be the Escuela Mexicana de Pintura (Mexican School of Painting).

Germán Gedovius
Amapolas
Oleo sobre tela, 99 x 68 cm.
Colección Banco Nacional de México

Germán Gedovius

1867-1937

"Gedovius pintó muchas flores —como tantos otros pintores de su época—, y hay ejemplos suyos, o por lo menos referencias, desde los años noventa. Pero es probable que correspondan a su última fase numerosos floreros no fechados..."

Lupina Lara Elizondo

Germán Gedovius fue hijo de un comerciante alemán, Johann Hermann Gedovius Fick, quien había llegado a México cuando el gobierno de Juárez brindó un apoyo especial a las relaciones comerciales con Alemania en agradecimiento por la neutralidad demostrada durante la intervención francesa. Su madre, Teresa Huerta, era de origen mexicano. Nuestro pintor nació en 1867 en la ciudad de México, pero debido a que a los pocos meses su familia se trasladó a la ciudad de San Luis Potosí para establecer un negocio de ferretería, algunos biógrafos equivocadamente han indicado que nació en esta ciudad. El niño nació con un problema hereditario de sordera, lo que le ocasionaba también ser mudo. No obstante esta limitante, cursó la primaria en el Instituto de la Purísima Concepción. A su corta edad, en lugar de darse a entender a través de la mímica, se empezó a comunicar de manera gráfica. Esto lo llevó a descubrir la ilimitada libertad de las líneas. Se sabe que, bajo una disciplina germana, desde muy pequeño fue llamado a trabajar en la ferretería, en un principio moviendo el plumero para mantener sin polvo la mercancía; más tarde, cuando había dominado las sumas y las restas, empezó a ayudar en los documentos contables. Al terminar con sus obligaciones, se escapaba para ir a ver pintar los decorados en las fachadas de unas casas. Pasaba horas disfrutando al ver cómo se movían los pinceles y las brochas, formando los diseños de flores que en aquella época estaban de moda. Esta experiencia despertó de tal manera su deseo de pintar que se esmeró en sus labores en la ferretería, obteniendo así una paga extra, con lo que fue a comprar pinturas en polvo. A escondidas, mezcló las pinturas con harina y aceite de cocina, y con ellas realizó su primer cuadro antes de haber cumplido los diez años. A partir de entonces, empezó a hacer pequeñas acuarelas sobre papel.

Algunos textos indican que en la visita de un compatriota alemán al negocio, al observar la facilidad del muchacho para el dibujo, la hizo notar a sus padres. Hasta ese momento ellos no habían advertido su habilidad natural, ni tampoco el hecho de que el dibujo era su medio de comunicación. Entonces le contratan como maestro particular de dibujo al sacerdote Pedro Pablo M. de Castro. El joven progresó considerablemente y, cuando cumplió los quince años, fue enviado a la ciudad de México para estudiar en la Academia de San Carlos, en donde tuvo como maestros a Rafael Flores y a José Salomé Pina. Su paso por la academia fue breve, de tan sólo cinco meses, ya que su padre, habiendo

GERMÁN GEDOVIUS WAS THE SON OF A GERMAN MERCHANT, Johann Hermann Gedovius Fick, who had immigrated to Mexico to take advantage of the special trade arrangements the administration of President Juárez had offered Germany in appreciation for its neutrality during the French intervention. Germán's mother, Teresa Huerta, was Mexican. Germán was born in 1867 in Mexico City, but since the family moved to the provinces a few months after his birth to open a hardware store, some biographers have mistakenly listed San Luis Potosí as his birthplace. In spite of the limitation of having been born deaf-mute, Germán attended elementary school at the Instituto de la Purísima Concepción. As a young boy, rather than making himself understood through gestures, Germán began to communicate graphically—and discovered the unlimited freedom of drawing lines. It is known that in the name of Teutonic discipline, Germán was required to work at the hardware at a tender age: initially, his task was to keep the merchandise clean with a feather duster; later, when he had mastered addition and subtraction, he started to help with the store's accounting. After work, he would hurry away to watch workers paint the decorations on the facades of local houses. He would spend many enjoyable hours observing how the brushes were manipulated to form

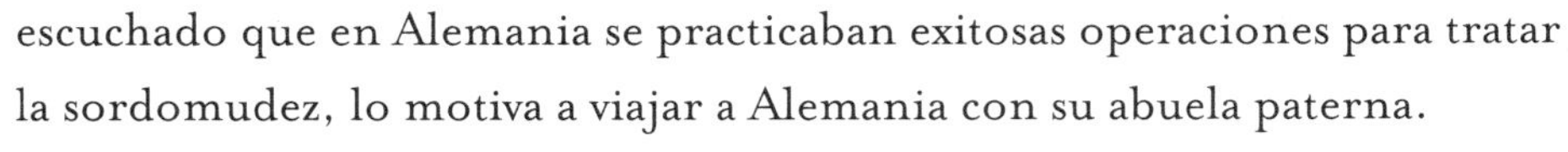

escuchado que en Alemania se practicaban exitosas operaciones para tratar la sordomudez, lo motiva a viajar a Alemania con su abuela paterna.

Después de haber sido operado, los médicos logran que oiga un poco y por consiguiente que pueda hablar, aunque de manera entrecortada. Al lado de la abuela aprendió a hablar el alemán. Una vez recuperado, en 1883 se trasladó a la ciudad capital de Baviera, en donde durante ocho años estudia pintura en la Real Academia de Munich. Alfonso Cravioto, uno de sus biógrafos, comenta que al presentar el examen de inscripción en la academia fue rechazado, ya que la calidad de su dibujo no reunía los requisitos de la institución. A los seis meses, una vez superado el obstáculo, logró ser admitido como discípulo de Heterich y Wilhelm von Diez. Se sabe que Heterich fue el responsable del gran aprecio que Gedovius manifestará por los grandes maestros del pasado. Su obra más destacada de esa etapa europea es su *Autorretrato estilo Rembrandt,* el cual exhibió posteriormente, en 1899, en la Escuela Nacional de Bellas Artes en México. Durante su paso por la institución germana, conquistó tres premios de dibujo y dos de pintura. Allá se encontró con su colega mexicano Julio Ruelas, y juntos tuvieron oportunidad de ver gran cantidad de pintura, tanto tradicional como de vanguardia, ya que en esa época Alemania ofrecía una gran diversidad de corrientes plásticas. Durante su estancia en Europa viajó a diferentes países y en 1892 regresó a México.

Su retorno a la ciudad no fue del todo fácil, lo que se puede entender si tenemos en cuenta que después de sólo unos cuantos meses de haber vivido allí y de nueve años de ausencia, la capital de nuestro país le era un lugar prácticamente desconocido. Además, no dominaba el idioma español, ya que él empieza a oír y a hablar en Alemania, y el primer idioma que aprendió fue el alemán. Aunado a ello y no obstante su paso por la Academia, en México era un artista desconocido. Fue hasta 1896 cuando la crítica empezó a hacer justicia a su trabajo, y fue en 1899, con motivo de la *XXIII Exposición de la Academia de San Carlos,* cuando el público y la crítica advierten la gran maestría que existe en sus trabajos. Una buena cantidad de las obras que Gedovius realizó en esta etapa parafraseaba obras de importantes pintores del pasado, siendo ésta una costumbre habitual entre los artistas de la época. Cabe aquí señalar la gran cantidad de copias existentes de obras europeas firmadas y no firmadas por el artista. La suerte de Gedovius en México cambia, como lo comenta uno de sus amigos de la Academia, Federico Mariscal:

GERMÁN GEDOVIUS
TEHUANA, 1918
Oleo sobre tela, 70 x 70 cm.
Museo Nacional de Arte, INBA

Germán Gedovius
Rosas blancas, s.f.
Oleo sobre tela, 80 x 90.5 cm.
Museo Nacional de San Carlos, CONACULTA, INBA

"...Descubierto por el pintor Leandro Izaguirre, y por los poetas Luis G. Urbina y Rubén M. Campos, fue luego presentado al maestro de maestros, don Justo Sierra, quien lo admira y con profundo cariño lo acoge".

La relación con estos poetas lo lleva a colaborar como ilustrador en la *Revista Moderna*, que representaba en ese momento la expresión de la vanguardia. Su participación fue discreta, ya que nunca llegó a tener la gran habilidad para el dibujo de Julio Ruelas, principal proveedor de dibujos y viñetas para esta publicación. Su relación con Justo Sierra favoreció en 1903 su ingreso a la Escuela Nacional de Bellas Artes, como maestro de la clase de claroscuro. Ese año había sido nombrado director de la institución el arquitecto Antonio Rivas Mercado. Entre sus alumnos se encontraron: Diego Rivera, Angel Zárraga, Ignacio Rosas y Saturnino Herrán, quienes le demostraron su estima y reconocimiento por sus dotes de gran colorista. En 1911 también fue nombrado profesor de colorido y composición. En 1906 realizó su única pintura de corte histórico *Prisionero de guerra de los franceses en 1865*, la cual muy probablemente haya sido obsequiada a Porfirio Díaz. La obra refiere a la rendición de Díaz en Oaxaca, y su negativa para firmar el pacto de neutralidad, manifestando así su resistencia al invasor. En el cuadro, el pintor representa el traslado del General Díaz de Oaxaca a Puebla, custodiado por sus captores.

Durante estos años, Gedovius dedicó especial atención al paisaje abierto, así como a sacristías, patios e interiores de conventos, como el de Tepoztlán y el del Carmen, en Toluca. Otro cuadro de este género fue *Patio de la Hacienda de los Morales*, que pintó para don Eduardo Cuevas

the stylish floral designs of the time. This experience stimulated Germán's desire to paint, and he did special jobs at the hardware store to earn extra money, which he used to buy dry colors. In secret, he mixed the colors with flour and cooking oil, and used them to produce his first painting, before he was ten. He later began to do small watercolors on paper.
Some texts indicate that a German visitor at the store saw the boy's talent for drawing, and pointed it out to his parents. Up to that time, they had not paid attention to the boy's natural abilities, nor had they noticed that drawing was his means of communication. They arranged for a priest, Pedro Pablo M. de Castro, to be his drawing teacher. Germán made considerable progress, and at age fifteen, was sent to Mexico City to study at the Academia de San Carlos, where his teachers were Rafael Flores and José Salomé Pina. German's passage through the Academia was brief—only five months—since his father had heard of successful operations being carried out in Germany to treat deaf-mutes; in the company of his paternal grandmother, Germán left for Germany.
After the operation, Germán was able to hear to a limited degree and thus learn to talk, although brokenly. His grandmother taught him to speak German. In 1883, once Gedovius had completely recovered, he moved to Bavaria, where he studied painting for eight years at the royal academy of Munich. Alfonso Cravioto, one of his biographers, commented that Germán was not initially accepted at the royal academy because the quality of his drawing did not comply with the institution's requirements. Six months later, however, after having overcome this obstacle, he was accepted as a student of Heterich and Wilhelm von Diez. It is known that Heterich was responsible for inculcating Gedovius' admiration of the great masters of painting. The most well-known piece from his stay in Europe is Autorretrato estilo Rembrandt ("Self-portrait in the Style of Rembrandt"), which he exhibited in 1899 at the Escuela Nacional de Bellas Artes in Mexico City. During his courses at the Bavarian institution, Germán won three prizes for drawing and two for painting. Because of the wide diversity of artistic currents present in Germany, Gedovius and his Mexican classmate, Julio Ruelas, had the opportunity to view many paintings, some traditional and others avant-garde. Gedovius took advantage of his stay in Europe to travel to various countries, and in 1892, returned to Mexico City.
We can understand that Germán's re-adaptation to Mexico was not entirely easy if we take into account that his previous time in the capital city had been short, and his absence long. After nine years in Europe, Mexico City was practically unknown to him. In addition, he was not fluent in Spanish: he had begun to

hear and speak in Germany, and his first language was German. And in spite of Gedovius' training at the Academia, he was not known as an artist in Mexico. It was not until 1896 that the critics began to review his work fairly, and in 1899, at the XXIII Exposición de la Academia de San Carlos, that the public and the critics truly noticed the mastery of his painting. A large number of the paintings Gedovius produced during this period paraphrased the work of important painters of the past—a common custom among the artists of the time. Many of his copies of European paintings exist, both signed and unsigned. Gedovius' fortunes in Mexico were to change, as commented by one of his friends at the Academia, Federico Mariscal: "...Discovered by the painter, Leandro Izaguirre, and by the poets, Luis G. Urbina and Rubén M. Campos, he was then introduced to the maestro of maestros, Justo Sierra, who admired him and with great affection took him under his wing." As a result of Gedovius' relationship with Urbina and Campos, he began to work as an illustrator of the Revista Moderna, at that time an expression of the avant-garde. His participation was modest since his drawing skills never reached those of Julio Ruelas, the principal supplier of drawings and vignettes for the publication. Gedovius' friendship with Justo Sierra was an aid to his acceptance at the Escuela Nacional de Bellas Artes in 1903, as the teacher of the chiaroscuro class. That year, the architect Antonio Rivas Mercado had been named director of the institution. Gedovius' students included Diego Rivera, Angel Zárraga, Ignacio Rosas and Saturnino Herrán, who expressed their high esteem for his talents as a colorist. In 1911, Gedovius was named professor of color and composition. In 1906, he painted his only historical piece, entitled Prisionero de guerra de los franceses en 1865, which he probably gave to Porfirio Díaz. The painting refers to the surrender of Díaz in Oaxaca, and his refusal to sign the neutrality pact with the invading French troops. The scene depicted is General Díaz' transfer from Oaxaca to Puebla in the custody of his captors.

During this period of his life, Gedovius dedicated special attention to painting landscapes, as well as the sacristies, patios and interiors of convents, such as the convent in Tepoztlán, and the Convento del Carmen in Toluca. One painting that dealt with this topic was Patio de la Hacienda de los Morales, which Gedovius painted for Eduardo Cuevas Lascuráin and Dolores Núñez Couto. As newlyweds, the couple had moved into the Hacienda, and after requesting painting classes from Gedovius, had maintained a very close friendship with him.

In 1910, Gedovius' work participated at the renowned Exposición de Artistas Mexicanos, organized by Dr. Atl for Mexico's centennial celebrations. The charismatic Atl had recently arrived from a long stay in Europe, and had become the ideological leader of young artists, with whom he shared innovative plastic ideas based on modern European proposals. Gedovius, then a mature painter, greeted this new point of view without misgivings, and in spite of his close adherence to academic painting, did not remain

Lascuráin y doña Dolores Núñez Couto, quienes después de haberse casado se habían ido a vivir a la Hacienda, y buscando quien les diera clases de pintura, obtuvieron la recomendación de Gedovius. Desde entonces la pareja mantuvo una muy cercana amistad con el artista.

En 1910 la obra de Gedovius participa en la célebre *Exposición de Artistas Mexicanos,* que con motivo del Centenario había logrado organizar el doctor Atl. Este último recién había llegado de una larga estancia en Europa, y con su carismático carácter se había convertido en el líder ideológico de los artistas jóvenes, compartiendo con ellos innovadoras ideas plásticas, basadas en las modernas propuestas europeas. Gedovius, entonces un pintor maduro, recibe esta nueva visión sin recelo, y no obstante su gran apego a la pintura académica, no se mantiene indiferente a ella. En aquellos años se vivía un momento de transición en todos los ámbitos, ya que la Academia no fue ajena a los movimientos políticos y sociales iniciados en 1910. Los estudiantes deseaban romper con el obsoleto régimen académico, así que presionan a Rivas Mercado hasta hacerlo renunciar; montan una huelga y cierran temporalmente la institución. Al reabrir sus puertas, después de unas cuantas semanas, se suscitan frecuentes cambios de director, entre ellos el doctor Atl y el pintor Alfredo Ramos Martínez. Durante este tiempo, Gedovius logró sortear este remolino de acontecimientos. Continuó dando su clase de colorido y composición, y posteriormente de pintura de figura.

En 1914 don Nemesio García Naranjo, Ministro de Bellas Artes, inauguró en San Carlos una exposición de Gedovius y de sus alumnos. En 1920 el artista expone en la *XXV Exposición de la Academia: Cabeza de anciano, Amapolas, La maja del mantón* y *La raza doliente.* En esta última obra, Gedovius trata el tema de la religiosidad popular. Se sabe que durante muchos años este último cuadro fue equivocadamente atribuido a Saturnino Herrán, y que recientemente se reconoció su autoría, eliminando de él la firma apócrifa que ostentaba. Debemos indicar que nos encontramos ante los orígenes de la Escuela Mexicana de Pintura, que proponía una visión nacionalista del arte; por tal motivo, quizá, el tratamiento de un tema popular. Otra obra motivada por esta visión mexicana es sin duda la que se conoce con el nombre de *Tehuana,* que resalta la belleza de la mujer indígena. Grandes atributos merece esta pieza, entre ellos la ternura contenida en la madre que amamanta a su pequeño.

Alvaro Obregón incorpora a su gabinete a José Vasconcelos, primero como Rector de la Universidad Nacional y luego como Secretario de Educación. Bajo estos cargos fue el responsable de dar cabida, por no decir "hacer oficial", el programa renovador de la pintura mexicana, y ve en Gedovius un candidato para realizar la primera pintura mural con carácter estético simbolista en el recién construido Anfiteatro Bolívar, anexo a la Escuela Nacional Preparatoria. Gedovius declina la invitación, la cual entonces se asigna a Diego Rivera, que recién había llegado de Europa. Gedovius ha decidido con ello no involucrarse en el nuevo movimiento muralista. Visualizaba que la vanguardia debería estar encabezada por artistas más jóvenes.

Por esos años, Gedovius abrió un taller particular, en donde se impartían clases de pintura a señoritas de la alta sociedad, sin descuidar sus clases erí la Escuela Nacional de Arte, en donde continuó trabajando hasta un poco antes de su muerte. En esos años fue maestro de la destacada pintora tapatía María Izquierdo. Se sabe también que su cercanía con la familia Cuevas se hizo más estrecha, al grado de que ésta le acondicionó un estudio y habitación en lo que era la antigua oficina de pagaduría de la Hacienda de los Morales, en donde vivió

indifferent to the young painters' philosophy. Transition was being experienced in all settings, and the Academia was not removed from the political and social movements of 1910. Academia students, wanting to break away from the obsolete academic

Germán Gedovius
Jarrón con rosas y frutas
Oleo sobre tela, 50.5 x 50.5 cm.
Colección Particular

GERMÁN GEDOVIUS
AUTORRETRATO, 1907
Oleo sobre tabla, 54 x 44.5 cm.
Museo Nacional de San Carlos, CONACULTA, INBA

system, forced Rivas Mercado to resign; then they called a strike and temporarily closed the institution. When the school reopened after a few weeks, there were frequent changes of directors, including Dr. Atl and the painter, Alfredo Ramos Martínez. Gedovius was able to avoid this whirlwind of events and continued teaching his color and composition class, as well as figurative painting.

In 1914, Nemesio García Naranjo, Mexico's minister of fine arts, inaugurated an exhibition at San Carlos of the work of Gedovius and his students. In 1920, Gedovius participated at the XXV Exposición de la Academia with Cabeza de anciano, Amapolas, La maja del mantón and La raza doliente, which deals with the topic of popular religiousness. For many years, this painting was mistakenly attributed to Saturnino Herrán, and only recently was its true authorship discovered and the unauthentic signature removed. The motivation for portraying a popular scene may have been the ideas of the newly created Escuela Mexicana de Pintura, which proposed a nationalistic vision of art. The Mexican point of view undoubtedly influenced another painting, known as Tehuana, which emphasizes the beauty of indigenous Mexican women. Elevated attributes are made manifest in this piece, such as the tenderness of the nursing mother.

The person responsible for putting into effect (or "making official") the invigorating program of Mexican painting was José Vasconcelos, appointed to the cabinet of President Alvaro Obregón as rector of the Universidad Nacional and then as minister of education. Vasconcelos saw Gedovius as a candidate for producing the first mural with symbolistic aesthetics in the recently built Anfiteatro Bolívar, adjacent to the Escuela Nacional Preparatoria. Gedovius declined the invitation. The project was assigned to Diego Rivera, who had just arrived from Europe. Gedovius made the decision not to become involved in the new muralist movement, based on his belief that the avant-garde should be led by artists younger than himself.

During this period, Gedovius opened a private workshop to offer painting classes to young ladies of high society, yet did not neglect his work at the Escuela Nacional de Arte—where he continued to teach until shortly before his death. One of his students was the well-known painter from Jalisco, María Izquierdo. It is known that Gedovius' friendship with the Cuevas family became so close that they built him a studio and living quarters in the former payroll office of the Hacienda de los Morales, and that Gedovius lived there until his death. The importance of Gedovius' role in the Cuevas family is proven by

el pintor hasta su muerte. El lugar que Gedovius ocupó en la familia Cuevas se hace patente con el hecho de haber sido invitado como padrino de una de las niñas Cuevas Núñez: Magdalena, en 1928, que queda atestiguado en la dedicatoria de un autorretrato, cuyo texto alude a este compadrazgo. En 1933 el pintor realizó un hermoso retrato de su ahijada, *Retrato de Magdalena Cuevas.*

Como hemos mencionado, Gedovius incursionó en el paisaje abierto y el urbano de corte colonial; en el retrato. También realizó extraordinarios desnudos, como es el caso de *Desnudo femenino recostado,* que es una obra arriesgada que rebasa el concepto de belleza, creando una atmósfera erótica. Fausto Ramírez, investigador de la UNAM y miembro del Departamento de Arte de la Universidad Iberoamericana, en su texto sobre el artista para el catálogo de la exposición homenaje de 1984, se refiere a esta obra como "...una especie de florido altar de la carne". La naturaleza muerta fue otro de los grandes temas que Gedovius trató con particular interés, y en especial los floreros. El trató este tema aplicando ese sentido que transcribió en casi todos sus cuadros, como un homenaje a los grandes pintores europeos, aunque adaptando a la vez sus temas a la atmósfera mexicana. En el mismo texto, Ramírez comenta: "Gedovius pintó muchas flores –como tantos otros pintores de su época–, y hay ejemplos suyos, o por lo menos referencias, desde los años noventa. Pero es probable que correspondan a su última fase numerosos floreros no fechados. Los Cuevas le solicitaban con frecuencia este género de cuadros, como también retratos de miembros de la familia y copias, sobre todo de pinturas galantes (de François Boucher, por ejemplo), por las que parecen haber tenido especial predilección".

Entre la enseñanza particular, sus clases en la Academia y la pintura que realizaba en su taller transcurrieron sus últimos años. Germán Gedovius Huerta murió en la ciudad de México a principios del año 1937, recibiendo diferentes manifestaciones de reconocimiento y aprecio, entre ellas las de sus alumnos y la nota póstuma del arquitecto Federico Mariscal. Manuel Toussaint, uno de sus críticos, también publica una nota póstuma en la que reclama el talento del artista con estas palabras: "...Gedovius, de gran artista en su tiempo, de figura que llenaba nuestras esperanzas con grandes obras, de vuelo irrefrenable y de cualidades óptimas, se encajonó..." El párrafo completo es mordaz y tajante, diría yo hasta cruel, pero este corte dice lo necesario para comprender que Germán Gedovius fue un gran pintor, y es evidente que había pintor para más. Su obra nos deja testimonio de su gran oficio, y sus alumnos dejan huella del resultado de una docencia comprometida. Su grandeza no puede encontrarse en lo que pudo haber hecho, sino en aquello que ha logrado trascender su vida y su tiempo, que es la gran calidad de su pintura.

the words of dedication on a self-portrait, which allude to the fact that he stood as the godfather for one of the family's children, Magdalena, in 1928. In 1933, Gedovius painted a beautiful portrait of his godchild, Retrato de Magdalena Cuevas.

Gedovius' work in portraits was complementary to his production of landscapes and urban scenes with a colonial influence. He also painted extraordinary nudes, such as Desnudo femenino recostado, an unconventional piece that surpasses the concept of beauty by creating an erotic atmosphere. Fausto Ramírez, a researcher at the UNAM and a member of the Universidad Iberoamericana's art department, wrote about Gedovius for the catalog of the exhibition held in his memory in 1984, and referred to this nude as "...a type of flowery altar to the flesh." Still lifes, and especially vases of flowers, were topics that Gedovius addressed with particular interest. He applied to still lifes the meaning that he imprinted on almost all of his paintings, as if paying homage to the great European masters, yet with a Mexican atmosphere. In the same text, Ramírez commented: "Gedovius painted many flowers—as did many other painters of his time—and there are examples of his, or at least references, since the 1890s. But numerous undated paintings of vases of flowers probably correspond to his final stage of painting. The Cuevas family frequently requested this type of painting from him, as well as portraits of family members and copies, especially copies of rococo paintings (by François Boucher, for example), of which they seem to have been especially fond."

Germán Gedovius Huerta spent his last years giving private lessons, teaching classes at the Academia and painting in his workshop. After his death in Mexico City in early 1937, various manifestations of recognition and appreciation were made public, including those of his students and the posthumous writing of the architect Federico Mariscal. One of Gedovius' critics, Manuel Toussaint, published a posthumous piece that acclaimed the artist's talent in these words: "...Gedovius, a known artist of his time, a person who met our expectations with great works, of unstoppable momentum and optimal qualities, became encased..." The paragraph as a whole is stinging and categorical, perhaps even cruel, but this excerpt makes us understand that Germán Gedovius was a great painter, evidently unlimited in his abilities. His work leaves us testimony of his exceptional skill, and his students show the results of committed teaching. Gedovius' grandeur cannot be found in what he might have done, but in what has transcended his life and his time—the quality of his painting.

GERMÁN GEDOVIUS
DAMA CON CÁNTARO
Oleo sobre tela, 120 x 120 cm.
Colección Banco Nacional de México

Eulalia Lucio
Objetos para bordar, 1884
Oleo sobre tela, 62.5 x 53 cm.
Colección Particular

Eulalia Lucio
Felipe S. Gutiérrez

Pintura anónima - Naturaleza muerta

Lupina Lara Elizondo

Durante la Colonia, la postura hegemónica que España mantuvo sobre sus colonias involucró todos los ámbitos: económico, político, social, religioso y también el artístico. Así, la influencia de la pintura española en los pintores del virreinato es indiscutible. Durante ese período la temática de esta pintura se centró casi por completo en asuntos religiosos. La monarquía se encontraba fuertemente ligada a la iglesia, por lo que constantemente solicitaba importantes encargos de temas religiosos a los artistas para donarlos a iglesias y conventos. También lo hacía a través de donativos a diferentes órdenes religiosas, para que ellos a su vez cumplieran con esos compromisos. Dentro de las mismas órdenes había frailes entendidos en la pintura, quienes además de pintar, enseñaban el oficio a los aprendices. Algunos de sus trabajos llegaron a destacar por su excelente calidad. En esa época los demás géneros de la pintura quedaron de cierta manera relegados, siendo realizados únicamente para la escasa clase burguesa. El tema que de alguna forma logró crecer de manera paralela a la pintura religiosa fue el retrato, así como algunos temas históricos. Pocos fueron los paisajes y las naturalezas muertas que se realizaron en la España de los siglos XVII y XVIII.

Esas naturalezas muertas o bodegones, como solía llamárseles, ya que representaban justamente las bodegas o espacios en donde se almacenaban los alimentos, involucraban un sentimiento netamente religioso. En ellos se resaltaba una atmósfera monástica, impregnada de austeridad y sencillez, que con el paso del tiempo fue transformándose debido a la influencia de otras escuelas europeas, como la italiana y la flamenca.

Como hemos afirmado, el vínculo con las colonias era muy directo, por lo que además de la influencia de estilo, encontraremos que la pintura colonial mexicana también nos ofrece una gran cantidad de obras religiosas y un limitado trabajo de pintura de otros géneros. En el último cuarto del siglo XVIII fue inaugurada en México la Academia de San Carlos, donde se practicaban las nobles artes: pintura, escultura y arquitectura. Desafortunadamente, a principios del siglo XIX el florecimiento de sus actividades se vio empañado por el movimiento de Independencia. Una vez restaurado el orden y después de haber permanecido cerrada alrededor de tres años, al volverse a abrir en 1824 la Academia siguió su paso, en medio de la ola de desorganización que imperaba en el país. El entusiasmo de algunos artistas mantenía viva su actividad, basados en las ideas que

During colonial times, Spain's hegemony over its colonies involved all areas: the economy, politics, religion and art. The influence of Spanish painting on the viceregal painters is therefore indisputable. Topics were centered almost entirely on religious matters. And since the monarchy was strongly linked to the church, it constantly commissioned religious topics from painters to donate to churches and convents. Donations were also made to various religious orders to enable them to meet their own commitments. Certain members of these orders were trained in art and dedicated time to painting, in addition to teaching the craft to apprentices, and some of their work was known for its excellent quality. Other categories of painting were relegated to the limited middle class. Portraits managed to develop parallel to religious painting, along with some historical topics, but few landscapes and still lifes were painted in Spain in the 17th and 18th centuries.
Still lifes or bodegones, as they were called in Spanish, represented the pantries or storage spaces (bodegas) where food was kept. They involved clear religious sentiment and emphasized a monastic atmosphere, impregnated with austerity and simplicity. Over time, these paintings were influenced by other European schools, such as the Italian and Flemish schools.
The effects of Spain's direct links with its colonies can be seen in topics as well as style: Mexican colonial painting offers numerous religious works and a limited number of paintings from other categories, in addition to showing the influence of Spanish style. In the last fourth of the 18th century, the Academia de San Carlos was opened to promote the noble arts: painting, sculpture and architecture. Unfortunately, in the early 19th century, its growth was stunted by the nation's independence movement. The school reopened its doors in 1824, after a three-year hiatus, and resumed its normal activities in the midst of reigning national disorganization. The institution was kept alive by the enthusiasm of certain artists, based on the ideas of the Enlightenment—which permitted them to yearn for an honorable and glorious future. Intellectual circles discussed the ideal of Mexico's recovery from colonial backwardness, and considered Mexico to be the only prominent nation that had not taken the path to modernity in the footsteps of the United States, France and England. New winds of nationalism were reflected in painting of a historical nature. The so-called painting of "género"—landscapes, genre painting and still lifes—did not begin to arouse interest among artists until the early decades of the 19th century.
During the first half of that century, art critics were dedicated primarily to reminding the government and the nation that the fine arts should not be neglected on the road to national development. Critics manifested a frank desire to help young people interested in art. Yet art had little weight in the national life of the time, and artists often failed to sign their paintings. Once the Academia began to hold contests and exhibitions and award prizes and stipends, it became necessary to relate the quality of each piece with its creator. Up to that time—the middle years of the 19th century—many paintings (some of quite good quality)

provenían de la Ilustración, con las cuales se podía anhelar un futuro digno y glorioso. También en el círculo de los intelectuales se discutía el ideal de renovación y de recuperación del país, de ese atraso al que España nos había sometido, siendo la única entre las naciones destacadas que no había ingresado al camino de la modernidad, como lo habían hecho Estados Unidos, Francia e Inglaterra. Desde entonces se habían despertado en nuestro país aires nacionalistas que empezaron a reflejarse en una pintura de carácter histórico. Fue hasta las primeras décadas del siglo XIX que la llamada "pintura de género", en la que quedaban inscritos el paisaje, el costumbrismo y la naturaleza muerta, empezó a cobrar cierto interés entre los artistas.

Durante la primera mitad del siglo XIX, la crítica de arte se dedicó mayormente a hacer un llamado al gobierno y a la nación para que en el camino hacia el desarrollo no fueran olvidadas las bellas artes. La crítica manifestó un franco deseo de ayudar a los jóvenes interesados en el arte. En aquel momento no existía esa puesta en la balanza de los trabajos artísticos, y a esto podría atribuirse que los artistas no tomaran interés en firmar sus cuadros. Una vez que empiezan a surgir en la Academia los concursos, las exposiciones, los premios y las pensiones, ya a mediados del siglo, se vuelve necesario que se relacione la calidad de cada cuadro con su autor. Así, hasta la primera mitad del siglo nos encontramos una gran cantidad de pinturas anónimas, algunas de ellas de muy buena factura, y otras de creadores populares que suplían la falta de conocimiento académico tratando de imitar el estilo de las pinturas europeas que llegaban a nuestro país.

Estos cambios coinciden con la llegada de los maestros españoles Pelegrín Clavé y Manuel Vilar a la Academia de San Carlos, contratados para dirigir las clases de pintura y escultura, respectivamente, y para reestructurar los programas de estudio. Bernardo Couto, entonces Director de la Academia, cita las palabras de Clavé: "Yo no encontré en México ninguna escuela; ni buena ni mala". Estas nos permiten entender que los dos maestros empezaron casi desde cero. Y en esta labor de reestructuración ponen en práctica la separación de los diferentes géneros de la pintura, como se venía aplicando en las diferentes academias europeas. La pintura de género se separó en paisaje, costumbres y naturaleza muerta. Es en este momento en el que propiamente se otorga un lugar a cada uno de estos temas, naciendo así la naturaleza muerta como tema de importancia. No obstante, fue el paisaje el que tomó un apogeo sin precedente bajo la dirección del maestro italiano Eugenio Landesio.

Con el triunfo de los liberales, la pintura religiosa fue perdiendo aun más terreno, reforzándose el interés por los grandes temas de la historia mexicana, como el de nuestro pasado prehispánico, las guerras de Independencia, las guerras contra Estados Unidos y contra Francia. México había decidido incorporarse como nación libre y soberana ante el mundo entero, y deseaba mostrarse como un país heredero de una gran historia, de grandes riquezas, y a la vez adentrado en la modernidad. Esta visión orilló a que la historia siguiera siendo el tema por excelencia. Paralelamente a ello, el costumbrismo y la naturaleza muerta tuvieron un notorio auge debido a la demanda de la naciente burguesía, que se interesaba en estos temas para sus lujosas casas y haciendas. Esta demanda fue creciendo conforme el país fue reactivando su economía, pues esta clase acomodada estaba dispuesta a pagar muy buenos precios por sus encargos. Las solicitudes fueron atendidas en primer término por los pintores de provincia; sin embargo, el tema no fue ajeno a los artistas académicos, quienes también ocuparon sus pinceles en este género, solventando así sus asuntos económicos.

Eulalia Lucio
Naturaleza muerta
con objetos de cocina, 1888
Oleo sobre tela, 85 x 104 cm.
Colección Particular

were produced by anonymous artists, and other popular artists compensated for their lack of academic training by attempting to imitate the style of European paintings brought to Mexico.
The changes in the Academia de San Carlos coincided with the arrival of the Spanish maestros, Pelegrín Clavé and Manuel Vilar, who were contracted to direct

painting and sculpture, respectively, and to restructure the programs of study. Bernardo Couto, then the director of the Academia, quoted Clavé: "In Mexico I found no school, neither good nor bad." The two teachers started almost from zero. And in their restructuring, they put into practice the separation of painting categories then in use in various European academies. "Pintura de género" was divided into landscapes, genre painting and still lifes. Under this designation, still lifes acquired importance, but it was landscape painting that reached unprecedented heights under the direction of the Italian maestro, Eugenio Landesio.
With the liberal triumph, religious painting lost terrain, and interest in the major topics of Mexican history was reinforced: the nation's pre-Hispanic past, its struggle for independence and its wars against the United States and France. Mexico had decided to present itself to the world as a free and sovereign nation with an important history, great wealth and a modern perspective. Such an outlook ensured history's persistence as a topic of excellence. In parallel form, genre painting and still lifes became increasingly more popular thanks to the demand of the incipient bourgeoisie, interested in such topics for their luxurious

Fuera de la Academia encontramos a exponentes de provincia que sobresalen con sus naturalezas de flores y sus cuadros de comedor, como fueron Agustín Arrieta, Carlos Villaseñor, José Antonio Padilla, así como los creadores de un sinnúmero de obras anónimas. Por otro lado, quienes también practicaron este género con calidad y dedicación fueron las mujeres pintoras, que con decisión buscaban abrirse camino en una sociedad que las demandaba en sus hogares. Algunas de ellas se introdujeron a la pintura de manera autodidacta; otras aprendieron el oficio en las clases particulares que impartieron los maestros extranjeros Pelegrín Clavé y Edouard Pingret. Entre éstas encontramos a: Eulalia Lucio, María de Jesús Cortina Icaza, las hermanas Juliana y Josefa Sanromán, Guadalupe Rul y Matilde Zúñiga, por mencionar sólo algunas.

Cabe aquí comentar acerca de la vida del pintor Felipe Santiago Gutiérrez, originario del Estado de México, quien dentro de su gran trayectoria como retratista, respaldó con especial atención este género. Gutiérrez nació en San Pablo, Texcoco, Estado de México, el 20 de mayo de 1824. A los doce años ingresó a la Academia de San Carlos, en donde permanece hasta la llegada de Clavé. Con él aprende las primeras nociones del arte europeo. En 1848 aceptó la invitación para ser el primer maestro del Instituto Científico y Literario del Estado de México. En 1852 realiza su primer viaje por el interior del país, y recibe la invitación para dirigir las clases de arte en el Colegio Nicolaíta de Morelia, pero el pintor declina la propuesta al considerar incompleta su preparación. Regresa a la Academia de San Carlos por tres años más. Los registros de las exposiciones anuales atestiguan los triunfos que sus obras conquistaron en esos años. En 1862 recibió un reconocimiento, de manos del presidente Juárez, por su destacada trayectoria en la Academia. También inició un recorrido por diferentes ciudades de la costa del Pacífico, hasta llegar a la ciudad de San Francisco, en donde sus retratos cautivaron a la sociedad, llegando a ser calificado como "el mejor retratista que ha venido a esta ciudad". Seis años más tarde viajó a París, y

FELIPE S. GUTIÉRREZ
BODEGÓN DE COL, JITOMATE Y CHILES
Oleo sobre tela, 43.5 x 54.5 cm.
Museo Felipe S. Gutiérrez, Instituto Mexiquense de Cultura

Felipe S. Gutiérrez
Bodegón
Oleo sobre tela, 66 x 86 cm.
Galería Angel Cristóbal

posteriormente a Roma, en donde se inscribe en la Academia de San Lucas. En 1870 se traslada a París y de allí a Madrid, con el fin de inscribirse en la Academia de San Fernando. Unos años más tarde Felipe Gutiérrez se traslada a Nueva York, en donde instala dos estudios en la 5ª Avenida. En esta importante ciudad sus trabajos son reconocidos por su gran calidad. Conoce al poeta colombiano Rafael Pombo, con quien viaja a Colombia. En ese país abre dos academias de pintura gratuitas, y más tarde, en 1881 fundó la Academia Vázquez, cuya Escuela de Pintura, por decreto presidencial, lleva su nombre. Entre los reconocimientos que recibió, destacan: el Segundo Galardón en la *Feria Internacional de París,* 1889, cuando su obra viajó al lado de la de José María Velasco y la obra de una notable pintora, Eulalia Lucio. Entre sus alumnas se encontró la pintora Matilde Zúñiga, a quien transmitió un oficio pulcro y refinado. Felipe Santiago Gutiérrez fue el primer pintor que se dedica además a la crítica de arte; también reclama al gobierno su apoyo a los artistas con el fin de embellecer las ciudades. En 1904 falleció en su ciudad natal, después de haber gozado durante más de sesenta y cinco años de un quehacer que exaltó su espíritu.

houses and haciendas. Demand rose as the nation's economy was reactivated and wealthy patrons became willing to pay high prices for commissioned work. Requests were filled most often by painters from the provinces, yet the topic was not foreign to the academic artists, who occupied their brushes in this sort of work, with favorable economic results.
Outside of the academy, we find provincial artists known for their production of flower still lifes and dining room paintings, such as Agustín Arrieta, Carlos Villaseñor and José Antonio Padilla, as well as artists who painted innumerable unsigned works. Other artists who produced still lifes with quality and dedication were the female painters, who decisively made their way in a society that limited them to their homes. Some women were self-taught and others learned to paint in private classes taught by the foreign maestros, Pelegrín Clavé and Edouard Pingret. A brief listing of these women includes Eulalia Lucio, María de Jesús Cortina Icaza, the two sisters,

Juliana and Josefa Sanromán, Guadalupe Rul and Matilde Zúñiga.
It is worthwhile at this point to comment on the life of Felipe Santiago Gutiérrez, a native of Estado de México who made special contributions to portraiture during his successful career as a painter. Gutiérrez was born in San Pablo, Texcoco, Estado de México, on May 20, 1824. At age twelve, he enrolled in the Academia de San Carlos, where he remained until the arrival of Clavé. Under Clavé he learned the basics of European art. In 1848, he accepted the invitation to serve as the first teacher of the Instituto Científico y Literario del Estado de México. In 1852, he made his first trip to the interior of the nation, and rejected an offer to direct art classes at the Colegio Nicolaíta de Morelia; instead he returned to the Academia de San Carlos for three more years. The records of the annual exhibitions record the triumphs of his work. In 1862, Gutiérrez received recognition from President Juárez for his outstanding career at the Academia. He made a tour of various cities on the Pacific coast until reaching San Francisco, where his portraits captivated local society and earned him the reputation as the "best portraitist who has ever come to this city." Six years later he traveled to Paris and Rome, where he entered the Accademia di San Luca. In 1870, he moved to Paris and from there to Madrid to take classes at the Academia de San Fernando. A few years later, Felipe Gutiérrez established two studios in New York, on Fifth Avenue. His work became known in New York for its high quality. He met the Colombian poet, Rafael Pombo, and traveled with him to Colombia. There Gutiérrez opened two free painting academies, and in 1881 founded Academia Vázquez, with a painting school named after him, by presidential decree. Gutiérrez received second prize at the international of fair of Paris in 1889, when his work traveled alongside that of José María Velasco and Eulalia Lucio. His students included the painter, Matilde Zúñiga, to whom he transmitted his refined craft. Gutiérrez was the first painter in Mexico to work concurrently as an art critic, and demanded government support for artists in order to beautify the nation's cities. Felipe Santiago Gutiérrez died in his native city in 1904, after more than sixty-five years of working in a task that exalted his spirit.
Because of the participation of Eulalia Lucio in the fair of Paris, it can be deduced that she was one of the most outstanding Mexican painters of the 19th century. She was born in 1853, the fourth of the eleven children of the prestigious physician and art collector, Rafael Lucio, and Isidora Ortega. Eulalia's first art teacher was her mother, a painter who copied the works in her husband's collection and participated in the Academia's eighteenth exhibition of 1878, as recorded by Ida Rodríguez Prampolini. Isidora Ortega spoke several languages, and like her brother, Aniceto Ortega del Villar, was an outstanding pianist. Her accomplishments were unusual for a woman of her times. Eulalia's initial work consisted of copies of pieces by famous painters. But she was not slow in finding her own form of specialized expression: still

Como se puede deducir por su participación en la mencionada feria, Eulalia Lucio fue una de las pintoras mexicanas más sobresalientes del siglo XIX. Nació en 1853, siendo la cuarta de los once hijos del doctor Rafael Lucio, prestigiado médico amante del arte, quien llegó a conformar una vasta colección de pinturas. Su madre, Isidora Ortega, la inició en la pintura, ya que se sabe practicaba este oficio. Ella hizo copias de las obras que formaban la colección de su esposo, y como lo apuntan los registros en el libro de Ida Rodríguez Prampolini, participó en la *18ª Exposición de la Academia* en 1878. Además de ello, Isidora Ortega hablaba varios idiomas, y al igual que su hermano, el músico mexicano Aniceto Ortega del Villar, fue una pianista notable. Sorprende encontrar en esa época a un personaje femenino de tal proyección. En un inicio, los trabajos de Eulalia los conformaron copias de obras de autores destacados; sin embargo, no tardó en encontrar su propio camino expresivo, seleccionando la naturaleza muerta como su especialidad, la cual ejecutó con gran originalidad. Sus trabajos muestran un oficio riguroso, por no decir impecable, que se advierte en la perfección de los objetos; en el adecuado manejo de la luz, que la obligaba a producir los más finos matices de los colores. De igual manera, el equilibrio de sus composiciones se ceñía a los lineamientos clásicos. Esto le valió para que sus obras fueran admitidas en la *21ª Exposición de la Academia.* Posteriormente las obras: *Naturaleza Muerta (objetos de cocina),* 1888, y *Objetos de Caza,* 1888, le son requeridas para participar en la gran *Exposición Universal de París,* en 1889. En esta ocasión la pintora recibió las felicitaciones del Presidente de la República. También participó en la *22ª Exposición de la Academia* y en 1893 en la *Exposición Colombina de Chicago.* El pintor Felipe S. Gutiérrez elogió públicamente los trabajos de Lucio, al igual que lo hizo el crítico Ignacio Manuel Altamirano. Y no es para menos, ya que el trabajo de esta notable pintora desborda afecto, intimidad, realismo y perfección, creando una exquisita escena que halaga de manera especial a los sentidos. En el año 1887 Eulalia contrajo matrimonio con Agustín Hernández, y por lo que se sabe, no abandonó el oficio. Logró seguir pintando hasta su muerte, acaecida trece años después, con el cambio de siglo.

Entre los bodegones, naturalezas muertas y cuadros de comedor del siglo XIX, cabe hacer una clasificación sencilla: por un lado, los que representan la cocina y la mesa mexicana con una visión más sencilla, de cierta manera más rústica, y por otro lado, los propiamente llamados cuadros de comedor, que resaltarán por su atmósfera refinada. Entre los primeros encontramos piezas que exhiben una gran variedad de utensilios de cocina: cazos de cobre para los guisados, ollas de barro para los frijoles, anafres para mantener calientes los tamales, comales para echar sopes y tortillas, tarros de vidrio para las aguas frescas. Entre los utensilios aparece una gran variedad de ingredientes: la flor de calabaza, los nopales, chiles

Anónimo, Puebla
Bodegón de frutas tropicales
Oleo sobre tela, 75 x 118 cm.
Colección Particular

José Antonio Padilla
Bodegón Poblano
Oleo sobre tela, 75 x 118 cm.
Colección Particular

de todos colores, un guajolote o un conejo muerto, el mole, las hierbas de olor, el piloncillo, aguamiel, las frutas en almíbar y el arroz con leche. En el segundo caso, involucra piezas más sobrias, que se asemejan al modelo de naturaleza muerta europea. En ella se muestran finos objetos de ornato, como: floreros y copas de cristal cortado, dulceros de porcelana, bases de bronce, servicios de plata, carpetas de finos encajes con bordados hechos a mano. Las viandas también reflejan la exquisitez del paladar: latería importada, elaborados postres, botellas de vino, selectas frutas, abundancia de carnes y embutidos, todo ello muestra del intercambio comercial que México mantenía con las naciones europeas.

La riqueza de las pinturas de este género se encierra tanto en su valor artístico como en su labor de rescate, que se sobrepone al tiempo para brindarnos una imagen del pasado con todo su aroma, su sabor, su olor y su sentimiento.

lifes, which she produced with great originality. Her paintings show rigorous, even impeccable skill in the perfect depiction of objects and in the correct handling of light, which obligated her to produce the finest shades of color. The balance employed in her compositions followed classical guidelines, earning her admission at the Academia's twenty-first exhibition. Her Naturaleza Muerta (objetos de cocina), 1888, and Objetos de Caza, 1888, were requested for the universal exhibition in Paris in 1889. On that occasion Eulalia received personal congratulations from Mexico's president. She also participated in the Academia's twenty-second exhibition, and in 1893, at the exposition of Chicago. The painter Felipe S. Gutiérrez gave public praise to Lucio's work, as did the critic, Ignacio Manuel Altamirano. Such compliments were well-deserved: her paintings overflow with affection, intimacy, realism and perfection to create exquisite scenes that especially please the senses. In 1887, Eulalia married Agustín Hernández, and is known to have continued painting until her death thirteen years later, at the turn of the century.

It is worthwhile to make a simple classification of the bodegones, still lifs and dining room pictures of the 19th century: on one hand, those that depict Mexican tables and kitchens from a more humble or rustic viewpoint; and on the other hand, the so-called cuadros de comedor ("dining room pictures"), known for their refined settings. The first group includes paintings that show a wide variety of kitchen utensils: copper stewpots, clay pots for cooking beans, tamale warmers, griddles for corn cakes and tortillas, and glass pitchers for fruit drinks. Numerous ingredients are arranged among the utensils: pumpkin flowers, prickly pear cactus, chilies of all colors, a dead turkey or hare, mole sauce, herbs, molded brown sugar, sugar syrup, cooked fruit and rice pudding. The second grouping has pieces that are more serious, similar to the European model of still lifs. Such paintings show fine ornamental objects like cut crystal goblets and vases, porcelain candy dishes, bronze bases, silver cutlery and embroidered place mats. The food reflects the delicacy of the palate: imported canned goods, elaborate desserts, bottles of wine, select fruits, abundant meat and cold cuts—all evidence of Mexico's trade with Europe.

The richness of these paintings is found in their artistic value as well as their accounting of history, which conquers time to offer us an image of the past with all its aromas, flavors and sentiment.

Armando Jiménez
Carioca, 1995
Acrílico sobre tela, 180 x 150 cm.
Colección Particular

Armando Jiménez

Luz, color y espacio

Color, forma y armonía se adentran en nuestros sentidos,
de tal manera que pareciera que al mismo tiempo que vemos, podemos oler y saborear.
Todo se vuelve ánimo, perfume, color y sabor.

Lupina Lara Elizondo

Armando Jiménez es originario de San Gaspar de los Reyes, Jalisco, un pueblito que se encuentra entre Jalostitlán y San Juan de los Lagos, a tres horas de Guadalajara; allí nació en 1949. En aquel entonces, San Gaspar tenía apenas doscientas casas, y la iglesia, con sus dos torres blancas, acababa de cumplir treinta años de haberse construido. Contaba con una escuela, una cantina, una tienda, un billar –propiedad del padre de Armando–, y había algunas rancherías cercanas. El fue el cuarto hijo de una familia integrada por siete hermanos, considerada pequeña dentro de las prolíficas familias de doce y quince hijos que habitaban en los pueblos. San Gaspar data del período prehispánico, en que estuvo poblado por indios tecuexes, distribuidos en siete pueblos, gente valiente y organizada que luchó por mantener su identidad durante el período colonial. Los sobrevivientes de los levantamientos indígenas se vieron obligados a trasladarse a Zapopan, a fin de protegerse de las represalias. El lugar adquirió importancia comercial al formar parte de la ruta de Guadalajara a Zacatecas.

Su padre trabajaba la tierra de temporal. *"Yo ayudaba a la siembra. Había una técnica que se tenía que seguir, con un cierto procedimiento, algo así como dar un paso y dejar la semilla de maíz, dar medio y dejar una de frijol; era bastante entretenido. Esta etapa no duró mucho tiempo, pues a los nueve años me llevaron a un seminario. En los pueblos el sacerdote es siempre la autoridad más importante, y él le dijo a mi madre que yo tenía vocación. Esta idea la tomaron porque ya había empezado a dibujar, y como el pueblo no contaba con muchas cosas en qué inspirarme, lo único que me llamó la atención fueron las imágenes de la iglesia, así que las empecé a copiar. Las pinté todas, una y otra vez, por eso creyeron que lo hacía por devoción, pero no se dieron cuenta de que también hacía una gran cantidad de esculturas de vacas y borregos, formadas de barro, y que mi vocación bien podría haber sido la de vaquero. Pero un sacerdote en la familia era mucho más importante que un 'cuidavacas'".*

Al cabo de un tiempo, Armando abandonó el seminario, y por su cuenta buscó regularizarse en sus estudios para poder ingresar a estudiar la carrera de artes plásticas en la Escuela Nacional de Pintura, Escultura y Grabado "La Esmeralda". Parece ser que una vez ubicado en lo que realmente le gustaba, se sintió seguro, y con el deseo de probar el éxito, se juntaron varios compañeros que

ARMANDO JIMÉNEZ
COMO TE IBA DICIENDO
Acrílico sobre tela, 150 x 180 cm.
Colección Particular

ARMANDO JIMÉNEZ IS A NATIVE OF SAN GASPAR DE LOS Reyes, Jalisco, a small town between Jalostitlán and San Juan de los Lagos, three hours from Guadalajara; he was born there in 1949. At that time, San Gaspar had barely two hundred houses and a thirty-year-old church with two white towers, in addition to a school, a cantina, a store, a pool hall (owned by Armando's father) and some nearby farms. Armando was the fourth of seven children—a family considered small amidst the prolific small-town families of twelve and fifteen. In pre-Hispanic times, San Gaspar was inhabited by the Tecuexes, a brave and organized tribe distributed among seven towns, who struggled to maintain their identity during the colonial period. The survivors of the Indian uprisings were obligated to move to Zapopan for protection against reprisals, and the town acquired commercial importance because of its location on the road from Guadalajara to Zacatecas.
Armando's father was a seasonal farm worker. "I would help plant. You had to follow a technique with a certain procedure, something like taking a step and planting corn, and taking one-half step and planting beans; it was quite entertaining. Those times did

no habían terminado ni el primer año de la carrera, aventurándose a realizar su primera exposición. Acordándose de ello, comenta: *"Verdaderamente fue un acto de inconsciencia y de una audacia increíble. Conseguimos un lugar cultural muy agradable, en la Unidad Independencia, en la ciudad de México. Allí montamos todo, a la manera que se nos ocurrió. Estábamos orgullosos de nuestra exposición. Nos sentíamos los gigantes del arte. Antes de la inauguración, invitamos a la directora del lugar para que nos diera su opinión, y lo único de lo que se preocupó fue de que los vidrios estaban sucios y de darle una limpiada al piso. No vio nuestros cuadros, ni hizo el menor comentario, y cuando terminó de dar instrucciones, se retiró. Creo que no le impresionaron nada nuestros trabajos. La noche en que se abrió la exposición, nos sentíamos unos profesionales hechos y derechos. A manera de 'público y críticos', se encontraban puros amigos y los miembros de nuestras familias. Fue una experiencia que nos enriqueció mucho a todos".*

Durante las vacaciones, Armando se trasladaba a San Miguel de Allende. La gente le decía: "Tú vienes a descansar haciendo adobes", pues se metía a estudiar con los maestros locales. Allá realizó varias exposiciones, así que para él, salir de La Esmeralda, no representó un rompimiento muy serio, ya que como él dice, estaba acostumbrado a moverse con su obra: a exponer, a vender, y sobre todo a tener una disciplina de trabajo. *"A mí me gusta mucho exhibir, pues pintar es una actividad muy solitaria. Y cuando expones, tienes la oportunidad de mostrar lo que has hecho a los ojos de los demás y a ti mismo, porque el ver todos los cuadros en conjunto te permite contemplarte en perspectiva. Los cuadros se ven muy distintos en las salas de exposición que en el estudio".*

El pintor vivió cerca de treinta años en la ciudad de México, y hace cinco se fue a vivir a Querétaro; le era necesario un lugar más quieto y más amplio. Siempre le ha gustado vivir rodeado de plantas de todos tipos y tamaños, por lo que ha logrado hacer de su estudio un verdadero vergel. Allí pinta y trabaja con bastante disciplina, quizás con aquella que exigía el trabajo en el campo. La austeridad no fue su apego; sin embargo, nada en su espacio cae en los excesos. El es un pintor moderno, que incursiona y arriesga en su propio terreno. No se ha interesado en la influencia de las vanguardias contemporáneas; él sigue su camino atendiendo a los retos que le propone cada uno de sus cuadros. Para él, las vanguardias se hicieron para aquellos que más que nada se interesan en destacar, no necesariamente para aquellos que desean hacer y disfrutar la pintura. El conserva los criterios de un Arrieta, de Velasco, de Gerardo Murillo, de Nishizawa, para quienes el arte ha tenido que ver con el ingenio, la belleza y la honestidad.

Armando Jiménez vivió el auge de la pintura abstracta, de aquellos días en que ser un pintor moderno implicaba participar dentro de ese género, así que la ausencia de la figura fue su punto de partida. Utilizó el acrílico y se interesó en hacer batik, desarrollando una gran variedad de temas. Su obra fue exhibida en casi todos los estados de la República, al igual que en ciudades importantes de Estados Unidos y de Europa.

Y después de varios años de pensar en esos términos, poco a poco y sin proponérselo, surgió la necesidad de un cambio. De pronto y de manera muy sintetizada, empezaron a surgir algunas figuras en sus telas; unas líneas

not last long since my parents took me to a seminary when I when nine. In small towns, the priest is always the highest authority, and he told my mother that I had a calling. They believed this idea because I had started drawing, and since the town did not have much to inspire me, the only thing that attracted my attention was the images in the church, and I had begun to copy them. I painted all of them, over and over, and that is why they thought I did it out of devotion. But they did not realize that there were also many sculptures of cows and sheep, made from clay, and that my vocation could have been cowboy work. But a priest in the family was much more important than a cow herder."

After a time, Armando left the seminary, and put his papers in order to enroll in the visual arts program at the Escuela Nacional de Pintura, Escultura y Grabado "La Esmeralda". Increasingly self-confident and anxious to taste success, he joined with several first-year classmates to hold their first exhibition. In hindsight, Armando comments: "It was truly an unconscious and incredibly audacious act. We found a pleasant cultural space, in the Unidad Independencia in Mexico City. We mounted everything, as we thought best. We were proud of our exhibition. We felt like artistic giants. Before the opening, we invited the director of the place to give us her opinion, and the only thing that bothered her was that the windows and floor were dirty. She did not see our paintings or make any comment, and left after she had finished giving instructions. I think our work did not impress her at all. On the night the exhibition opened, we felt like true professionals. The 'public and critics' were our friends and families. It was an experience that greatly enriched us all."

During his school vacations, Armando would move to San Miguel de Allende. People would tell him that he rested by making adobe, since he spent time learning from the locals. In San Miguel he held various exhibitions. Leaving La Esmeralda did not represent a serious break for Armando, since he was already accustomed to moving with his work: to exhibiting, selling, and working in a disciplined manner. "I like exhibiting a lot because painting is a very solitary activity. And when you exhibit, you have the opportunity to show what you have done to other people and to yourself, because seeing all the paintings together allows you to contemplate them in perspective. Paintings look very different in an exhibition room than in the studio."

Armando Jiménez lived almost thirty years in Mexico City. Five years ago, he moved to Querétaro out of a need for more tranquillity and space. He has always enjoyed being surrounded by plants of all types and sizes, and has made his studio a true paradise. There he paints and works with discipline, perhaps comparable

ARMANDO JIMÉNEZ
AL QUE A BUEN ÁRBOL SE ARRIMA, 1996
Acrílico sobre tela, 90 x 100 cm.
Colección Particular

to the discipline demanded by fieldwork. Austerity is not his focus, but nothing in his space is excessive. He is a modern painter who works and takes risks on his own terrain. He has not paid heed to the influence of the avant-garde, but follows his path by meeting the challenges of each painting. He believes that the vanguard is for those primarily interested in standing out, and not necessarily for those who want to paint and enjoy painting. Jiménez conserves the criteria of Arrieta, Velasco, Gerardo Murillo and Nishizawa, for whom art has denoted intelligence, beauty and honesty.
Armando Jiménez experienced the boom of abstract painting, when being a modern painter implied participating in abstraction; as a result, the absence of figures was his starting point. He painted with acrylics and produced batiks based on a wide variety of topics. His work was exhibited throughout Mexico, as well as in important cities of the United States and Europe.

ARMANDO JIMÉNEZ
FLORES DE LLANO SECO, 1991
Acrílico sobre tela, 100 x 90 cm.
Colección Particular

por aquí y otras por allá, dentro de una exquisita textura que estaba acentuada con interesantes marcas a base de grafismos. En aquel momento los tonos que empleaba eran más bien terrosos, y su paleta prefería los ocres, azules y morados, como lo muestra el cuadro *Como te iba diciendo.*

Para finales de los años ochenta, en la plástica mexicana la pintura abstracta fue volviéndose menos frecuente, dando paso a nuevas corrientes. Esto no quiere decir que perdiera su importancia, pero sí la posición preponderante que había alcanzado. Por coincidencia, Armando también fue hallando más y más gusto en detallar los objetos, sin caer necesariamente en el realismo. Podríamos relacionar su estilo con el postimpresionismo, al tratarse de una pintura que justamente busca guiarse por la luz y el color que sugiere esa primera impresión al mirar una escena.

Uno de los grandes atributos en la pintura de Armando Jiménez es su habilidad de composición, aspecto que no redunda únicamente en el planteamiento de los elementos sobre el espacio, sino también en la relación que ellos guardan entre sí, así como su particular acomodo y la posición dentro del lugar asignado. En ello se advierte su habilidad para mantener equilibrio y naturalidad en su obra. Algunas veces se trata de flores que descansan con soltura sobre una mesa; en otras, reposa el tallo pero la flor cuelga. En sus trabajos encontramos una gran cantidad de floreros, cuya disposición cae más en un arreglo espontáneo e improvisado, diferente al orden que se asigna a un conjunto ornamental. Estos floreros son festivos, vigorosos, y a veces hasta provocadores; otros reflejan calma y tranquilidad. Flor y fruto, símbolos de la fecundidad, llegan a unirse en estos lienzos, entonando un canto a la vida. Sin embargo, Armando también pinta a la fruta sola, siendo ella la protagonista, luciendo su elegante vestimenta de mil texturas: sedosa, tierna o áspera, la cual fue pintada con esa paleta caprichosa que tiene la naturaleza. Jiménez no ha resistido el deseo de verlas agrupadas en un frutero colmado, abundante, dándonos el goce de poder

poseerlo sensualmente con la vista. El color es puro, intenso y vibrante, combinado uno con otro como lo hacen en la música las distintas tesituras de los instrumentos. Color, forma y armonía se adentran en nuestros sentidos, de tal manera que pareciera que al mismo tiempo que vemos, podemos oler y saborear. Todo se vuelve ánimo, perfume, color y sabor.

Armando Jiménez
Ramayana, 1995
Acrílico sobre tela, 100 x 90 cm.
Colección Particular

ARMANDO JIMÉNEZ
PANORAMA DEL NORTE Y SUR
Oleo sobre tela, 100 x 200 cm.
Colección Particular

After several years of thinking in abstract terms, Jiménez gradually began to feel the need for change. In very synthesized form, figures started to appear on his canvases: lines here and there, on an exquisite texture, accented by interesting marks related to writing. The tones he employed then were earthy, and his palette preferred shades of ochre, blue and purple, as shown by the painting, Como te iba diciendo.
By the late 1980s, abstract painting had become less frequent in Mexican art, and had given way to new ideas. It had not lost its importance, but no longer occupied a dominant position. In parallel form, Armando began to derive more pleasure from providing objects with detail, without necessarily falling into realism. His style could be associated with Postimpressionism—painting guided by light and color, suggestive of the viewer's first impression on looking at a scene.
One of the major attributes of Armando Jiménez' painting is his compositional skill, not simply in placing elements in space, but also in calculating their relationships, arrangement and position. His work shows balance and naturalness: at times, in the form of flowers resting unaffectedly on a table; at other times, with a blossom hanging on a supported stem. We find many vases in his paintings, which show spontaneity and improvisation far from the rigid order of ornamental arrangements. These vases are festive, vigorous and sometimes even provocative, or calm and peaceful. Flowers and fruit, symbols of fertility, are united on these canvases in the song of life. Armando also paints single pieces of fruit that are the protagonists in their elegant coverings of a thousand textures: silky, tender or rough, painted with the whimsical palette of nature. The painter has ceded to the desire to paint fruit overflowing in abundance, thus enabling the viewer to possess it sensually through sight. His colors are pure, intense and vibrant, and combine like the tonalities of musical instruments. Color, form and harmony pervade our senses: while seeing, we seem to be able to smell and taste. The painting becomes desire, perfume, color and flavor.
The open spaces of landscapes, the ocean and the desert have also served to inspire Armando Jiménez. He has painted with the intense light that makes the sand look whiter, and with the fresh brightness of the ocean. Space is lost on the horizon, but here, in the foreground, the paintbrush introduces us to different types of cacti—magueys, prickly pears and chollas. They are strong, hardy plants that have known how to survive adversity by storing water and protecting themselves from foragers with a hard outer covering and elegant spines. Before our eyes, there is a blending of light, color and space; of ocean and sand; and of the element that represents the life of the desert—the cacti that display their upright position, their green flesh and the intensity of their flowers.

El espacio abierto del paisaje, el mar y el desierto también han provocado la inspiración de Armando Jiménez. Lo ha pintado con esa luz intensa que hace parecer más blanca a la arena y con el brillo fresco que despide el océano. El espacio se pierde en el horizonte, pero aquí, en el primer plano, el pincel nos acerca a la vista diferentes tipos de cactus, el maguey, los nopales y las biznagas. Plantas fuertes, recias, que han sabido sobreponerse a lo adverso: almacenando agua y protegiéndose de los devoradores a través de su coraza dura y sus elegantes espinas. Ante nuestra vista se funden luz, color y espacio; mar y arena, y el elemento que representa vida del desierto: los cactus, que se despliegan alardeando con sus figuras erguidas del verde de sus pencas y el intenso tono de sus flores.

En su trazo se advierte la seguridad del dibujo; sus líneas son tajantes, haciendo parecer como si los objetos se encontraran sobrepuestos, a diferencia de otros estilos que hacen que los elementos emerjan de la tela. Por otro lado, observamos en sus colores la frescura del impresionismo. En su paleta éstos casi no se mezclan; le gusta respetar sus tonos, por eso prefiere aplicarlos de manera directa. La pincelada es amplia, aplicada con abundancia y firmeza, regalando color a diestra y siniestra. Su obra desborda una frescura que agrada, una naturalidad que se disfruta, y es justamente a través de ello como el pintor nos transmite su concepto de belleza. Este sentimiento de lo natural y espontáneo resuena en los sentidos y en el alma, haciéndonos ver que la estética no se razona, se siente; no se estudia, simplemente se percibe; no se reproduce, se crea. Este atributo que va más allá de lo agradable, de lo bello, es un estado anímico del que se puede impregnar la materia.

Armando Jiménez' brushstrokes manifest the sureness of his drawing: his lines are definitive and the depicted objects appear to be superimposed, in contrast with other styles that make the elements seem to emerge from the canvas. On the other hand, his colors have the freshness of Impressionism. He rarely mixes colors, but prefers to apply them directly. His brushstroke is wide, abundant and firm, and distributes color without inhibition. The pleasurable freshness and enjoyable natural quality of Jiménez' work transmit to us his concept of beauty. This feeling of unaffectedness and spontaneity resounds in the senses and in the soul, making us see that aesthetics are felt rather than reasoned, perceived rather than studied, and created rather than reproduced. This attribute goes beyond the agreeable and beautiful, and is a state of mood that impregnates matter.

Elena Climent
Santo Niño, 1993
Oleo sobre tela, 100 x 79 cm.
Colección Particular

ELENA CLIMENT

La expresión de los objetos cotidianos

La pintura de Elena Climent suscita enlaces místicos, pues al observar sus cuadros se funden emociones. Por un lado, las plasmadas por un creador inicial; por otro, las de la pintora y, por último, las nuestras.

LUPINA LARA ELIZONDO

ELENA CLIMENT NACIÓ COMPARTIENDO DOS GRANDES NOSTALGIAS: LA DE SU PADRE, EL PINTOR ENRIQUE Climent, quien obligado a abandonar a su patria llegó a México como refugiado de la Guerra Civil Española, y por otro lado, la de su madre, Helen Smoland, descendiente de una familia rusa judía que, en busca de seguridad, había dejado atrás su país para emigrar a los Estados Unidos. En un viaje que Helen hizo a México, se encontró con su destino, decidiendo unir su vida a la del pintor español. El matrimonio formó una familia integrada por tres hijas. Elena, que era la menor, nació en la ciudad de México en 1955. Su infancia trascurrió en un ambiente que por un lado le mostraba una herencia española, de la cual pocas veces se habla, pero que se advertía en el carácter y la manera de ser de su padre; también compartió la visión norteamericana y judía de su madre, que por alguna razón no manifestaba interés por renovar, dejando atrás sus tradiciones. Pero a cambio de ello, las tres niñas obtuvieron la nacionalidad mexicana que sus padres acordaron darles para evitar el conflicto de elegir entre las propias. Saberse mexicana la llenó de orgullo y le hizo sentir que tenía una identidad y una patria que le pertenecían, aunque no tuviera cerca a los abuelos, ni a los tíos, ni a los primos que otros niños mexicanos tenían. Recuerda con cariño las palabras de sus padres, y explica con un chusco detalle esa unión de dos mundos tan iguales y a la vez tan diferentes: *"Mientras mi padre decía con su tono español: –Hombre, que vienen dos personas más a comer a casa–, mi madre, que como buena americana todo lo tenía calculado, le decía en un español con acento extranjero: –Tan sólo he planeado la comida para cinco. Pueden venir otro día–. El contestaba: –¡Qué más da! Se agregan unos huevos fritos más al arroz, y ya está–. Eran tan diferentes, pero los unía una visión común: sus ideales, sus renuncias, un pasado que ninguno deseaba recordar, y un presente que a ambos les pertenecía".*

Las niñas estudiaron en el Colegio Americano, en la ciudad de México, y eso les permitió adentrarse un poco al mundo de la madre. Pero el misterio que representaba España se mantuvo presente durante toda su niñez, haciéndose sentir como el lado opuesto de un espejo, al que se está prohibido mirar. Esto terminó cierto día en que su padre reflexionó que tenía la misma edad de Franco, y que más le valía no seguir esperando a que Franco muriera para regresar a España, no fuera a ser que él se muriera antes que el otro. La situación había dejado de ser peligrosa para los refugiados, así que decidió llevar a su familia a vivir unos años al pueblo de Altea, en la costa de Alicante, un pueblo precioso que se encuentra

ELENA CLIMENT WAS BORN UNDER DOUBLE NOSTALGIA: that of her father, the painter Enrique Climent, who had arrived in Mexico as a refugee from the Spanish Civil War, and that of her mother, Helen Smoland, a Russian Jew who had immigrated to the safety of the United States. While on a trip to Mexico, Helen had determined her destiny by deciding to marry the Spanish painter. The couple had three daughters. Elena, the youngest, was born in Mexico City in 1955. She spent her childhood in a setting that combined her Spanish heritage—seldom referred to but evident in her father's ways—with the American Jewish viewpoint of her mother, which Elena was uninterested in propagating. In exchange, the three daughters obtained the Mexican citizenship that their parents believed would spare them the conflict of having to choose between the Spanish and American nationalities. Knowing she was Mexican filled Elena with pride and provided her with an identity and a homeland in spite of the absence of the grandparents, aunts and uncles and cousins that surrounded other Mexican children. Elena remembers her parents' words with affection and describes a humorous detail of the union of two such different but equal worlds: "While my father would say in his typically Spanish tone, 'Hombre, two more people are coming over for lunch,' my mother, like a good American who had everything calculated, would answer in Spanish with a foreign accent, 'I've planned lunch for only five. They can come another day!' He would answer, 'What does it matter? Just add more fried eggs to the rice and that's it!' They were so different but they were united by a common vision: their ideals, their resignation, a past that neither one wanted to remember, and a present that belonged to them both."

The girls studied at the American School in Mexico City, which permitted them to become somewhat more familiar with their mother's world. Spain, however, remained a mystery throughout their childhood—a mystery like the back of a mirror, unviewed. This situation ended on the day their father realized he was the same age as Franco, and that he risked being outlived if his return to Spain depended on Franco's death. Since refugees were no longer in danger, he decided to take his family to live for a short time in the beautiful town of Altea on the coast of Alicante, close to his native Valencia and often visited by painters. The family lived there almost two years, and Elena caught a glimpse of the other side of the mirror.

Elena's childhood was submersed in an atmosphere of painting since her father worked at home. Other artists visited him constantly, including the Mexican painter, Enrique Echeverrla. Sometimes the group would go to the country to paint, and take along the Climent daughters. Elena's father had a kiln for making enamel, and a carpentry workshop where he made his own picture frames, as well as furniture and accessories for the house. The family's idiom was totally visual. Elena comments that beauty and feelings were expressed in those terms. She started to paint as a young girl: "My love of painting was so noticeable that one day, many years later, I saw my kindergarten teacher and when she recognized me, her first question was, 'Are you still painting?'" Painting was such a daily event

cerca de Valencia –de donde él era– y adonde acostumbraban ir muchos pintores. Vivieron allí cerca de dos años, y en ese momento se corrió el telón y Elena pudo ver lo que había del otro lado del espejo.

Por razones obvias, la infancia de Elena estuvo rodeada por esa atmósfera de pintura, pues el taller de su padre se encontraba en casa. Constantemente acudían pintores a visitarlo, entre ellos el pintor mexicano Enrique Echeverría. Algunas veces salían en grupo a pintar al campo y las niñas los acompañaban. Su padre también tenía un horno para hacer esmaltes, y un taller de carpintería en el que fabricaba sus propios marcos y hacía muebles y adornos para la casa. El lenguaje familiar era totalmente visual. Comenta ella que la belleza y los sentimientos se expresaban en esos términos. Elena pintó desde que era muy niña, y comenta: *"Fue tan notorio mi gusto por pintar que, un día, después de muchos años, me encontré a mi maestra de kinder, y cuando me reconoció lo primero que me preguntó fue: –¿Todavía sigues pintando?"* La pintura era algo tan cotidiano en su vida, que llegó a pensar que en otras casas sucedía lo mismo.

A los dieciséis años Elena decidió dedicarse a la pintura. Había estudiado música, pero la pintura tuvo mayor peso. Su padre, que había asistido a la Academia de San Carlos de Valencia y había sufrido el rigor de la enseñanza académica, la disuadió de inscribirse en una escuela. La orientó a aprender de manera autodidacta. *"Posiblemente no me quería tener lejos"*. Refiriéndose a él, comenta: *"Era un hombre muy civilizado, muy respetuoso, pero como artista tenía una personalidad muy fuerte; por eso decidí mantener cierta distancia. Buscando no quedarme atrás en mi aprendizaje, me impuse una disciplina de estudio muy fuerte, para poder abarcar todos los temas. Para conocer la técnica, me acercaba a otros pintores y les pedía que me explicaran cómo preparar las telas, cómo trabajar la acuarela, etcétera. Leí libros, y lo demás lo fui descubriendo por mi cuenta. Platicar con mi padre sobre arte era maravilloso; sus conceptos eran muy claros, muy honestos. Empecé a pintar al óleo hasta que mi padre murió. Prefería trabajar con tinta y acuarela. Nunca me quise arriesgar a enfrentarme a sus comentarios. Era demasiado directo. Sus amigos le llamaban 'Climent y castigo'. De hecho, mi primer óleo lo hice cuando él estaba muriendo. Era un cuadro de su estudio"*.

Así fue como Elena se inició en la pintura. Y no había transcurrido ni un año, cuando su padre le ofreció apoyarla para realizar su primera exposición. El fue quien le dijo que ya estaba lista, y junto con su madre, buscaron una galería. El la ayudó a preparar las invitaciones, a colgar los cuadros; en fin, tenía una gran ilusión de ese evento. *"Expuse en la Galería de Helen Escobedo. Fue una exposición modesta, pero muy significativa para mí. En varias ocasiones volví a exponer en esa galería"*. Durante varios años, Elena se dedicó a ilustrar libros, proyecto que además de encantarle se pagaba muy bien. De esa primera exposición que se llevó a cabo en 1972 continuaron otras, entre las que sobresale la realizada en el Museo del

Palacio de Bellas Artes en 1988. Posteriormente, en 1990, Elena participó en la exposición *Las mujeres en México*, en la Academia de Diseño de Nueva York, la cual se presentó el año siguiente en el Museo de Arte Contemporáneo de la ciudad de México y en el Museo de Monterrey. Ese mismo año formó parte de la exposición *The Earth Itself*, en *Parallel Project*, en Los Angeles, California, y también presentó una muestra individual titulada *En busca del presente* en la Galería Mary-Anne Martin Fine Art de Nueva York, siendo ésta su primera exposición individual en los Estados Unidos. El año siguiente volvió a exponer *En busca del presente*, en la Galería de Arte Mexicano de la ciudad de México. Como parte del Festival *Europalia*, su obra formó parte de la exhibición *Regards de femmes*, que se presentó en el Museo de Arte Moderno de Lieja, Bélgica. En 1994 la Galería de Arte Mexicano organizó *Miradas femeninas*, para el Museo de Arte Contemporáneo de Aguascalientes. Durante 1995 participó en *Latin American Women Artists*, que se presentó en el Milwaukee Art Museum y, más tarde, en Phoenix, Denver y Washington. Ese mismo año expuso *En espíritu*, organizada por el California Center for the Arts Museum de Escondido, California. También en 1995 volvió

in Elena's life that she came to believe that it was a common activity in other households as well.
When Elena was sixteen years old, she decided to devote herself to art. She had studied music, but painting exerted greater weight. Her father, who had attended the Academia de San Carlos in Valencia and had suffered from the rigor of academic teaching, dissuaded her from enrolling in art school. Instead he oriented her to independent learning. "Maybe he didn't want me to move far away." Elena describes her father: "He was a very civilized man, very respectful, but as an artist he had a very strong personality; because of that I decided to keep a certain distance. In an attempt not to fall behind in my learning, I imposed a very tough routine on myself, to be able to cover all topics. To learn technique, I would approach other painters and ask them to explain how to prepare the canvas, how to work with watercolors,

Elena Climent
Iglesia en Tequila, 1997
Oleo sobre lino, 71 x 91 cm.
Colección Particular

etc.. I read books, and the rest I discovered on my own. Talking to my father about art was marvelous; his concepts were very clear, very honest. I did not begin to paint with oils until my father died. I preferred working with ink and watercolor. I never wanted to take the risk of facing his comments. He was too direct. His friends called him 'Climent y castigo' ('Climent and Punishment'). In fact, I did my first oil painting when he was dying. It was a painting of his studio."

Such were Elena's beginnings in painting. Not even a year had gone by when her father offered to support her first exhibition. He told her she was ready, and in the company of Elena's mother searched for a gallery. With great illusion, he helped her prepare the invitations and hang the paintings.

"I exhibited at the Galería de Helen Escobedo. It was a modest exhibition, but very significant for me. On various occasions I showed my work again at that gallery." For several years, Elena illustrated books, a well-paying project that she loved. Other exhibitions followed her first showing of 1972, most notably the exhibition held at the Museo del Palacio de Bellas Artes in 1988. In 1990, Elena participated in the Women in Mexico group show at the National Academy of Design in New York; the following year, the exhibition traveled to Mexico City's Museo de Arte Contemporáneo and the Museo de Monterrey. It also

ELENA CLIMENT
PUESTO DE TACOS, 1995
Oleo sobre lino, 106 x 137 cm.
Colección Particular

a exponer en la Galería Mary-Anne Martin, *Reencuentros,* y en 1997 presentó en la misma galería otra exposición importante que cautivó a los neoyorquinos: *A mis padres.* En 1998 presentó una muestra antológica en el Museo Biblioteca Pape de Monclova, Coahuila, en México. En 1999 expuso en el Centro Cultural de la Embajada de México en París, *Fenêtres de sa mémoire,* y en el año 2000 la galería Mary-Anne Martin presentó *Windows from here to then.* El año 2001 la Galería de Arte Mexicano muestra la serie de óleos titulados *La hora de la siesta,* que rescataron la presencia de la pintora en nuestro país, ya que actualmente radica en Estados Unidos.

Elena reconoce que sus primeros trabajos reflejan la influencia de su padre, ya que la cercanía y admiración eran muy fuertes. Posteriormente encontramos en su obra cierta tendencia hacia el surrealismo. Y dice: *"Siempre he estado involucrada tanto con lo real como con lo fantasioso".* Poco a poco, su carácter y sus ideas empezaron a florecer. Sin embargo, todavía no había descubierto ese gran tema que la motivaría a pintar sin parar. Pero, al parecer, ese momento no estaba lejos. *"Un día, en la ciudad de México, nos perdimos con el coche. Iba con Claudio* y mis hijos y acabamos cerca de la zona de Nezahualcóyotl* (un barrio muy popular). *Estaba lloviendo, y además, se estaba haciendo de noche. Estábamos un poco tensos, pero entre una cosa y otra, yo alcancé a ver la puerta de una casa. Detrás de la puerta había luz, y logré ver una cortina de color rosa chillante, que tenía estampadas rosas azules. Era como una visión, pero en ese instante tomé conciencia de que esa era una estética de la ciudad de México. La escena me cautivó de tal forma que desde entonces empecé a pintar toda una colección de imágenes urbanas. Empecé a viajar en coche por la ciudad, con la cámara en la mano, captando esos escenarios de la vida real que habían estado presentes, formando una realidad de la que jamás me había percatado. De pronto, caí en cuenta de cómo la gente en México busca crear sus propios espacios, aunque sea en un lugarcito pequeño, y hace de ese pedacito todo un universo".* Estos universos surgen en un balcón, en una ventana, en un patio, en un jardín de medio metro, en un rincón de la cocina, en un nicho, en un puesto.

*Claudio Lomnitz, su esposo. Profesor de Antropología de la Universidad de Chicago.

Elena Climent
Estudio con vista a Soho, 1998
Acuarela, 31 x 41 cm.
Colección Particular

Continúa compartiendo con entusiasmo sus experiencias: *"Una vez que me hice consciente, empecé a notar la evidencia de ello en todas partes. Otro día me encontré con una ventana que daba al periférico* (vía rápida). *Estaba toda decorada para la Navidad. Era impresionante. Pero lo más sorprendente era que se encontraba justamente en un lugar en donde no se podía parar nadie a verla. Los coches pasaban a toda velocidad. Sin embargo, la ventana estaba adornada con miles de cosas para que los de afuera pudieran apreciarla. Era algo insólito. Y, entre más veía, más me daba cuenta de que en toda la ciudad de México existían estas expresiones".*

Elena tuvo que asimilar esta experiencia antes de poder hacerla suya y reproducirla en sus telas. Encontró que estas composiciones involucraban una manera personal de asociar y acomodar los objetos, pues no se trataba simplemente de objetos amontonados; había en ello un concepto sensible y estético. También encontró que en países como el nuestro, en donde no alcanzamos los niveles económicos del primer mundo, no caemos en ese super desperdicio. Por el contrario, de alguna manera buscamos reciclar los materiales. Por ejemplo, si una empresa fabricante de empaques produjo un excedente o material defectuoso, lo vende, porque existe quien le encuentre un uso. Y, de pronto, vemos aparecer este material cubriendo las mesas de los puestos de los mercados, o forrando paredes y puertas de alacenas, o en los juguetes populares. Así, nos encontramos en los parques con avioncitos,

formed part of The Earth Itself in Los Angeles' Parallel Project. Elena's first individual showing in the United States was In Search of the Present at Mary-Anne Martin/Fine Art in New York, presented the following year as En busca del presente at Galería de Arte Mexicano in Mexico City. As part of the Europalia festival, Elena's work was shown in Regards de femmes at the Musee d'Art Moderne in Liege, Belgium. In 1994, Galería de Arte Mexicano organized Miradas femeninas for the Museo de Arte Contemporáneo of Aguascalientes. In 1995, Elena participated in Latin American Women Artists at the Milwaukee Art Museum and the exhibition later traveled to Phoenix, Denver and Washington, DC. She presented a new exhibition at Mary-Anne Martin/Fine Art, called Re-encounters, followed by an important exhibition in the same gallery that captivated New Yorkers: To My Parents. In 1998, she presented an anthology at the Museo Biblioteca Pape of Monclova, Coahuila. In 1999, her work was shown at the Paris' Centre Culturel du Mexique under the title of Fenêtres de sa mèmoire, and then Windows from Here to Then at Mary-Anne Martin/Fine Art in 2001. In 2001, Galería de Arte Mexicano showed a series of oil paintings, La hora de la siesta, that emphasized Elena's presence in Mexico in spite of her U.S. base. Elena recognizes that her early work reflects the influence of her father, due to their closeness and her strong admiration for his work. Later, a certain tendency toward Surrealism can be found: "I have always been involved as much with reality as with fantasy." Elena's personality and ideas gradually began to flourish, but she had not yet found the grand topic that would motivate her to paint without interruption. The moment of discovery would not be long in coming.

"One day in Mexico City, we got lost in the car. I was with Claudio and the children and we ended up close to Nezahualcóyotl

(a very poor neighborhood). It was raining and on top of that, starting to get dark. We were a little nervous, but between one thing and another, I saw the doorway to a house. Behind the door, there was light, and I could see a hot pink print curtain. It was like a vision, but at that moment I was aware that it was the aesthetic of Mexico City. The scene was so impressive that I began to paint an entire collection of urban images. I started to drive through the city, with my camera in my hand, taking pictures of those real-life scenes that had been present, forming a reality I had never noticed. All of a sudden, I realized how people in Mexico try to create their own spaces, although it may be a very small place, and they make that little piece into an entire universe." Such universes are created on a balcony, in a window, in a patio, in a one-half meter garden, in a corner of the kitchen, in a niche or in a street stand.

Elena continues to share her experiences with enthusiasm: "Once I became aware, I began to notice the evidence everywhere. One day I saw a window that gave out on the freeway. It was all decorated for Christmas. It was impressive. But most surprising was that the window was in a place where no one could stop to see it. Cars passed by at full speed. But the window was decorated with thousands of things so that people outside could enjoy it. It was unbelievable. The more I saw, the more I realized that these impressions existed throughout Mexico City."

Elena had to assimilate this experience before she could adopt it as her own and reproduce it on the canvas. She discovered that these compositions involved a personal manner of associating and arranging objects, which were not simply stacked, but based on a sensitive and aesthetic concept. She also found that countries like Mexico, incapable of reaching the economic levels of the developed world, avoid waste: things are recycled. If a factory, for example, that makes packaging materials produces a surplus or a defective lot, it looks for a buyer. All of a sudden, the material can be seen covering stands in the market, or the sides and doors of cupboards, or in cheap toys in the park: planes, cars, puppets and clowns. "On one occasion, a chewing gum factory discarded its wrappings, and piñatas lined with this paper began to appear; the colors combined with the strips of crepe paper. It was great to see them hanging." Elena was captivated by such sights and began to discover the stands at fairs and markets, the home altars dedicated

carritos, títeres y payasos hechos con estos materiales. *"En una ocasión, una fábrica de chicles desechó el papel de sus envolturas, y de pronto aparecieron ollas de piñatas forradas con estos papeles, cuyos tonos combinaban con las tiras de papel china. Era un espectáculo verlas colgadas".* Esto fue lo que en un principio cautivó su mirada. Sus ojos descubrieron los puestos de las ferias, los mercados, los altares caseros dedicados a la Virgen de Guadalupe, los adornos para las fiestas de los pueblos, las decoraciones en las fondas. Fue algo que caló hondo en sus sentimientos: *"Esta expresión me hizo sentir una esperanza espiritual, pues ante esta super producción anónima de las grandes empresas, estos trabajos plantean una creación individual. Esto hace sentir a un ser libre, vivo, con un punto de vista propio y con deseos de crear y comunicar. No un autómata. Y es justo en esa cadena de recrear, en la que mi pintura se sitúa. Yo también me involucro de alguna manera en el reciclaje, porque recreo las escenas, agregándoles algo personal, algo de mí misma".*

En este proceso creativo, Elena tenía presente aquel librero de su padre en el cual éste había colocado las escasas pertenencias que había traído de España. A través de los objetos y de su peculiar acomodo, ella había llegado a conocerlo más a fondo. Había observado sus apegos, sus nostalgias, y todo eso de lo que nunca hablaba, pero que estaba allí plasmado, expuesto a los cuatro vientos. Quizá ese fue su primer contacto con esos espacios íntimos que pertenecen a alguien más.

La pintura de Elena Climent se sostiene sobre una técnica muy firme y bien lograda, un dibujo espléndido y un extraordinario manejo del color, lo cual le permite la libertad de alcanzar los detalles más finos de la expresión. El acercamiento que su pintura nos ofrece es íntimo, y aunque no omite la belleza, no divaga en ella; su interés primordial está dirigido hacia lo sensible y lo real. Su visión nos acerca al mundo interior de otros creadores y al de ella misma, provocando una comunión de espacios y sentimientos. La pintura de Elena Climent suscita enlaces místicos, pues al observar sus cuadros se funden emociones. Por un lado, las plasmadas por un creador inicial; por otro, las de la pintora y, por último, las nuestras. Para ella se volvió un deleite, una pasión, acercarse a esos universos propios, creados con objetos personales, y compartir a través de su pintura esa expresión sensible que nos permite compartir, en cierta medida, el universo interior de su creador.

Sus cuadros, que podrían verse involucrados en el género de la naturaleza muerta, más bien se convierten en retratos íntimos de quienes dan vida a estos objetos "muertos". Y, como buena retratista que va en busca de los rasgos expresivos de sus personajes, Elena se ha vuelto una experta en reconocer en los objetos señales particulares, emotivas, que nos dejan ver: añoranzas, recuerdos, anhelos, amores, desamores, nostalgias, triunfos y apegos, conformando así la fisonomía espiritual de sus modelos. Elena Climent ha logrado adentrarse en esa expresión de los objetos, en ese espacio cotidiano que ha sido transformado, no por la casualidad, sino con una intencionalidad auténtica y espontánea. Ha sabido observar el alma mexicana a través de estas expresiones íntimas y propias.

to the Virgin of Guadalupe, and the decorations at pueblo fiestas and neighborhood eateries. Her feelings were deeply touched: "This expression made me feel spiritual hope. In the face of the anonymous superproduction of the large corporations, such work presents individual creativity. It makes a person feel free, alive, with his own point of view, and a desire to create and communicate. He is not a robot. And it is right in that chain of creation where my painting is located. I also involve myself somehow in recycling because I recreate scenes and add something personal to them, something of myself."

During this creative process, Elena kept in mind her father's bookshelf, where he had placed the few belongings he had brought from Spain. Through these objects and their arrangement, Elena had come to know her father better. She had observed his attachments, his nostalgia, all unspoken but on display—perhaps her first contact with the intimate spaces that pertain to someone else.

Elena Climent's painting is based on very firm technique, splendid drawing and extraordinary handling of color, with the resulting freedom to attain the finest details of expression. Her painting is intimate and reveals beauty without digressions; her primary interest is directed to the senses and to reality. Her vision takes us to the inside world of other creators and to her own world, by provoking a communion of spaces of sentiment. Viewing the painting of Elena Climent promotes mystical links with the fused emotions of her work: the emotions depicted by the initial creator; the emotions of the painter; and lastly, the viewer's emotions. It has become a delight and a passion for Elena to approach universes created with personal objects, and to share through her painting the sensitive expression of her own interior universe.

Elena's paintings, which might have been classified as still lifes, become intimate portraits that infuse "still" objects with life. And like a good portraitist who searches for the expressive traits of the sitter, Elena has become an expert in recognizing the particular, emotional aspects of objects: longings, memories, desires, love, rejection, nostalgia, triumph and adherence—the spiritual physiognomy of her models. Elena Climent has understood the expression of objects in daily spaces that are transformed, not by accident but through authentic, spontaneous intentions. She has known how to observe the Mexican soul through her own intimate expression.

ELENA CLIMENT
ALTAR SOBRE PARED VERDE CON MOSAICO, 1997
Oleo sobre tela, 71 x 91 cm.
Colección Particular

Figura Humana

Lupina Lara Elizondo

La representación plástica de la figura humana ha interesado al hombre desde épocas antiguas. En las esculturas clásicas griegas, que datan del siglo V a. C., aunque todavía prevalece el carácter arcaico, se advierte el interés por representar la belleza del cuerpo humano. La representación de los dioses involucraba la manifestación de fuerza y belleza. Los grandes escultores griegos, como Policleto y Fidias, realizaron espléndidas esculturas, plasmando en el bronce y el mármol: espíritu y cuerpo, serenidad y belleza, fuerza y equilibrio. Los romanos, herederos de la visión artística helénica, provocan la proliferación del retrato cargado de realismo. Durante la Edad Media el arte se volvió básicamente religioso, hasta que en el Renacimiento se rescatan las formas clásicas y una visión antropocentrista: el hombre como medida de todas las cosas, rompiendo con la idea medieval de Dios como centro del mundo. Posteriormente surge el manierismo, que busca renovar las formas clásicas exagerándolas, distorsionándolas; asimismo, abandona la forma para incursionar en el camino de la luz y del color. La obra de El Greco es una de las más representativas de esta corriente. Así, llegamos al barroco, que surge como una crisis espiritual que busca la comprensión de lo eterno, el sentido de la vida, invitando al hombre a buscar en su interior. El barroco puede definirse como el arte que retorna a la espiritualidad. Se manifestará como un arte de lo grandioso, y en la escultura será la "escultura del movimiento y de la expresión". El camino del arte continúa, llevándonos a la visión del neoclasicismo, del romanticismo, del impresionismo, del modernismo, del expresionismo, del surrealismo, y así, hasta llegar al arte contemporáneo. Estos movimientos artísticos indican las diferentes maneras en que el hombre ha plasmado su visión y su relación con él mismo, con su cuerpo, con él como espíritu; su interpretación y su idea de Dios y los asuntos religiosos; su visión, entendimiento y relación con sus congéneres; su concepto de belleza y de espiritualidad; su relación con la naturaleza y con los objetos; su entendimiento de los conceptos materia, tiempo y espacio, y su deseo de guardar, al igual que lo hace su mente, imágenes y sentimientos para apreciarlos posteriormente.

En este mundo en el que el cuerpo humano es un medio en que se expresa el alma, por razones obvias jugará un papel importante en la expresión visual del arte.

Pelegrín Clavé
La demencia de Isabel de Portugal
(La primera juventud de Isabel la Católica
al lado de su madre enferma), 1855
Oleo sobre tela, 288 x 226 cm.
Colección Museo Nacional de San Carlos

Pelegrín Clavé

1811-1880

Clavé dejó su mejor obra en el género del retrato; en éste se observan sus dotes de gran dibujante y colorista. La factura de su pintura fue impecable, quedando reflejada en sobrias pinturas de gran riqueza en los atavíos.

Lupina Lara Elizondo

Los primeros intentos de agrupar a los artistas en México datan del año 1557, cuando en la Nueva España se promulgan unas ordenanzas que perseguían este objetivo, aunque desafortunadamente éstas no tuvieron éxito. En 1752, por decreto de Fernando VI, se fundó la Real Academia de San Fernando en Madrid, España. En México dos años más tarde, en 1754, dos destacados pintores: Miguel Cabrera y José de Ibarra, encabezan a un grupo de veinticuatro pintores que solicitaban del rey Carlos III el reconocimiento y la ayuda para la fundación oficial de la Academia mexicana. Y, aunque ésta empezó a funcionar desde años antes, no fue sino hasta 1784 cuando ellos obtienen de Carlos III la emisión del real despacho de fundación y dotación, y con ello el inicio oficial de los cursos en el mes de noviembre del mismo año, en la Casa de Moneda de la ciudad de México. Cuatro años después, por haber llegado el edificio a ser insuficiente para el alumnado, la institución se muda al antiguo Hospital del Amor de Dios (ubicado en la actual calle de Academia). A partir de que dio inicio la Guerra de Independencia, la institución fue decayendo lentamente, hasta el punto en que en 1821 cerró sus puertas, para volverse a abrir en 1824. Al subir Santa Anna al poder en 1834, buscó apoyar la instrucción pública. Los fondos no llegaron de inmediato a la Academia de San Carlos; no obstante, don Javier Echeverría, que pasó a ocupar la presidencia de la Junta de Gobierno que administraba la institución, no cejó hasta obtener en 1843, por decreto presidencial, los fondos provenientes de la lotería, que resultaron suficientes para reorganizarla y procurarle maestros europeos de gran nivel.

Pelegrín Clavé nació en Barcelona, España, el 17 de junio de 1811. Fue el segundo de los tres hijos de Rafael Clavé y Eulalia Roqué. Debido a la habilidad que mostraba para el dibujo, a los once años fue inscrito en la Escuela Gratuita de Nobles Artes, establecida en la Real Casa de la Lonja de la ciudad de Barcelona. Se sabe que durante este tiempo fue un alumno destacado, siendo merecedor de diferentes premios. En 1835, después de participar en un riguroso concurso, junto con su compañero Manuel Vilar, obtuvo de la Real Casa de la Lonja una pensión para estudiar en la Academia de San Lucas, en Roma, lo que pocos estudiantes lograban obtener.

Según lo menciona Salvador Moreno en su libro sobre Pelegrín Clavé, editado por la UNAM en 1966, al llegar a la Academia los maestros italianos encontraron en ambos jóvenes un deficiente

THE FIRST ATTEMPTS IN MEXICO TO ASSEMBLE ARTISTS date from 1557, when ordinances were published to this effect in New Spain; unfortunately, they did not meet with success. In 1752, on the decree of Ferdinand VI, the Real Academia de San Fernando was founded in Madrid, Spain. In Mexico, two years later, in 1754, two outstanding painters—Miguel Cabrera and José de Ibarra—headed a group of twenty-four painters requesting recognition and help from Charles III in founding the official Mexican Academia. But it was not until late 1784, two years after the academy had opened its doors, that Charles III issued the royal edict of founding and endowment, and classes officially started at Mexico City's Casa de Moneda. Four years later, the building proved to be insufficient for the number of students enrolled, and the institution moved to the former Hospital del Amor de Dios (on the street now known as Academia). During Mexico's struggle for independence, the institution gradually declined, until its closure in 1821; it reopened in 1824. When Santa Anna assumed power in 1834, he attempted to support public education, but funding did not reach the Academia de San Carlos immediately. The solution was found through the insistence of Javier Echeverría, the president of the institution's board of directors, who obtained a presidential decree in 1843 to receive funds from the national lottery. The money was sufficient to reorganize the Academia and hire European teachers of a high academic level.

Pelegrín Clavé was born in Barcelona, Spain, on June 17, 1811. He was the second of three children of Rafael Clavé and Eulalia Roqué. At age eleven, due to his talent in drawing, Pelegrín was enrolled in the Escuela Gratuita de Nobles Artes at Barcelona's Real Casa de la Lonja. He was an outstanding student and won several prizes. In 1835, after participating in a rigorous competition with his classmate, Manuel Vilar, he was awarded a stipend from the Real Casa de la Lonja to study at the Accademia di San Luca in Rome—an honor obtained by very few. When the two young men arrived at the Accademia, as Salvador Moreno mentions in his book about Pelegrín Clavé (published by UNAM in 1966), their Italian teachers found them deficient in the knowledge of human anatomy. Both were required to study the topic rigorously, and were delayed in complying with their obligation as scholarship recipients to send work to the Escuela de la Lonja de Barcelona. After a few months, Clavé was able to ship a few pieces, along with six anatomical studies. And at a later date, he sent work that more than satisfied his Catalonian teachers. When the young men's four-year scholarship came to an end, Antonio Solá, the director of Rome's academy and coincidentally of Catalonian origin, requested an extension from the Spanish board that would allow his two Spanish students to finish their studies. His petition was granted, and the stipends prolonged for two six-month periods. At the conclusion of this time period, Clavé personally requested permission from the board to stay in Rome indefinitely. Without official funding, the two artists supported themselves with commissions from various Italian patrons and friends.

conocimiento de anatomía del cuerpo humano, razón por la cual ambos fueron sometidos a un riguroso estudio sobre el tema. Este hecho provocó el retraso en el cumplimiento de su compromiso, como pensionados, de enviar obras que demostraran sus avances a la Escuela de la Lonja de Barcelona. Después de algunos meses, Clavé envió algunas piezas, junto con seis figuras de estudios anatómicos y del esqueleto humano. Posteriormente envió obras que dejaron más que satisfechos a los maestros catalanes. Al término de los cuatro años de la pensión, Antonio Solá, director de la Academia de Roma, quien casualmente era de origen catalán, solicitó a la Junta española una prórroga para que los pensionados pudieran terminar los trabajos que habían hincado. Su petición fue atendida, logrando ampliar sus pensiones por dos períodos más, de seis meses cada uno. Al transcurrir este tiempo, Clavé solicitó personalmente a la Junta el poder permanecer en Roma por tiempo indefinido. Ya sin la pensión, los artistas lograban mantenerse gracias a los encargos que les hacían diferentes mecenas y amigos italianos.

En 1844 llega a Roma, procedente de México, el señor José María Montoya, con la comisión de buscar a un pintor y a un escultor para que se hicieran cargo de la dirección de esas materias en la Academia de San Carlos. Montoya intentó contratar a algunos de los maestros de la Academia de San Lucas; sin embargo, como ellos contaban con un prestigio artístico no se interesaron en la propuesta y, agradeciendo la invitación de Montoya, le ofrecieron su apoyo en la tarea de selección. Así, se lanzó una convocatoria en la que se invitaba a los pintores a concurrir para ser examinados. En este proceso, Clavé obtuvo el segundo lugar. No obstante, en una segunda consulta con maestros de las Academias de Francia y de Berlín, no quedó la menor duda de la superioridad del catalán. Manuel Vilar ya estaba confirmado en el cargo, y Clavé firmó el 4 de julio de 1845 un contrato por cinco años para dirigir las clases de pintura en la Academia de San Carlos, mismo que daría principio a su llegada al territorio mexicano. Por tal motivo, ya no tuvo oportunidad de pintar las réplicas de su cuadro *Isabel la Católica rehusando la corona,* que habían solicitado de Inglaterra y España. Los jóvenes viajaron a Barcelona; de allí a Madrid, posteriormente a París, y finalmente el 2 de diciembre de 1845 se embarcaron rumbo a México en la bahía de Southampton, Inglaterra, llegando a costas mexicanas el 14 de enero de 1846.

La primera labor que los nuevos maestros tuvieron que realizar en la Academia fue la de reacondicionar el inmueble, ya que se encontraba sumamente deteriorado. Observaron que eran pocos los discípulos que asistían a las clases, así que las remodelaciones no afectarían considerablemente la enseñanza. Esta tarea requirió dos años de intenso trabajo hasta obtener todas las comodidades necesarias para los estudiantes. Durante este tiempo los maestros

Izquierda
Pelegrín Clavé
Retrato del arquitecto
Lorenzo de la Hidalga, 1861
Oleo sobre tela, 136 x 104 cm.
Colección Museo Nacional de San Carlos

Inferior
Retrato de la señorita
Echeverría Almanza, 1848
Oleo sobre tela, 103.5 x 79 cm.
Colección Museo Nacional de San Carlos

In 1844, José María Montoya traveled from Mexico to Rome under the assignment of finding a painter and a sculptor to direct the teaching of these subjects at Mexico's Academia de San Carlos. Montoya initially attempted to hire teachers from the Accademia di San Luca, but the teachers he met enjoyed artistic

aprovecharon para conocer la ciudad y sus alrededores, participando en diferentes expediciones, entre ellas las que se hicieron a las Grutas de Cacahuamilpa y al Popocatépetl. También aprovecharon para presentar una exposición de sus obras. Salvador Moreno comenta sobre este evento: "...causó gran revuelo en el raquítico medio artístico de la ciudad, y verdadero interés y curiosidad en la mejor sociedad, ya que entre los retratados figuraban personajes connotados, sus esposas y sus hijas..." Dos años más tarde, en diciembre de 1848, Clavé organizó la primera exposición de la Academia de San Carlos. Sobre ella, él mismo comentó: "*...Fue innumerable el gentío de todas clases que visitó la Academia, pero a pesar de ser tan numeroso, no hubo ningún desorden...*" Estos primeros años de Clavé en México requirieron de una gran dedicación, ya que no únicamente debió acondicionar las instalaciones, organizar y estructurar los planes de estudio reclasificando los géneros de la pintura y los métodos de enseñanza, sino que también tuvo que impartir las clases y buscar los apoyos necesarios para sus discípulos.

En esos años asumió el compromiso de dejar cubiertas todas las asignaturas con maestros competentes. Fue por ello que propuso al presidente de la Junta de la Academia la contratación del italiano Eugenio Landesio, para el paisaje; de Bagally, para el grabado en hueso; de Periam, para el grabado en madera, y de Cavallari, para arquitectura. Desde entonces los maestros establecieron una relación cercana con los alumnos, con el sincero empeño de lograr en ellos una rigurosa formación, dejando a un lado sus propias obras. Estos esfuerzos se vieron reflejados en las exposiciones anuales, en las que se podía constatar el evidente progreso en los trabajos de los alumnos.

Catalanes e italianos, acostumbrados a la alegría y actividad de sus países, en ocasiones extrañaban la falta de diversión que existía en México. Al respecto, Moreno comenta: "De tarde en tarde, una regular compañía de ópera y algunos concertistas hacían su aparición en el entonces flamante teatro Vergara. En la intimidad las familias compensan esta falta de diversión por medio de la música". Y Moreno continúa, citando textualmente las palabras de Vilar: "...casi no hay familia que no cante o toque, y quedarías admirado por tanta afición y buena disposición como hay, en particular entre las señoritas, pues hay algunas de tanta habilidad como cualquiera de las de Europa".

En 1851 la Junta Directiva de la Academia renueva por cinco años más el contrato de Clavé. Bernardo Couto sustituyó a don Javier Echeverría como Presidente de la Junta de la Academia. Al igual que su antecesor, logró importantes apoyos para la misma y siempre estuvo dispuesto a intervenir a favor de sus maestros. Un caso particular ocurrió cuando el pintor mexicano Juan Cordero, al regresar a México después de haber estudiado en Italia, se acercó al presidente Santa Anna, realizando un retrato de él y de su esposa, obteniendo con ello una orden del mismo Presidente para sustituir a Clavé en la Dirección de Pintura. Esta orden presidencial violaba los estatutos de

prestige at the Accademia and were not interested in the proposal; they thanked Montoya and offered their help in making a selection. As a result, an invitation was issued for painters to compete for the positions. Clavé won second place. His superiority was confirmed during a second consultation with teachers from the academies of France and Berlin. Manuel Vilar had already accepted one of the positions, and on July 4, 1845, Clavé signed a five-year contract to direct the painting classes at the Academia de San Carlos, effective on his arrival in Mexican territory. Because of his new obligation, he was unable to complete the copies of his painting, Isabel la Católica rehusando la corona, which had been requested from England and Spain. The two young men traveled to Barcelona, then to Madrid and Paris, and finally on December 2, 1845, embarked for Mexico from Southampton, England; they touched the coast of Mexico on January 14, 1846.

The first task for the new teachers was the reconditioning of the Academia building, which they found in extremely deteriorated condition. They saw that few students attended class and that the remodeling would not greatly affect teaching. Two years of intense work were required to obtain all the necessary comforts for the Academia's students. Clavé and Vilar took advantage of this time period to tour Mexico City and the surrounding areas, and participated on excursions to the underground caverns of Cacahuamilpa and the Popocatépetl volcano. They also presented an exhibition of their work. Salvador Moreno comments on the event: "...it caused quite a stir in the city's rachitic art setting, and true interest and curiosity in high society, since well-known people were portrayed, their wives, and daughters." Two years later, in December of 1848, Clavé organized the first exhibition of the Academia de San Carlos. He remarked: "It was an uncountable crowd of people from all classes who visited the Academia, but in spite of the numbers, there was no disorder." Clavé's early years in Mexico required great dedication: not only did he have to adapt the facilities, organize and structure the programs of study by reclassifying painting genres and teaching methods, but also teach classes and search for necessary support for his students.

Clavé assumed the commitment to find competent teachers for all subjects. To this end, he submitted a proposal to the president of the Academia's board to hire teachers from Italy: Eugenio Landesio for landscape painting; Bagally for lithography; Periam for woodcut printing; and Cavallari for architecture. Once the new contracts had been signed, Academia teachers began to establish close relationships with the students, and set aside their own work in a sincere desire to train their pupils thoroughly. Their efforts were reflected in the Academia's annual exhibitions—clear evidence of the students' work.

The Catalonians and Italians, accustomed to the cheerfulness and activity of their native countries, sometimes missed the lack of entertainment in Mexico. Moreno comments: "Now and then, a regular opera company and some performers would make their appearance at the brand new Teatro Vergara. At home, families

Pelegrín Clavé
Retrato de dama, 1852
Oleo sobre tela, 104 x 82 cm.
Colección Banco Nacional de México

la Academia que establecían que para el cambio de maestros debía convocarse a concurso. Couto salió en defensa de Clavé, presentando un escrito sobre sus dotes de gran pintor y sus habilidades para la enseñanza. Fue tal el impacto que este escrito causó en el gobierno, que aceptando estas razones se canceló la orden a favor de Cordero y se volvió a renovar el contrato de Clavé por cinco años más. Después de este molesto incidente, Clavé se propuso pintar una de sus obras más importantes: *La primera juventud de Isabel la Católica al lado de su madre enferma,* título que posteriormente se cambió a *La demencia de Isabel de Portugal.* Esta obra de Clavé recibió los mejores comentarios, sorprendiendo a la crítica y al público, quienes externaron elogiosos comentarios.

En 1855 Pelegrín Clavé contrajo matrimonio con María del Carmen Arnou Vargas, la hermosa modelo que le había posado para Isabel de Portugal, que entonces contaba con dieciocho años, en tanto que Clavé tenía ya cuarenta y cuatro. En ese tiempo, Couto buscó integrar una colección

compensate for this lack of entertainment through music." Moreno continues by quoting Vilar: "...almost all families sing or play instruments, and you would be surprised by the amount of interest and willingness, particularly among the young ladies, since some of them are as skillful as any young lady in Europe."
In 1851, the Academia's board of directors renewed Clavé's contract for five more years. Bernardo Couto replaced Javier Echeverría as president of the board. Like his predecessor, Couto attained important support for the institution and was always willing to intervene in favor of the teachers. A special case occurred when the Mexican painter, Juan Cordero, returned to Mexico after studying in Italy, and approached President Santa Anna to paint a portrait of him and his wife. Through his work, Cordero obtained a presidential order appointing him to Clavé's post as director of painting. The order was in violation of the Academia's statutes, which established that teaching positions had to be filled by an announced competition. Couto came to Clavé's defense by presenting a written description of his talents as a painter and his teaching skills. The document caused such an impact on the government, that it annulled the order and renewed Clavé's contract for five years more. After the annoyance of this incident, Clavé began work on one of his most important works: La primera juventud de Isabel la Católica al lado de su madre enferma, a title he later changed to La demencia de doña Isabel de Portugal. The painting was extremely well received by critics and the public, who were not hesitant to express their praise.
In 1855, Pelegrín Clavé married María del Carmen Arnou Vargas, the beautiful model who had posed for him as Queen Isabella. His young wife was eighteen years old at the time, and Clavé was forty-four. During this period, Couto was attempting to form a collection of early Mexican paintings, and contacted various religious congregations to request them to take an inventory of their paintings in order to make a selection. The Academia de San Carlos would safeguard the chosen paintings, and the donating group would receive in exchange a copy painted by the institution's most outstanding students. The person in charge of the process was Clavé, who demonstrated dedication and commitment in completing the task. Another project assigned to Clavé came as a result of the earthquake of 1858, which had caused severe damage to the domes and vaults of some of the city's churches. The priests of the La Profesa church requested the Academia's support in decorating its vault by taking advantage of the scaffolding installed for church repairs. Clavé took charge of the project, with the help of a group of students. Because of economic problems, the work took eight years to complete. Unfortunately, a church fire destroyed the paintings in 1914.

In 1860, Clavé's fellow countryman and friend, the sculptor Manuel Vilar, died from a severe case of pneumonia. Clavé was deeply saddened, as shown by the letter he wrote to Claudio Lorenzale, the director of the academy in Barcelona: "Mexico, after the changes suffered at the Academia and the death of my friend, Vilar, has lost its enchantment. I would leave now if some urgent work, and in particular, a newborn child, did not impede me from doing so." Bernardo Couto had resigned from his position the same year. And the liberals' triumph over the conservatives brought changes to the institution: the Academia's board of directors was dissolved and the support from the lottery canceled. In 1862, President Juárez awarded the annual prizes, but due to a lack of funds, the exhibition could not be held. The following year, Clavé was informed that if he wished to renew his contract, his salary would be lower. The adjustment proved unnecessary: in February, Clavé, as well as Landesio and Cavallari were removed from their positions for having refused to sign the petition presented by government employees against the French intervention. When the French troops entered Mexico City and Benito Juárez fled, the teachers were reinstated. That year Clavé was asked to paint a portrait of the French emperor, Napoleon III and his wife, Eugenia de Montijo. Both paintings are currently on exhibit in the Museo Nacional de Historia at the Castillo de Chapultepec. Although Clavé was aware of the emperor's enthusiasm for the fine arts, his desire to return to Spain remained alive: he was waiting only for his contract to conclude in 1866, and to finish the work at La Profesa. Pelegrín Clavé left Mexico in early 1868, in the company of his wife and children. He took with him a large number of sketches and paintings and a bulky package with the photographs of his students: José S. Pina, Felipe Gutiérrez, Joaquín Ramírez, Rafael Flores, Juan Urruchi, Juan Sagredo, José Obregón and Petronilo Monroy. He had fond memories of all of them. On arriving in Spain, Clavé was named to the Real Academia de Bellas Artes de Barcelona de San Jorge and to the Real Academia de Ciencias y Artes. He is known to have been a member of the Accademia di Belle Arti in Milan and the Academia de San Fernando in Madrid. In recognition of his standing, Clavé received commissions for various paintings, which he painstakingly filled. He also served as a juror in selecting scholarship recipients for study in Rome, and participated in selecting professors and examining students. A few years later, he received the visit of his friend and colleague, Eugenio Landesio, who was returning to Italy. Together they took a trip through Catalonia; in 1878, the two men met again in Paris to visit the Universal Exhibition, and specifically to view the paintings by José María Velasco that were representing Mexico in the event. Clavé's late work includes the decoration of the La Merced church in Barcelona, for which he produced a considerable number of drawings and sketches. In spite of his love for his craft, he did not take up the brushes after returning to his native city. On September 13, 1880, before leaving his house, he died of a heart attack.

de pintura mexicana antigua, para lo cual estableció contacto con las diferentes congregaciones religiosas, solicitándoles hacer un inventario de sus cuadros con el fin de hacer una selección entre ellos. Los cuadros seleccionados podrían ser resguardados por la institución que éste dirigía, y a cambio les ofrecía que los alumnos más destacados de la Academia les harían una copia de los mismos. La responsabilidad de dictaminar las obras correspondió a Clavé, quien mostró dedicación y empeño en dicha tarea. Por otro lado, el temblor de 1858 había ocasionado severos daños en las cúpulas y bóvedas de algunos templos. Los sacerdotes de la iglesia de La Profesa solicitaron a la Academia su apoyo para decorar la bóveda, aprovechando la instalación de los andamios utilizados en las restauraciones. Clavé quedó a cargo de los trabajos, apoyado por un grupo de estudiantes. Debido a problemas económicos, los trabajos quedaron concluidos ocho años después. Lamentablemente, en 1914, a causa de un incendio en la iglesia las pinturas se destruyeron por el fuego.

En 1860 murió en México de una fuerte pulmonía su gran compatriota y amigo, el escultor Manuel Vilar. Clavé lo resintió profundamente. Así lo demuestra una carta escrita por él a su amigo Claudio Lorenzale, director de la Academia Barcelonesa: *"México, después de los cambios sufridos en la Academia y de la muerte del amigo Vilar, perdió su encanto para mí. Me iría ahora si algunos trabajos urgentes y en particular un niño recién nacido no me lo impidieran".* Ese año también había renunciado a su puesto en la Academia Bernardo Couto. Acompañando a estos sucesos, encontramos el triunfo de los liberales sobre los conservadores que trajo consigo cambios en la institución: se disolvió la Junta Directiva de la Academia y se suprimió el apoyo que recibía de la lotería. En 1862 se llevó a cabo la entrega de premios por parte del presidente Juárez; sin embargo, por la falta de fondos, no se pudo llevar a cabo la exposición anual. El año siguiente se informó a Clavé que si deseaba renovar su contrato, éste se renovaría con un sueldo inferior. Pero eso no fue necesario, ya que en el mes de febrero, junto con Landesio y Cavallari, fue destituido de su cargo por haberse negado a firmar el acta de protesta de los empleados públicos en contra de la intervención francesa. No obstante, al entrar las tropas francesas a la ciudad de México y con ello la salida de Benito Juárez de la capital, los maestros fueron reintegrados a sus puestos. Ese año se pidió a Clavé realizar un retrato de los emperadores de Francia, Napoleón III y su esposa, doña Eugenia de Montijo. Ambas piezas se exhiben en la actualidad en el Museo Nacional de Historia, en el Castillo de Chapultepec. Aunque Clavé fue testigo de la disposición del Emperador por favorecer las bellas artes, su deseo de regresar a España seguía vivo, y tan sólo esperaba que concluyera su contrato en 1866, así como terminar los trabajos en La Profesa.

Pelegrín Clavé partió de México a principios de 1868, junto con su esposa y sus hijos. Llevaba consigo una gran cantidad de apuntes y pinturas, un paquete bien formado con fotografías de sus alumnos: José S. Pina, Felipe Gutiérrez, Joaquín Ramírez, Rafael Flores, Juan Urruchi, Juan Sagredo, José

Obregón y Petronilo Monroy. En su corazón guardó siempre el recuerdo cariñoso de cada uno de ellos. A su llegada fue nombrado miembro de la Real Academia de Bellas Artes de Barcelona de San Jorge y también de la Real Academia de Ciencias y Artes. Se sabe que era miembro de la Academia di Belle Arti, en Milán, y de la de San Fernando, de Madrid. Reconociendo su investidura le fueron solicitadas diferentes comisiones, las cuales cumplió cabalmente, como la de participar como jurado en la selección de los pensionados que irían a estudiar a Roma, respaldar el nombramiento de los profesores y examinar a los alumnos. Algunos años después recibió la visita de su amigo y colega Eugenio Landesio, quien regresaba a Italia. Juntos hicieron un recorrido por Cataluña. También se sabe que en 1878 se volvieron a encontrar en París para visitar la *Exposición Universal,* y en particular, para apreciar las obras de José María Velasco, que representaban a México en este evento.

PELEGRÍN CLAVÉ
RETRATO DE HOMBRE, 1852
Oleo sobre tela, 104 x 82 cm.
Colección Banco Nacional de México

Dentro de sus últimos trabajos se encuentra el proyecto de decoración de la iglesia barcelonesa de La Merced, para el cual desarrolló una cantidad considerable de dibujos y bocetos. Pero no obstante su amor al oficio, desde que regresó a su ciudad natal nunca volvió a tomar los pinceles. El 13 de septiembre de 1880, antes de salir de su casa, murió de un ataque al corazón.

Clavé dejó su mejor obra en el género del retrato; en éste se observan sus dotes de gran dibujante y colorista. La factura de su pintura fue impecable, quedando reflejada en sobrias pinturas de gran riqueza en los atavíos: elegantes trajes de hombres y mujeres, mantillas, abanicos, joyas. Sus modelos son retratados en ambientes clásicos con ricos decorados que dejan ver imágenes de la alta sociedad mexicana del siglo XIX. Pelegrín Clavé fue sin duda un hombre carismático, de gran personalidad, a quien sus alumnos apreciaron y valoraron, y quien después de veinte años de trabajo y dedicación dejó en nuestro país una Academia que gozaba ya de prestigio internacional.

Clavé's best work is found in portraits, which demonstrate his talents as a draftsman and colorist. The impeccable style of his painting is reflected by the moderate depiction of wealth and clothing: elegant suits, mantillas, fans and jewels. His sitters are shown against classical settings with rich decorations that reveal the images of Mexico's high society in the 19th century. Pelegrín Clavé was most certainly a charismatic man with a wonderful personality, appreciated and valued by his students. After twenty years of work and dedication, he left our nation with an academy of international prestige.

Hermenegildo Bustos
Luciano Barajas y su hijo Pedro, 1872
Oleo sobre tela, 73 x 54 cm.
Museo de la Alhóndiga de Granaditas, INAH

Hermenegildo Bustos

1832-1907

Fue su pincel más fiel que el lente de la cámara,
mucho más preciso que ésta, porque supo plasmar las huellas físicas
que reflejaban las experiencias del alma.

Lupina Lara Elizondo

Hermenegildo Bustos provenía de una familia indígena, lo cual él resaltaba con gran orgullo. Así lo demostró en distintas ocasiones, como en la leyenda que anotó al reverso de un autorretrato: *"Hermenegildo Bustos, indio de este pueblo de Purísima del Rincón"*, y cuando en los dos únicos bodegones que realizó agregó la frase *"indio purisiense"* a su firma.

Su padre fue un memorable campanero del pueblo, don José María Bustos, hombre educado y de buena letra, quien dejó escritos el relato del nacimiento de sus hijos Hermenegildo y Dionisia, al igual que diversos acontecimientos históricos, como la persecución de curas y monjas para despojarlos de sus conventos y la toma de la ciudad de Zacatecas por el general Santa Anna. Estos documentos indican que el primero de sus hijos, Hermenegildo, nació el 13 de abril de 1832 en Purísima del Rincón, Guanajuato, y que su hija nació dos años después. Muy poco se sabe de la formación artística de Hermenegildo; sin embargo, se afirma que estudió un período corto, posiblemente seis meses, con un pintor de apellido Herrera, en la ciudad de León. Este hecho es muy factible, pues Bustos muestra una metodología en su forma de preparar los lienzos, de elaborar las pinturas y de ejecutar los trazos iniciales de sus cuadros reveladores de cierto academicismo, que muy posiblemente haya aprendido de este maestro. No por ello su afán emprendedor y su talento quedan menospreciados, por el contrario, admiramos su destreza, ya que por lo general se requerirían mucho más de seis meses para asimilar los conocimientos que Bustos plasma en su obra. Al no contar con ninguna otra referencia, se le ha considerado un artista autodidacta, dotado de enorme sensibilidad visual y gran fidelidad representativa. No estuvo ajeno a la influencia de las estampas religiosas y de los retratos que se habían pintado durante la Colonia, ni a las ilustraciones de las grandes obras europeas que empezaban a circular en el país. Ellas también guiaron al pintor para resolver algunas incógnitas de la pintura.

Francisco Orozco Muñoz, escritor y diplomático mexicano, nos acercó a la forma de ser de Bustos, ya que en su búsqueda insistente de la obra del artista encontró un calendario desbaratado del año 1894, cuando el pintor tenía sesenta y dos años. Y a través de las parcas aclaraciones que Bustos registraba día con día, llegamos a conocer su inquietud e interés por las cosas del campo, pues entre sus múltiples oficios se dedicaba a elaborar nieves de frutas para venderlas en el pueblo.

Hermenegildo Bustos was from an Indian family, and on various occasions he drew attention to his origins with great pride. Examples are the legend he wrote on the back of his self-portrait, stating "Hermenegildo Bustos, indio de este pueblo de Purísima del Rincón" ("Hermenegildo Bustos, Indian from this town of Purísima del Rincón") and his addition of the phrase, "indio purisiense" ("Indian from Purísima), to his two still lifes. Bustos' father, José María Bustos, a memorable bell ringer of the town, was an educated and literate man who left writings about the birth of his children, Hermenegildo and Dionisia, as well as descriptions of diverse historical events, such as the persecution of nuns and monks and the subsequent seizure of their convents and monasteries, and General Santa Anna's occupation of the city of Zacatecas. These documents indicate that his first child, Hermenegildo, was born on April 13, 1832, in Purísima del Rincón, Guanajuato, and that his daughter was born two years later. Very little is known about Hermenegildo's artistic preparation beyond a short period of study, of

Hermenegildo Bustos
Mujer con flores, 1862
Oleo sobre lámina, 13.2 x 9.1 cm.
Museo Nacional de Arte, INBA

A continuación se presentan algunos ejemplos de las transcripciones de este calendario que Raquel Tibol nos ofrece en el primer capítulo, titulado "Tiempo de escarchas", de su libro dedicado al artista, *Hermenegildo Bustos, Pintor de pueblo:*

"...lunes 1 de enero: *'Heladita delgada con nubes'*; martes 2: *'Heladita más delgadita'*; miércoles 3: *'Escarcha, levanté'*; viernes 5: *'Levísima escarcha muy salteada, no levanté'*; sábado 6: *'Escarcha, casi toda la levanté'*; domingo 7: *'Escarcha menos que ayer, la levanté'*."

La página continúa refiriéndose a los sucesos de la escarcha y al pie de la misma, todavía en el mes de enero, aparece anotado, con la austeridad de un cronista que se limita a narrar los hechos: *"Por estos días mucha influenza y tos y catarro y maíz de tres cuartillas"*.

Encontramos a Bustos preocupado, mejor dicho, interesado en la cantidad de escarcha que podía recoger. Así lo muestra otro apunte en el día 20 del mes de febrero: *"Helada una canasta y otra a la mitad de hielo"*. Como hombre trabajador, miraba las expectativas de su negocio, no se mantenía inactivo cuando surgían adversidades y siempre veía la forma de dar la vuelta a las circunstancias para volverlas favorables. Buscaba aquí y allá; siempre había algo en lo que él podía ocuparse.

La cosecha de las frutas era importante para preparar las nieves y en ocasiones para elaborar conservas. Así pues, el domingo 10 de junio deja asentado: *"Corté algo de zapote del durísimo, redondo y ciruelo. En la huerta debajo del fresno, de aquel lado del puente, me tocó más"*. Va llevando una secuencia en el tema y el martes 12 y el viernes 15 anotó: *"Cosa notable, se vinieron muy pronto los higos"*. Domingo 17: *"Se hizo el segundo corte de zapote ciruelo"*. El lunes 18: *"Todo el zapote salió gusaniento"*.

El negocio estaba a merced del tiempo. El cielo presagiaba lo bueno, aunque también avisaba de los malos acontecimientos: *"aguacero en el poniente"*, *"el sábado amaneció llovido con lluvia desde las diez de la noche a las cuatro de la tarde"*.

Su puño y letra indican que el fin de año del 94 fue bueno; que la nieve se juntó a mediados del mes de diciembre y logró reunir una buena cantidad de ella, al grado de llenar un hoyo profundo y la mitad de otro. En este lugar guardaba su blanco tesoro, y lo cubría con paja para que le durara el mayor tiempo posible. Esta bonanza le permitió hacer gastos adicionales, como mandar a arreglar una gorra negra y dar una onza de plata a Maximino Martínez para

HERMENEGILDO BUSTOS
AUTORRETRATO, 1891
Oleo sobre lámina, 34 x 24 cm.
Instituto Nacional de Bellas Artes

que le comprara cucharas. La última anotación del calendario dice: *"Lo mismo, otra vez lo mismo"*.

Parece que al pintor retratista no le faltaban opciones con qué mantenerse. Había formado un fondo de objetos, los cuales prestaba en renta: un farol, una guitarra, un libro, y en ocasiones entregaba dinero a cambio de artículos que las personas dejaban empeñados, esperando poder recuperarlos al pagar la deuda contraída. Sus anotaciones monetarias parecen estar escritas en clave, pues el 23 de mayo dice que entregó gratis un machete que estaba empeñado por la cantidad de una cruz y tres puntos en diagonal, de izquierda a derecha. Por sus múltiples actividades, observamos a una persona trabajadora e ingeniosa. Se contrataba para realizar labores en el campo, recolectando jitomates, elotes, aguacates, hierba piojera, o

possibly six months, with a painter called Herrera, in the city of León. Such training is likely since Bustos' work shows methodology in preparing the canvas, planning the painting and making the initial lines, and his paintings reveal a certain academicism that he may very well have learned from Herrera. This fact does not belittle Bustos' enterprise and talent: on the contrary, we admire his skill, given that much more than six months is generally required to assimilate the knowledge that Bustos makes evident in his work. Due to the lack of any other reference, Bustos has been considered a self-taught artist endowed with enormous visual sensitivity and great representative precision. He was not foreign to the influence of the religious prints and portraits that had been produced during the colonial era, nor to the reproductions of European masterpieces that were beginning to circulate in Mexico. Such work served as a guide for Bustos in solving some of the obscurities of painting.
Francisco Orozco Muñoz, a Mexican writer and diplomat, has brought us closer to Bustos' life through his insistent search for the artist's work. One of his discoveries was the terse daily entries Bustos made on an 1894 calendar, when he was sixty-two years old, that disclose to us his interest in the countryside; his multiple activities included the preparation of fruit ices to sell in his pueblo. Presented below are some of these notes, which Raquel Tibol includes in the first chapter, "Tiempo de escarchas" ("Time of Frost") of her book about the artist, Hermenegildo Bustos, Pintor de pueblo:
"Monday, January 1: 'Light freeze with clouds; Tuesday, 2: 'Lighter freeze; Wednesday, 3: 'Frost, collected it'; Friday, 5: 'Very light, spotty frost, did not collect'; Saturday, 6: 'Frost, collected almost all'; Sunday, 7: 'Less frost than yesterday, collected it'."
The page continues to log the frost, and ends January with a note in the margin, in the austere style of a chronicler limited to narrating the facts: "Much influenza and cough and catarrh these days, and maize three hands high".
We find Bustos concerned about the amount of frost he could collect, as shown by another entry on February 20: "Frost, one basket, and another half of ice". As a working man, he was interested in the possibilities of his business, and did not remain inactive in the face of adversity. He searched for ways to reverse unfavorable circumstances, and always found an activity with which to occupy himself.
Hand-picked fruit was an important part of making ices, and was occasionally used to prepare preserves. On Sunday, June 10, Bustos wrote: "I cut some very hard, round sapodillas. In the orchard under the ash tree, on the other side of the bridge, I found more."
He kept a sequence of the topic, and on Tuesday the 12th and Friday the 15th logged: "Noteworthy, very early figs". Sunday, 17: "Second cutting of sapodillas". Monday, 18: "All the sapodillas were wormy".
The business was at the mercy of the weather. The sky

predicted the good as well as the less fortunate events: "downpour to the west", "rain at dawn on Saturday, with rain from ten at night until four the following afternoon". Busto's handwritten notes indicate that late 1894 was bountiful; there was heavy frozen moisture in mid-December and a large amount was collected, sufficient to fill one deep hole and one-half of another. These were the storage places for Bustos' white treasure, which he covered with straw to maximize its duration. Such a bonanza allowed him to make additional expenditures, such as having a black hat fixed and giving an ounce of silver to Maximino Martínez to buy some spoons. The final entry on the calendar states: "The same, once again the same." Bustos the portrait painter seemed not to be lacking in options for producing income. He had formed a collection of objects that he rented out: an outdoor light, a guitar, a book. On occasions he operated as a pawnshop. His monetary entries seem to be in code: on May 23, he logged that he had returned a machete that had been pawned for the amount of one cross and three diagonal markings, from left to right. His

HERMENEGILDO BUSTOS
FENÓMENO, 1883-1886
Oleo sobre lámina, 25 x 18 cm.
Instituto Nacional de Bellas Artes

sembrando maíz; también fabricaba ataúdes de madera, tallaba lápidas, confeccionaba banderas bordadas, pintaba muebles, hacía arreglos de flores, y cuando era necesario ofrecía sus servicios para reparar las vigas de los techos.

La forma de vida a mediados del siglo XIX era sumamente sencilla. En los pueblos sucedían cosas comunes: la misa de los domingos, las disputas en las cantinas, el robo de muchachas antes de la boda, los entierros de personas que habían muerto de una enfermedad simple, como una pulmonía, diarrea, sarampión, de algún piquete de enojo, o de una mala caída, como ellos decían. En ocasiones el finado había sido asesinado y esto causaba gran conmoción. Era casi de lo único que se oía hablar por varias semanas; las descripciones de los hechos eran casi siempre exageradas, decían lo que mejor les acomodaba, buscando dejar perplejo al inocente que atento escuchaba.

La personalidad de Bustos era sencilla, no necesitaba de alardes ni de adulaciones; gozaba de la libertad de poder hacer lo que le venía en gana. Lo mismo utilizaba el traje de charro que vestimentas extrañas diseñadas por él mismo. Así, utilizó un sombrero circular de estilo vietnamita que actualmente forma parte del acervo del Instituto Nacional de Bellas Artes, junto con algunas otras pertenencias del pintor. Contrajo matrimonio con Joaquina Ríos, como lo indica el acta parroquial fechada el 22 de junio de 1854. Se sabe que con ella no tuvo descendencia, aunque fue su compañera y apoyo en el desempeño de sus oficios.

Su sensibilidad visual lo llevó a captar, con el más devoto apego, a una gran parte de sus contemporáneos. Fue su pincel más fiel que el lente de la cámara, mucho más preciso que ésta, porque supo plasmar las huellas físicas que reflejaban las experiencias del alma. Captó todo esto en la expresión de los ojos, en la sonrisa y en los gestos, sin despreciar las marcas, las arrugas, ni los defectos; él sabía que no tenía el derecho de distorsionar lo que veía. Nunca discriminó a los ricos ni tampoco a los pobres, y los retrató en su contexto; así también lo hizo con algunos niños muertos. Pintó a todos los que quisieron posar, o a los que lo hacían por encargo, dejando una fotografía e indicando el tamaño. Así vivió el nevero de Purísima del Rincón, Guanajuato, haciendo nieves y también retratando. Murió en 1907, un año después que su mujer, habiendo cumplido los setenta y cinco años.

Aunque el Bajío gozó de la bonanza agrícola y minera, los habitantes de Purísima del Rincón tenían la costumbre de ser ahorradores. Por ello no cayeron en el

IZQUIERDA

Ex-voto de Pedro de la Rosa, 1863

Oleo sobre lámina, 35.5 x 25.5 cm.

Colección Particular

DERECHA

Ex-voto de María Eduarda González, 1865

Oleo sobre lámina, 35 x 25 cm.

Colección Particular

despilfarro de utilizar los avances de la fotografía, y además porque tenían el privilegio de contar con un gran retratista, quien nunca hacía su trabajo gratis, pero cobraba muy barato por ello. De esta manera nos explicamos la exagerada cantidad de retratos que se hicieron en este pueblo. No sabemos si el interés se originó de manera espontánea, o si al visualizar las primeras obras entregadas, éstas despertaron el gusto de los demás lugareños.

Uno de sus primeros retratos es el del *Presbítero Vicente Arriaga,* pintado en 1850, cuando Bustos tenía apenas dieciocho años. Desde entonces encontramos un tratamiento delicado que logra transmitir la expresión viva del personaje retratado. Al observar esta obra nos vemos obligados a eliminar el adjetivo que él mismo se otorgaba de "aficionado", ya que su talento expresivo no es el de un *amateur* o de un improvisado. Es un hecho que sus trabajos fueron adquiriendo mayor firmeza y perfección, como lo demuestran cuadros como el de *Doña Juanita Quezada,* 1964, el de *Luciano Barajas y su hijo Pedro,* 1872, y el de *Candelaria Melchor,* 1887. En ellos constatamos una mayor precisión en el manejo del pincel, el cual refinó aún más el realismo de sus trabajos. En algunos casos se hace evidente que el tratamiento de la anatomía es débil. La falta de conocimiento sobre las proporciones del cuerpo se refleja en las posturas, que aparecen ligeramente acartonadas, principalmente en cuello y hombros y en la forzada posición de las manos.

multiple activities show he was a hardworking and ingenious individual. He hired himself out as a farm worker, and picked tomatoes, corn, avocados and herbs, and planted maize; he also made wooden coffins, carved tombstones, sewed embroidered flags, painted furniture, made floral arrangements, and when necessary, offered his services in repairing ceiling beams. Lifestyles in the mid-nineteenth century were extremely simple. Commonplace events occurred in the pueblos: Sunday mass, cantina disputes, elopements, burials of the victims of now-curable illness such as pneumonia, diarrhea, or measles, or of piques of anger or a bad fall. If death was caused by murder, there was great commotion. The topic would be on the tongues of all for several weeks, and the descriptions of the facts were almost always exaggerated at the teller's discretion, in an attempt to perplex the innocent listener.

Bustos' personality was straightforward, without need for praise or adulation; he enjoyed the freedom of being able to follow his own desires. He could be found wearing traditional Mexican cowboy dress or strange outfits he designed himself. He used a circular hat of Vietnamese style that currently forms part of the collection of the Instituto Nacional de Bellas Artes, along with some of his other belongings. Bustos married Joaquina Ríos, as indicated by a parochial marriage certificate dated June 22, 1854. It is known that she had no children, but was his companion and work assistant.
Bustos' sensitivity inspired him to portray, with the most devoted exactitude, many of his contemporaries. His brush was far more precise than the camera lens because it knew how to depict the physical evidence reflected by the experiences of the soul. Bustos captured such feelings in the expression of the sitter's eyes, smile and gestures, without disregarding marks, wrinkles or defects; he knew he did not have the right to distort what he saw. He did not discriminate against the rich or the poor and portrayed them in their context, as in the case of his paintings of deceased children. He painted all who wished to pose, as well as those who commissioned a portrait by giving him a photograph and indicating the finished size. Such was the life of the maker of fruit ices in Purísima del Rincón, Guanajuato, dedicated to ices as well as portraits. Bustos died in 1907, one year after his wife, at the age of seventy-five.
Although the Bajío region was enjoying an agricultural and mining bonanza, the inhabitants of Purísima del Rincón were accustomed to saving. They did not waste money on the latest advances in photography; instead, they took advantage of having a talented portraitist among them, who did not work for free, yet charged very reasonably. This explanation accounts for the high number of portraits painted in the town. We do not know if the townspeople's interest was generated spontaneously, or if the results of the early portraits were an inspiration for them all.
One of Bustos' first portraits is that of Presbítero Vicente Arriaga, painted in 1850, when Bustos was barely eighteen years old. Starting then, we find a delicate treatment that transmits the live expression of the sitter. On observing this work, we are obligated to eliminate the adjective Bustos applied to himself—"aficionado" ("amateur")—given that his expressive talent is not that of an improviser. Over time, his paintings acquired greater firmness and perfection, as shown by pieces such as Doña Juanita Quezada, 1964, Luciano Barajas y su hijo Pedro, 1872, and Candelaria Melchor, 1887. In them we can verify great precision in the handling of the brush, which further refined their realism. In some cases, the weak treatment of anatomy is evident. A lack of knowledge about the body's proportions is reflected in the postures, which appear slightly stiff, especially through the neck and shoulders, and in the forced position of the hands.
Nineteenth-century portraits are part of genre painting since they transmit the clothing styles of the era. The women are adorned with pendants, necklaces, elaborate hairstyles, bows, lace and jackets, and the men with silk ties and dark vests. Also outstanding are the vestments of the priests. Hermenegildo Bustos was a concise narrator of the events of his town, and left in his work a chronicle of the times.
Bustos was commissioned to paint ex-votos to give thanks for the miracles and cures attributed to the Virgin

Los retratos del siglo XIX forman parte de la corriente costumbrista, ya que nos transmiten la usanza en el vestir de la época. Las mujeres ataviadas con pendientes, collares, peinados, moños, encajes y chaquetas, y los caballeros engalanados con corbatas de seda y chalecos obscuros. Destaca también la ropa de los sacerdotes de las iglesias. Fue Hermenegildo Bustos un narrador conciso de los sucesos de su pueblo; en su obra nos dejó la crónica de su época.

También le encargaban pintar exvotos que agradecieran los milagros y las curaciones que atribuían a la Virgen o a los distintos santos, dependiendo de su devoción o del día en que se llevó a cabo el beneficio. En ellos, como es costumbre, se relatan los acontecimientos, como el que se presenta a continuación: *Exvoto de María Eduarda González*, 1865: *"En el barrio de Ntra. Sra. de Guadalupe: a 5 de Julio de 1865. se enfermó Ma Eduardo Gonsalez de una hinchazón en la nuca: a los 22 días le rebentó y estando ya de alivio le cayó disipela en la cara la cabeza y en una espalda, y su madre Ma. Apolinar Maldonado biendola tan mala, se la encomendó a Sor de la columna que venera en esta Parroquia: prometiéndole una cabecita de cera y este retablo para aumento de su veneración"*. Otro, *Exvoto de Guadalupe Donato*, 1877, dice así: *"Verdadero Retrato de la Milagrosa Ymagn de María Santísima que iso con Guadalupe Donato abiéndose enfermado de una fuerte fiebre y su tia se la encomendo a Ma. Santísima que le mandara la Salud y le presentaría un retablo en el que da grasias año de 1877"*. Se transcribe fielmente el texto escrito por el artista, pudiéndonos dar cuenta de la cantidad de errores ortográficos que presentan. En aquellos días era difícil encontrar una alta escolaridad en la mayoría de los pueblos; tan sólo las personas de las ciudades gozaban de este privilegio.

Bustos pintó dos piezas únicas en su calidad y en su tema: *Bodegón con frutas*, 1874, y *Bodegón con frutas*, 1877. En ambas los elementos aparecen siguiendo una composición peculiar, bajo un ordenamiento hecho a base de renglones, simulando filas paralelas. En las dos obras se representan frutas más grandes: una sandía, una papaya y en el otro una piña, las cuales rompen el ritmo al abarcar más de dos renglones; el cambio abrupto no rompe la armonía ni el movimiento. En estas magníficas piezas el pintor se concentró en el realismo más que en el aspecto estético. Utilizó un fondo de un blanco muy neutro, como si se tratara de la ilustración de un manual de ciencias naturales. El preciosismo de las obras deriva de su impecable veracidad, la cual cautiva la vista, pues quizás nuestros propios ojos jamás habían llegado a mirar los detalles tan de cerca. Otras dos obras que merecen ser mencionadas en lo particular, pues nos revelan el carácter inquieto y observador de Bustos, son: *Los cometas*, 1894, y *Fenómeno*, 1883. La segunda corresponde a una lámina en la que pintó el fenómeno de una aurora roja sucedida en septiembre de 1883.

Dentro de su obra religiosa, se identifica el trabajo que realizó en un biombo de mesa de cuatro hojas, en donde pintó la imagen de La

HERMENEGILDO BUSTOS
DOÑA JUANITA QUEZADA, 1864
Oleo sobre tela, 41 x 29.5 cm.
Museo de la Alhóndiga de Granaditas, INAH

Inmaculada Concepción con azucenas, a San Juan Nepomuceno y un monograma de María con una corona rodeada de la iconografía sobre las alabanzas a la Virgen.

La mayoría de sus obras fue realizada en formato pequeño; sin embargo, uno de los retratos más grandes que ejecutó fue el del *Presbítero Ignacio Martínez,* en el año 1892. Es una pieza que mide 190 centímetros de alto por 89 de ancho, la cual se conserva con el marco original que el propio artista realizó. De esta época son los trabajos que Bustos desarrolló en la iglesia parroquial: *San Bernardo Abad y Fundador, San Ildefonso – Arzobispo de Toledo, Buenaventura – Obispo y Doctor,* y *San Alfonso María de Ligorio.* En ellos aparece su tan conocida leyenda: *"Los pintó Hermenegildo Bustos, aficionado natural de este pueblo".*

Mary or the saints, depending on individual devotion or the date of the miracle. As customary, the ex-votos give an account of the events, as follows: Ex-voto of María Eduarda González, 1865: "In the barrio of Our Lady of Guadalupe: on July 5, 1865, Maria Eduardo Gonsalez was afflicted by a swollen spot on the back of the neck: after 22 days, it burst, and once alleviated, it became dispersed on her face, head and back, and her mother, Maria Apolinar Maldonado, seeing her so ill, placed her in the charge of the Sister of the Column venerated in this Parish: promising her a small head of wax and this retablo to the increase of her veneration". Another, the Ex-voto of Guadalupe Donato, 1877, says: "True Portrait of the Miraculous Image of Most Holy Mary who cured Guadalupe Donato, ill from a high fever, and her aunt asked Most Holy Mary to send her Health, and that she would present her with a retablo giving thanks in the year of 1877." The text is transcribed to the letter by the artist, who does not correct the spelling errors in Spanish. At those times, a higher education, a privilege enjoyed only by city dwellers, was unlikely in most towns.
Bustos painted two pieces that are unique in terms of their quality and topic: Bodegón con frutas, 1847, and Bodegón con frutas, 1877. The elements of both paintings follow a peculiar composition based on lines simulating parallels. The large fruits included in the two still lifes—a watermelon, a papaya and in one, a pineapple—break the rhythm by occupying more than two lines, yet the abrupt change does not disturb either harmony or movement. In these magnificent pieces, Bustos concentrated on realism more than aesthetics. He used a very neutral white background, as if painting an illustration for a natural science manual. The preciosity of the work is derived from the impeccable veracity, which captivates the sight: our eyes may have never seen details so closely. Another two paintings deserving particular mention, given that they reveal Bustos' restless and observing character, are: Los cometas, 1894, and Fenómeno, 1883. The second is a metal sheet on which he painted a red dawn seen in September of 1883.
Bustos' religious work includes a four-piece screen with the painted images of the Immaculate Conception with lilies, Saint John Nepomuk and a monogram of Mary with a crown, surrounded by the iconography of the praise of the Virgin.
Most of Bustos' work was completed in a small format; one of his largest portraits was of Presbítero Ignacio Martínez, painted in 1892. The painting measures 1.90 meters high by 0.89 meters wide, and is found in the original frame created by the artist. It is contemporary to the work Bustos completed in the parish church: San Bernardo Abad y Fundador, San Ildefonso – Arzobispo de Toledo, Buenaventura – Obispo y Doctor, and San Alfonso María de Ligorio. On them appear the well-known legend: "Painted by Hermenegildo Bustos, an amateur native to this pueblo".

Saturnino Herrán
El quetzal, 1917
Oleo sobre tela, 65 x 45 cm.
Colección Museo de Aguascalientes, INBA

Saturnino Herrán

1887-1918

Sus obras reflejan que, además de conocer perfectamente la anatomía, conocía a profundidad el lenguaje del cuerpo. Herrán nos muestra en su obra tanto la belleza física como las cualidades del alma.

Lupina Lara Elizondo

El 9 de julio de 1887 doña Josefa Guinchard Medina daba a luz en la ciudad de Aguascalientes, su ciudad natal, a un varón, un hijo al que había anhelado durante los seis años que llevaba casada con don José Herrán Bolado. El niño se llamaría Saturnino.

Don José era originario de Fresnillo, Zacatecas, y por lo que se sabe, un hombre preparado y con grandes inquietudes, como lo demuestran las distintas actividades y cargos que desempeñó. Fue Tesorero del Estado, diputado local y más tarde diputado federal, maestro en el Liceo de Niñas, inventor de un combustible artificial, campeón de ajedrez, y además, entre tantas cosas, escritor de tres obras literarias. Una de estas últimas fue una obra teatral titulada *El qué dirán*. Resulta extraño que esta obra haya tratado sobre la vida de un joven pintor que vivía con su madre en la ciudad de México y que por mérito propio llegó a obtener una medalla de Primer Lugar en la Academia pues, curiosamente, eso mismo sucedería a su hijo dieciséis años después.

Saturnino no tuvo hermanos, aunque convivió muy de cerca con un vecino y compañero de escuela, Carlos Ortiz, a quien tras perder a sus padres en un accidente, doña Josefa llevó a vivir a su casa. Con él compartió Saturnino los dibujos que en ese tiempo hacía sobre las faenas taurinas de la Feria de San Marcos. A los catorce años, Saturnino estudió dibujo lineal y de ornato en el Instituto de Ciencias de Aguascalientes, en donde cursó el bachillerato. Entre sus amigos se encontraban Alberto J. Pani y Ramón López Velarde.

Para cumplir con su cargo como diputado federal, don José tenía que viajar constantemente a la ciudad de México. Una fría mañana del mes de enero de 1903, cuando esperaban su regreso, recibieron la trágica noticia de su muerte. Ninguno de los tres podía hacerse a la idea de lo que había sucedido hasta que, poco a poco, con los trámites y el ir y venir de documentos, se obligaron a aceptar la realidad. En unas cuantas semanas realizaron las gestiones necesarias para trasladarse a vivir a la capital. Llegaron a una ciudad tranquila, ya que entonces contaba con trescientos cincuenta mil habitantes. La pensión de don José y sus ahorros habían alcanzado solamente para cubrir los gastos de los pasajes, el envío de sus pertenencias y su acomodo en una casa modesta. La situación obligó a que los jóvenes buscaran trabajo. Saturnino encontró empleo en los almacenes de Telégrafos; sin embargo, sus aspiraciones artísticas continuaban inquietándolo. Lo único que

ON JULY 9, 1887, JOSEFA GUINCHARD MEDINA GAVE birth, in her native city of Aguascalientes, to the son she had anxiously awaited for the six years she had been married to José Herrán Bolado. The boy would be called Saturnino.

The boy's father, José, was from Fresnillo, Zacatecas, and is known to have been an educated man with many interests, as proven by his activities and positions. He was state treasurer, state congressman, federal congressman, a teacher at a girls' school, the inventor of an artificial fuel and a chess champion, in addition to the author of three literary works. One of his books, a play entitled El qué dirán, was about the life of a young painter who lived with his mother in Mexico City and won a first place medal at the Academia on his own merits; curiously, José's own son would have these same experiences sixteen years later. Saturnino had no brothers or sisters, although he lived very closely with a neighbor and schoolmate, Carlos Ortiz, who moved in with the Herrán family on Josefa's urging after losing his parents in an accident. Saturnino shared with Carlos the drawings he was doing of the bullfights at the Feria de San Marcos. At age fourteen, Saturnino studied linear and ornamental drawing at the Instituto de Ciencias de Aguascalientes, where he attended high school. His friends included Alberto J. Pani and Ramón López Velarde.

To fulfill his duties as federal congressman, José Herrán traveled constantly to Mexico City. One cold morning in the month of January, 1903, his family, expecting his return, received the tragic news of his death. They were in complete disbelief until gradually obligated, on making the arrangements and handling the paperwork, to accept the reality of their situation. In the space of a few weeks the family took the necessary steps to move to Mexico City. They found a peaceful city, at that time with a population of three hundred fifty thousand. José's pension and savings had covered no more than the price of their tickets, the shipping of their belongings and a modest dwelling. The circumstances forced the two young men to look for work. Saturnino found employment in the warehouses of the telegraph office, yet his artistic aspirations continued to haunt him. His only possibility was to enroll in night courses at the Escuela Nacional de Bellas Artes, known as "la Academia", which offered certain workshops and isolated courses in the evening. The following year, Saturnino had the opportunity to obtain a scholarship, and was able to enroll in regular courses to meet the requirements for a degree in visual arts. Some of his teachers were Leandro Izaguirre, Germán Gedovius and the maestro from Catalonia, Antonio Fabrés. Herrán was an outstanding student, and his work repeatedly received special mention.

Those who knew Saturnino describe him as a simple, cheerful and fun-loving man, although somewhat melancholic. Reluctant to leave his mother on her own, he refused a scholarship to perfect his studies in Europe. He was an assiduous reader and analyst of the European journals that reached Mexico. Through his reading, he stayed up-to-date on the changes that were occurring in painting in the Old World.

In 1907, a group of anthropologists was working tenaciously on the excavations of Teotihuacan. Not many were interested in such topics, since Mexican

pudo hacer fue inscribirse en los cursos nocturnos de la Escuela Nacional de Bellas Artes, conocida como "la Academia", en la que a estas horas se impartían algunos talleres y asignaturas aisladas. Al año siguiente tuvo la oportunidad de obtener una beca, con lo que logró inscribirse en los cursos regulares para cursar todas las cátedras y talleres de la carrera de Artes Plásticas. Entre sus maestros se encontraban Leandro Izaguirre, Germán Gedovius y el maestro catalán Antonio Fabrés. Herrán destacó como alumno y, en repetidas ocasiones, sus trabajos conquistaron menciones honoríficas.

Quienes lo conocieron, lo describen como un hombre sencillo, alegre y bromista, que guardaba en sus sentimientos cierta melancolía. Como no deseaba dejar sola a su madre, rechazó la beca que le fue otorgada para perfeccionar sus estudios en Europa. Era un asiduo lector y analista de las revistas europeas que llegaban a México. A través de ellas se mantuvo al tanto de los cambios que ocurrían en la pintura en el viejo continente.

En 1907 un grupo de antropólogos trabajaba tenazmente en las excavaciones de la zona de Teotihuacan. Tan sólo unos cuantos eran los interesados en esos temas, pues la sociedad porfiriana tenía sus ojos puestos en todo aquello que tuviera un aire europeo. Ese año Saturnino fue contratado para trabajar en la zona arqueológica, copiando los murales del Templo de la Agricultura, murales que se hubieran perdido irremisiblemente de no haber quedado registrados en dichos dibujos. La oportunidad de convivir de manera tan cercana con el material precolombino, dejó una profunda huella en sus conceptos plásticos y estéticos. El proyecto tuvo que suspenderse por el estallido de la Revolución; no obstante, la labor de los antropólogos culminó con el primer museo de sitio del país, edificado en la zona. Adicionalmente a los ingresos que recibió por sus dibujos, en 1908 tuvo la grata noticia de haber sido el ganador del concurso escolar en el que había participado con su obra *Labor*, y se enteró de que la Secretaría de Instrucción Pública y Bellas Artes había tomado la decisión de comprar su pintura en quinientos pesos, como un gesto para estimular a los estudiantes de pintura.

En 1909, siendo todavía alumno de la Academia, empezó a dar clases en esa institución. Unos meses más tarde se unió a la propuesta para formar una asociación civil, El Ateneo de la Juventud, mediante la cual y en vista del afrancesamiento que prevalecía en gran parte de las esferas sociales, los artistas, poetas e intelectuales buscaban crear una conciencia nacionalista. El año siguiente se conmemoraría el Centenario de la Independencia y, entre sus festejos, se convino en presentar una exposición de pintura española contemporánea. Para ello el gobierno aportó veinticinco mil pesos, así como la construcción de un pabellón especialmente diseñado para la ocasión, en la Avenida Juárez, frente al Hotel Regis. Cuando los alumnos de la Academia se enteraron de los preparativos para la exposición española, encabezados por Gerardo Murillo, el doctor Atl, solicitaron el apoyo del gobierno para una exposición de los pintores mexicanos. Como respuesta

society at the time of Porfirio Diaz had its gaze set on all that had a European air. That year, Saturnino was hired to work in the archaeological zone; his assignment was to copy the murals of the Temple of Agriculture—murals that would have been unforgivably lost if not recorded in his drawings. The opportunity to experience pre-Columbian artifacts so closely left a profound mark on Herrán's artistic and aesthetic concepts. Although the project was interrupted when the Revolution began, the anthropologists' work culminated in the first on-site museum in Mexico, built in the archaeological zone. In addition to earning money from his drawings, Herrán received 500 pesos by winning a scholastic contest with the painting entitled Labor, which the Ministry of Public Instruction and Fine Arts decided to purchase as a stimulus for students of painting.

In 1909, while still a student at the Academia, Herrán began to give classes in the institution. A few months later, he participated in a proposal to form the El Ateneo de la Juventud association, through which artists, poets and intellectuals would attempt to create nationalistic awareness to confront the prevailing French influence in a large part of Mexican society. The following year would mark the centennial of Mexican independence, and festivities were to include an exhibition of contemporary Spanish painting. The government had contributed twenty-five thousand pesos to the event, in addition to building a special pavilion on Avenida Juárez, across from the Hotel Regis. When the Academia students, led by Gerardo Murillo, Doctor Atl, learned of the preparations for the Spanish exhibition, they requested governmental support for exhibiting the work of painters from Mexico. In response to their request, they received the laughable amount of three thousand pesos, which was allotted among the sixty participating students. According to the account by José Clemente Orozco, the students selected the work themselves, and judged each piece by cheering or booing. Students also designed the exhibition, and hung the more than one hundred and twenty pieces in the classrooms, hallways and patios of the old Academia building. The participating artists included Francisco de la Torre, Jorge Enciso, Saturnino Herrán, Francisco Romano Guillemín, Joaquín Clausell, Alberto Garduño, Roberto Montenegro, Germán Gedovius and Ramos Martínez, among many others. Based on the dates recorded on Saturnino's paintings, it can be deduced that his possible entries were Vendedora de ollas, the two Panneau decorativo del trabajo, and the triptych, La leyenda de los volcanes. The Mexican exhibition was highly successful, and due to the heavy influx of visitors, was extended by ten days.

SATURNINO HERRÁN
TEHUANA, 1914
Oleo sobre tela, 150 x 75 cm.
Colección Museo de Aguascalientes, INBA

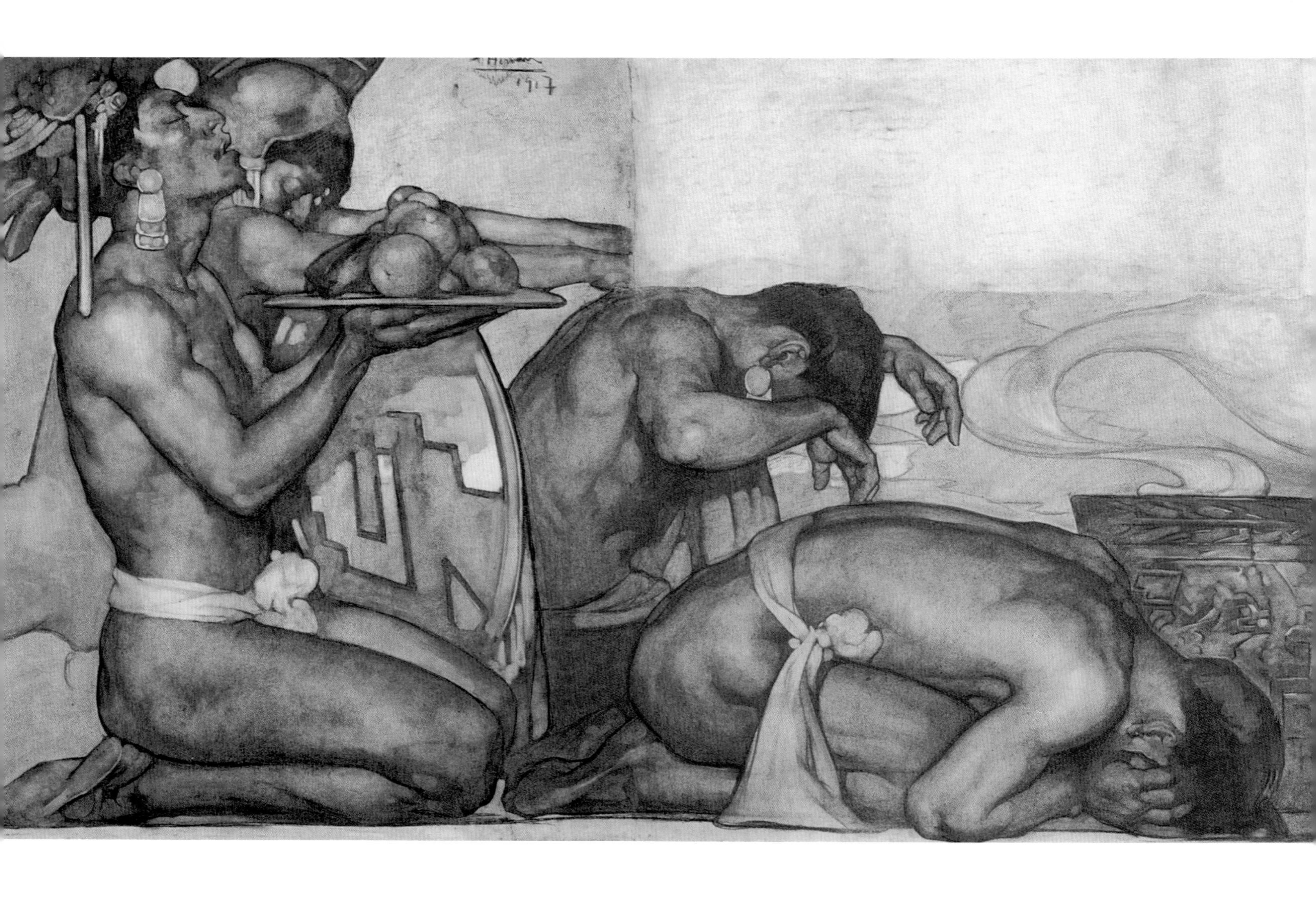

The work of the Spanish painters exhibited at the centennial celebration had a strong impact on Herrán. The most selective pieces were shown together in one of the building's halls: work by Benedito, Zuloaga, Sorolla, Villegas and Chicharro. Herrán identified deeply with their techniques, and especially with their style, which became known as synthetic realism. His work of the following years shows the marked influence of Sorolla and Zuloaga, in addition to an attempt to paint individuals within the complexity of their surroundings. The Spanish had depicted the daily life of their townspeople, while Herrán would paint the Mexican pueblo in Vendedor de plátanos, La india *and* El gallero. *To obtain models, he would send word to his neighbors, who would pose in his studio at Mesones #82.*

In spite of the country's agitation, Academia activities continued. Herrán was invited to give classes in imitative drawing, after having been named professor of chiaroscuro. In 1912, he met Rosario Arellano González Salas, the niece of General José González Salas, the Minister of War under President Madero, and would marry her two years later. Although the situation in the capital city was tense due to generalized resistance to the presidential usurper, Huerta, the first exhibition of Academia

a su petición, recibieron la irrisoria cantidad de tres mil pesos, misma que repartieron entre los sesenta alumnos participantes. La selección de la obra, según relata José Clemente Orozco, fue realizada por los mismos compañeros, quienes aclamaban o rechiflaban a cada obra para manifestar su decisión. La museografía quedó también a cargo de los alumnos, quienes colgaron las pinturas, más de ciento veinte piezas, en los salones, pasillos y patios del viejo edificio de la Academia. Entre los artistas que participaron estuvieron: Francisco de la Torre, Jorge Enciso, Saturnino Herrán, Francisco Romano Guillemín, Joaquín Clausell, Alberto Garduño, Roberto Montenegro, Germán Gedovius y Ramos Martínez, entre muchos más. Por las fechas registradas en las pinturas de Saturnino, se deduce que pudieron haber participado en esta exposición: *Vendedora de ollas*, los dos *Panneau decorativo del trabajo*, y el tríptico *La leyenda de los volcanes*. La exposición mexicana tuvo gran éxito, y por la enorme afluencia de visitantes, se extendió diez días.

Las obras de los pintores españoles exhibidas en los festejos del Centenario causaron un fuerte impacto en Herrán. Las obras más selectas de la exposición se hallaban reunidas en uno de los salones del edificio; en él colgaban obras de Benedito, Zuloaga, Sorolla, Villegas y Chicharro. Herrán

Saturnino Herrán
Nuestros Dioses, 1917
Dibujo preparatorio para el tablero izquierdo
176 x 532 cm. Colección Particular

se identificó profundamente con sus técnicas, y sobre todo con el estilo, que llegó a conocerse como realismo sintético. En las obras que el artista mexicano realizó durante los años siguientes se advierte una marcada influencia de los trabajos de Sorolla y Zuloaga y el propósito de pintar a los personajes con toda la profundidad que los envolvía. Los españoles habían dejado plasmadas en sus lienzos a personas de la vida cotidiana de sus pueblos; por su parte, Herrán pintaría al pueblo mexicano en *Vendedor de plátanos, La india* y *El gallero*. Para obtener modelos, mandaba llamar a sus vecinos, que posaban para él en su estudio, en el número 82 de la calle de Mesones.

A pesar de la agitación que se había despertado en el país, las actividades en la Academia seguían adelante y se le invitó a impartir la cátedra de dibujo de imitación, habiendo sido nombrado más adelante como profesor de claroscuro. En 1912 conoció a Rosario Arellano González Salas, sobrina del general José González Salas, Ministro de Guerra del presidente Madero, con quien se casaría dos años después. Aunque la situación en la capital era inquietante, pues la lucha en contra del usurpador Huerta era generalizada, en 1914 nuevamente se organizó la exposición de los alumnos de la Academia, en la que Saturnino recibió el Premio de Pintura. Por esos días la pareja contrajo matrimonio en la

students was organized in 1914, and Saturnino won the painting prize. The contest coincided with the couple's marriage in the church of San Miguel. From that time on, Rosario would pose for Saturnino's painting; the pieces most known are Tehuana and La dama del mantón.
Under the occupation of Carranza's forces, Mexico City residents suffered from a persistent atmosphere of insecurity and anguish. Doctor Atl was named the supervisor of the Academia, and was responsible for continuing work on the Teatro Nacional, now the Palacio de Bellas Artes. He immediately issued a call for artists to decorate the building. Herrán responded with a project for the frieze, entitled Nuestros Dioses, 1915. In this work, the most important of his career, Herrán presented an extraordinary allegory of Mexican culture, shown through the fusion of two races, two cultures and two religions.

By 1915, unemployment, scarcities and disease had overtaken the capital. Many of Herrán's fellow painters had left for Europe, and some had decided to move to Orizaba to support Carranza's propaganda efforts. Saturnino remained in the city. He was not meant for fighting, and worked determinedly in his workshop, forced to overcome tremendous obstacles for economic survival. He did graphic work for the Porrúa booksellers, and continued working on the Nuestros Dioses frieze project, which was officially suspended. In late October, the Constitutionalist forces regained power and calm returned to the city. During that time, Rosario slipped and fell while carrying their son, José, and lost their unborn daughter.
The year of 1915 was extremely difficult for the Herrán family, but 1916 seemed to open with encouraging news, including plans by the Ministry of Public Instruction and Fine Arts to organize an exhibition of Mexican artists in New York. Saturnino was still employed as a drawing teacher at the Academia, and was able during the year to continue working on several pieces, such as La criolla del mango, La noche and Desnudo de vieja. He also devoted time to working on the drawings for the frieze, and would take advantage of his friends' visits to use them as models. He made these drawings of a natural size, in charcoal, and did other preparatory work to resolve all of the mural's details ahead of time.
In June of 1917, Herrán's mother died, affecting his mood considerably. His output at this time included El cofrade de San Miguel and El quetzal.
Saturnino's efforts in those years seemed to evidence his premonition of extinguishing time. In spite of his deteriorating health, he continued painting with true enthusiasm on the definitive canvases of Nuestros Dioses. He did not complete the three panels in natural size, but was able to conclude the three sketches, finely drawn and colored with water colors. The first, and almost finished canvas was of the native offering; only the figure on the far right was lacking. Saturnino died in October of 1918, at age thirty-one. A few hours before his death he asked his wife for paper and pencils, and drew a pre-Hispanic figurine she had given him.
A few weeks later, the rector of Universidad Nacional de México, José N. Macías, ordered an exhibition at the Casa de los Azulejos in memory of Herrán's great talent. While alive, Herrán had not accepted an individual showing of his work, out of modesty. On this occasion, most of his work was gathered together. On Sunday, November 24, the exhibition was opened by the rector, along with Alberto J. Pani, Herran's friend since childhood.
Saturnino Herrán was unusual in his complete involvement with his paintings—the explanation for the sentiment he portrayed with his firm brushstrokes. He was not indifferent to his fellow men, but found it natural to comprehend their passions and aspirations, their weaknesses and shortcomings. The experiences of individuals, imprinted in their physical traits, and the personality reflected in their body postures and the positions of their hands and fingers give us a view of Saturnino's identification with the most intimate aspects of human beings. His work shows his

iglesia de San Miguel. A partir de entonces, Rosario posaría para él en diferentes cuadros, entre los que resaltan el de *Tehuana* y *La dama del mantón.*

Posteriormente, la ciudad de México vivió la ocupación de los carrancistas, durante la cual persistió el ambiente de inseguridad y zozobra. En ese tiempo, el doctor Atl fue nombrado interventor de la Academia, habiéndosele encomendado también continuar con los trabajos del Teatro Nacional, ahora Palacio de Bellas Artes. De inmediato reunió a los artistas para encargarles los trabajos para el decorado del recinto. Herrán respondió a esta convocatoria con un proyecto para el friso, titulado *Nuestros Dioses,* 1915, que fue su obra más importante. En esta obra realizó una extraordinaria alegoría sobre la cultura mexicana, representada mediante la fusión de dos razas, dos culturas y dos religiones.

En 1915 el desempleo, la escasez de alimentos y las enfermedades se habían apoderado de la capital. Muchos de sus compañeros pintores hacía tiempo que se habían marchado a Europa y algunos más habían decidido trasladarse a Orizaba para apoyar la propaganda de Carranza. Saturnino permaneció en la ciudad, pues él no estaba hecho para la lucha; en su taller trabajaba arduamente, venciendo grandes obstáculos a fin de obtener dinero para sobrevivir. En ese momento realizó trabajos gráficos para la casa Porrúa, y aunque el proyecto para el friso de *Nuestros Dioses* se encontraba detenido, continuaba trabajando en él. A fines de octubre, los constitucionalistas recuperaron el poder y la calma regresó a la ciudad. Uno de aquellos días, Rosario traía en brazos a su hijo José, y sin saber cómo, tropezó, sufriendo un fuerte golpe con el que perdió a la hija que esperaban.

El año anterior había sido sumamente difícil para la familia Herrán, pero parecía que 1916 iniciaba con expectativas alentadoras; entre ellas estaba que la Secretaría de Instrucción Pública y Bellas Artes había iniciado los planes para una exposición de artistas mexicanos en Nueva York. Saturnino seguía impartiendo su cátedra de dibujo en la Academia y durante el año pudo continuar con su producción plástica trabajando en distintas obras, como *La criolla del mango, La noche* y *Desnudo de vieja.* También se daba tiempo para avanzar sobre los dibujos del friso, y cuando sus amigos acudían a visitarlo aprovechaba su presencia para tomarlos como modelos. Realizó estos dibujos al carbón, al tamaño natural, y otras pruebas las dibujó a detalle, a fin de prepararse por completo y resolver por anticipado cualquier detalle del mural.

En junio de 1917 falleció su madre, lo que afectó su estado de ánimo en forma considerable. En esos días pintó *El cofrade de San Miguel* y *El quetzal.*

Fue tal el esfuerzo que realizó Saturnino en esos años, que parece que advirtiera que el tiempo se le iba acabando. Su salud mostraba cierto deterioro y no obstante seguía pintando, realmente entusiasmado con los lienzos definitivos de *Nuestros Dioses.* Saturnino no concluyó los tres tableros en tamaño natural, pero dejó terminados los tres bocetos, finamente dibujados y coloreados con acuarelas. El primero que realizó y que casi dejó concluido fue el de la ofrenda indígena, al que sólo faltó la figura del extremo derecho. Saturnino falleció en octubre de 1918, a la edad de treinta y un años. Unas horas antes pidió a su esposa papel y lápices, con los que dibujó una cabecilla prehispánica que ella le había llevado.

Unas semanas después, el rector de la Universidad Nacional de México, José N. Macías, dispuso que se organizara en los salones de la Casa de los Azulejos una exposición en homenaje a este gran talento, cuya modestia fue tanta que nunca aceptó realizar una exposición individual de su obra. En esta ocasión se logró reunir la mayoría de sus trabajos. El domingo 24 de noviembre la inauguró el propio rector, junto con Alberto J. Pani, su amigo desde la infancia.

Como pocos, Herrán se compenetró con sus cuadros y vivió de cerca a cada uno de ellos; de esta manera nos explicamos el sentimiento que dejó impregnado en sus firmes pinceladas. Sus semejantes no le fueron indiferentes. Le era natural comprenderlos en sus pasiones y aspiraciones, en sus debilidades y carencias. Las experiencias vividas por los personajes –impresas en sus rasgos físicos– y el carácter reflejado en actitudes –la postura del cuerpo y la posición de las manos y de los dedos– nos permiten ver su identificación con lo que le es íntimo al ser humano. Sus obras reflejan que, además de conocer perfectamente la anatomía, conocía a profundidad el lenguaje del cuerpo. Herrán nos muestra en su obra tanto la belleza física como las cualidades del alma. A través de sus pinceles, un cuerpo viejo y decrépito se ennoblecía por el ánimo del espíritu que él sabía captar. En poco tiempo se adentró a la vida, y también, por una razón extraña, en plena juventud comprendió la muerte. Disfrutó de sus circunstancias, haciendo con ellas su propia vida, y vivió con gran plenitud. Muchos de sus cuadros son un canto de intimidad en el que revela la cercanía con sus personajes. Fue maestro de su propio lenguaje, y en sus trabajos experimentamos una comunión con la esencia de lo que nos es propio como mexicanos: nuestra identidad reflejada en paisajes, cúpulas, vestuarios, bailes y, sobre todo, en esa raza india a la que pintó llena de honra y dignidad. Su obra, que ya había adquirido madurez y firmeza, nos invita a visualizar lo que podría haber dejado en sus telas de no haber abandonado el camino a tan corta edad.

La mayor parte de su producción artística se encuentra en importantes museos, como el Museo Nacional de Arte, y el Museo de Aguascalientes conserva cerca de setenta obras suyas.

Saturnino Herrán
La criolla del mango, 1916
Oleo sobre tela, 79.5 x 70 cm.
Colección Museo de Aguascalientes, INBA

profound knowledge of body language, in addition to anatomy. Herrán revealed physical beauty as well as the qualities of the soul. His brushes knew how to ennoble an old and decrepit body with the joy of the spirit. Saturnino penetrated life at an early age, and came to understand death while still young. He lived his life fully. Many of his paintings are a song of intimacy that disclose his closeness to other people. Herrán was a maestro of his own idiom, and through his work we experience a communion with the essence of being Mexican: our identity reflected in landscapes, cupolas, costumes, dances, and especially in the Indian race that he painted with honor and dignity. Herrán's production, on acquiring maturity and firmness, invites us to visualize what he could have left on the canvas had his time not been cut short. Most of Saturnino Herrán's artistic output is found in well-known museums, such as the Museo Nacional de Arte, with close to seventy of his pieces in the Museo de Aguascalientes.

Agustín Castro
Las dos Venus, 1995
Acrílico y óleo sobre tela, 200 x 170 cm.
Colección Particular

Agustín Castro

De lo heredado y de lo vivido

Castro nos somete a sus propias sinfonías, en las que hay ritmos, espacios, trazos sonoros y pinceladas quietas, colores suaves y sombras inquietantes, que en conjunto exclaman y gritan preguntas al aire, en busca de razones.

Lupina Lara Elizondo

Agustín Castro López nació en la ciudad de México en 1958. Su padre, también de nombre Agustín Castro, fue un aspirante a las artes plásticas, y de hecho asistió a la Academia de San Carlos en aquellos días en que eran estudiantes los que más tarde llegarían a ser artistas destacados. Asistió a las clases de Diego Rivera y cursó las asignaturas académicas; sin embargo, no ejerció el oficio como un modo de vida sino simplemente como una afición. Su padre mantuvo una entrañable amistad con el pintor Guillermo Meza. Y refiriéndose a él, Agustín comenta: "*Mi padre tenía una verdadera vocación artística, y yo lo considero como un pintor de gran talento. Aún recuerdo su estudio en la casa. Mi primer asombro ante la pintura fueron sus cuadros, y realmente fue él mi primer maestro*". Recuerda Agustín que de chico acostumbraba acompañar a su padre y a sus amigos a "paisajear". Acudían a las lomas que estaban en lo que ahora es Ciudad Satélite, que entonces se encontraba en las afueras de la ciudad de México. En aquellos días todavía existían las ruinas de algunas haciendas y se apreciaban bosques integrados a esta gran urbe. "*Yo tenía como cuatro años, y a esa edad uno se distrae mucho. Así que trabajaba con ellos un rato, hasta que la inquietud me impulsaba a jugar con piedras o a correr de un lado para otro*". Agustín salía con la ilusión de pintar, ya que desde entonces le gustaba hacerlo.

En la escuela le motivaba que los maestros le solicitaran realizar dibujos en el pizarrón: "A ver tú, Castro, que dibujas tan bien, píntanos un mapa". Era como un reconocimiento a su habilidad, que motivaba aún más su interés. El gozo por pintar fue creciendo hasta que se convirtió en una necesidad. "*Por eso empecé a pintar mis pequeños cuadros. Y en alguna ocasión llegué a tomarle sus materiales, óleos y pequeñas telas a mi padre. El se enojaba mucho, hasta que un día en que me sorprendió metiendo mano en su estudio, me dijo: –Bueno, vamos a compartir el material–. Con ello me abrió la puerta, y de alguna forma me sentí su colega*". Agustín empezó a pintar al óleo desde los nueve años, y a los doce intentó vender sus primeros trabajos entre sus amigos y conocidos. No le iba mal en las ventas, y con el dinero que obtenía compraba materiales, pero también lo destinaba a cosas personales. Recuerda que con ello se compró su primera bicicleta.

Agustín también recuerda su temprana decisión por el arte: "*Me gustaba ver los libros de mi papá. Me pasaba horas ojeándolos. En ellos descubrí el muralismo. Realmente me impactaron*

Agustín Castro
Los dos, 1996
Acrílico y óleo sobre tela, 200 x 100 cm.
Colección Particular

Agustín Castro López was born in Mexico City in 1958. His father, also called Agustín, aspired to be an artist, and had attended the Academia de San Carlos along with many who would become well-known in the arts. He had gone to classes taught by Diego Rivera and had taken the academic courses, yet painted simply as a hobby. He maintained a close friendship with the painter, Guillermo Meza. Agustín comments: "My father had the true vocation of an artist, and I consider him a very talented painter. I still remember his studio at home. I first marveled at painting because of his work, and he was really my first teacher." Agustín remembers "going landscaping" with his father and his father's friends outside of Mexico City, to hills now part of Ciudad Satélite. At that time, the development still had ruins from haciendas, as well as wooded areas. "I was about four years old, and at that age, you get very distracted. I would work with them for a while, until restlessness would make me start to play with stones or run from one place to another." Although young, Agustín enjoyed painting, and dreamed of being a painter.

At school, Agustín liked making drawings on the blackboard for the teachers: "Let's see. You, Castro, you draw well. Draw us a map." He was motivated by the recognition of his skills. His pleasure in painting became a necessity. "That is why I began to do small paintings. Sometimes I even took materials, oils and small canvases from my father. He would get angry, until one day he caught me taking things from his studio, and said, 'Well, let's share supplies.' That is how he opened the door for me, and somehow I felt like his colleague." Agustín began to paint with oils at age nine, and at age twelve attempted to sell his work to his friends and acquaintances. He was successful, and used the proceeds to buy painting supplies, as well as personal items. He recalls having bought his first bicycle with the money from his painting sales.

Agustín also remembers his early commitment to art: "I liked looking at my father's books. I would spend hours studying them. That is where I discovered muralism. The muralists really impressed me, and Siqueiros most of all. I remember that I would tell my father I was going to be a painter, but I would also tell him I was going to be a muralist. At that age they did not take me very seriously. They did not believe it was my true vocation." Agustín continued painting, and became more focused on art when he entered high school. He was fortunate that his school offered a fine arts workshop. "I lived there. I was there not only for the art class: I took time from other subjects to continue working." He was

mucho los muralistas, creo que el que más, Siqueiros. Recuerdo que le decía a mi padre que iba a ser pintor, pero también le decía que iba a ser muralista. A esa edad no me lo tomaron muy en serio. No creían que era mi verdadera vocación". Siguió pintando; sin embargo, hasta que entró a la preparatoria tomó la pintura con mayor seriedad. Y tuvo la suerte de que su escuela contara con un taller de artes plásticas. *"Me la vivía allí, pues no nada más estaba durante la hora de la clase, sino que me tomaba el tiempo de otras materias para seguir trabajando".* En ese lugar Agustín tuvo la fortuna de tener como maestro al profesor Alvaro Canales Pineda, quien era un muralista de origen hondureño, así que bajo sus indicaciones estudió con empeño.

Al terminar la preparatoria, siguió pintando. Más tarde contrajo matrimonio, y con ello tuvo la necesidad de buscar la forma de vivir de la pintura. Sus primeros trabajos fueron paisajes y naturalezas muertas, pues se veía en la necesidad de hacer una pintura de carácter decorativo que pudiera vender con facilidad. Sabía que tenía que perfeccionar su técnica, así que buscó la manera de ingresar a la Escuela Nacional de Pintura, Escultura y Grabado "La Esmeralda". Allí estudió de 1980 a 1985. *"Los dos primeros años fueron la base de la formación, durante los cuales uno reafirma la vocación. Luego se tiene el contacto con lo que es la academia propiamente, lo que son las partes elementales, como el dibujo, la composición, las materias teóricas, la historia del arte y las charlas con los*

also lucky to have had Alvaro Canales Pineda, a muralist from Honduras, as a teacher, and studied under him with dedication.
After finishing high school, Agustín continued to paint. He married, and was forced to find a livelihood. His early work included landscapes and still lifes of a decorative nature that could be easily sold. Knowing that he needed to perfect his technique, Agustín enrolled in the Escuela Nacional de Pintura, Escultura y Grabado "La Esmeralda". He studied at the school from 1980 to 1985. "The first two years form the basis of your training. That is when you reaffirm your calling. Then you come into contact with the academy per se, the basics, like drawing, composition, theory, history of art and conversations with the teachers. All this creates a very wide panorama. You see what is related to painting, and you begin to recognize that you have to grow to be able to decide what you want to do with painting. That sort of reflection helped me a lot." While Agustín comments

AGUSTÍN CASTRO
ENSAYO PARA PINTURA EN TRES MOVIMIENTOS, 1991
Acrílico y óleo sobre loneta, 200 x 100 cm. c/u
Colección Particular

on these memories, the expression on his face reflects the enjoyment of his student years, of the feeling of discovery. He mentions Octavio Gil Villegas and Maestro Anzures as the teachers who most influenced him. In reference to Anzures, Agustín expresses: "He was an extraordinary teacher. Because of the way he gave classes, because of his clear and precise words to guide our drawing, because of his own work, and especially because of the pleasure he transmitted to us. He was a student of Maestro Aceves Navarro, whose teaching formed great painters at La Esmeralda."

On finishing his studies, Agustín looked for the way to reflect his personal concerns in his painting. He began to set aside landscapes and still lifes, although aware of the risk to his income. All Agustín wanted was to paint and show his work. He knew that school had provided him with the bases for being a free painter, a painter unlimited in expressing himself. So why not use such a foundation to the utmost?

With great confidence and a sufficient amount of completed work, Agustín began to participate in the events promoted by the Instituto Nacional de Bellas Artes and FONCA, Fondo Nacional para la Cultura y las Artes. Both institutions offered opportunities for exhibiting young art, where Agustín hoped to get his start as an artist. From 1985 to 1988, he showed his work in various collective exhibitions: Salón Nacional de Artes Plásticas, Cinco Años de lucha por la alimentación en México, CONASUPO, and VI, VII y VIII Encuentro Nacional de Arte Joven in the Galería del Auditorio Nacional. In 1988, he participated in Tiempos de la Post-Modernidad at Mexico City's Museo de Arte Moderno. In 1989, Agustín held his first solo exhibition, Poligamia, at the Polyforum Cultural Siqueiros. Since then, his work has participated in more than eighty collective exhibitions in Mexico, the United States, Chile, Ecuador, the Dominican Republic, Japan, Switzerland, France, Russia and Great Britain, and in more than fifteen individual exhibitions in various galleries and museums in Mexico and the United States.

Agustín's aspirations as a muralist have materialized through two ephemeral murals in Los Angeles and at the Universidad de la Concepción in Chile, as well as the Diorama mural at the Museo de Historia Nacional in Puebla, and a mural painting for the Colegio de Bachilleres, Plantel I, El Rosario, in Mexico City. In 1991, Agustín won a scholarship granted by the Fondo Nacional para la Cultura y las Artes to young artists. In 1992, he earned honorable mention at the VI Bienal de Pintura Rufino Tamayo at the Museo Rufino Tamayo in Mexico City, in addition to other prizes.

Agustín Castro's early work allowed him to affirm his brushstroke. Throughout his career, his painting has advanced parallel to the definition of his pictorial personality. His work has become more forceful and certain in its intent. Castro has shared with us his admiration for the classic Flemish and Spanish painting reflected in his work—admiration that has inspired him to paraphrase the works of the great masters, such as Velázquez and El Greco. In Cruzando el puente a vapor, Castro associated

maestros. Todo esto va creando un panorama muy amplio. Uno va observando otras formas aleatorias a la pintura, y también se empieza a reconocer que se debe crecer más para llegar a dilucidar qué quiere hacer uno con la pintura. Esta reflexión me ayudó mucho". Mientras Agustín comenta estos recuerdos, la expresión de su rostro refleja el gozo de esos años de estudiante, cuando uno siente que está descubriendo el mundo. De los maestros que dejaron huella en él, menciona a Octavio Gil Villegas y al maestro Anzures. Y refiriéndose a este último, expresa: *"El fue un maestro extraordinario. En su manera de dar clases, en sus palabras claras y precisas al orientarnos en el dibujo, en su propio ejercicio, y sobre todo en el placer que nos transmitió por todo esto. El fue discípulo del maestro Aceves Navarro, cuyas enseñanzas formaron a grandes maestros en La Esmeralda".*

Al salir de la escuela, Agustín buscó la manera de traducir y reflejar en su pintura sus inquietudes personales. De esta manera fue dejando de lado los paisajes y las naturalezas. Existía en él cierto temor, no respecto a la manera de hacerlo, pero sí en el riesgo de que esto se aceptara y pudiera venderlo, pues en ello se basaba su sustento. Pero lo único que deseaba era pintar y dar a conocer su trabajo. Agustín sabía que la escuela le había dado bases que lo hacían un pintor libre, un pintor que no sentía limitantes para expresarse, así que ¿por qué no emplearlas a fondo?

Con suficientes obras y la confianza en alto, en esos años se dedicó a dar seguimiento a los eventos que promovían el Instituto Nacional de Bellas Artes y el FONCA, Fondo Nacional para la Cultura y las Artes. Ellos ofrecían eventos y espacios en donde podía exhibirse el arte joven. Agustín buscó exponer en esas salas para abrirse camino. Entre 1985 y 1988 participó en diferentes exposiciones colectivas: en el *Salón Nacional de Artes Plásticas,* en *Cinco años de lucha por la alimentación en México, CONASUPO,* y en los *VI, VII y VIII Encuentro Nacional de Arte Joven,* en la Galería del Auditorio Nacional. Ese último año también participó en *Tiempos de la Post-Modernidad,* en el Museo de Arte Moderno de la ciudad de México. En 1989 realizó su primera exposición individual, *Poligamia,* en el Polyforum Cultural Siqueiros. Desde entonces su obra ha participado en más de ochenta exposiciones colectivas en México, los Estados Unidos, Chile, Ecuador, República Dominicana, Japón, Suiza, Francia, Rusia y la Gran Bretaña, y en los últimos diez años ha realizado más de quince exposiciones individuales en diferentes galerías y museos de México y de los Estados Unidos.

Sus aspiraciones como muralista se han materializado a través de dos murales efímeros, realizados en el Municipio de los Angeles y en la Universidad de la Concepción, en la República de Chile, así como en el mural *Diorama,* en el Museo de Historia Nacional de la ciudad de Puebla, y en una pintura mural para el Colegio de Bachilleres, Plantel I, El Rosario, en la ciudad de México. En 1991 obtuvo en la ciudad de México la beca que otorga el Fondo Nacional para la Cultura y las Artes a favor de los

AGUSTÍN CASTRO
CRUZANDO A VAPOR, 1996
Acrílico y óleo sobre tela, 140 x 160 cm.
Colección Particular

jóvenes creadores. En 1992 obtuvo una Mención Honorífica en la *VI Bienal de Pintura Rufino Tamayo*, en el Museo Rufino Tamayo de la ciudad de México, entre otros premios y reconocimientos.

Sus trabajos tempranos le permitieron afirmar su trazo y dar a su pincel mayor soltura. Así, a lo largo de su carrera hemos podido constatar que conforme su pintura fue avanzando, de manera paralela se fue definiendo su propia personalidad pictórica. Sus trazos fueron tomando fuerza y una intención más certera. Por otro lado, Castro nos hace partícipes de su admiración por la pintura clásica, flamenca y española, la cual se hace patente en sus trabajos. Esta admiración lo invita a hacer paráfrasis (interpretaciones propias) de las obras de los grandes pintores, como es el caso de Velázquez y El Greco. Así lo muestra la pintura *Cruzando el puente a vapor*, en donde relaciona a un personaje de Velázquez con la obra *Puente curvo del Ferrocarril Mexicano en la cañada de Metlac*, de Velasco. Otra

a person painted by Velázquez with Velasco's Puente curvo del Ferrocarril Mexicano en la cañada de Metlac. Another surprising painting is La noche de los mayas, named in honor of the orchestral piece by Silvestre Revueltas, in which Castro links the frescos of Bonampak with El Greco's impressive El entierro del Conde de Orgaz.
In his self-portrait entitled Los dos, 1996, Castro depicted his own image along with the silhouette of his father, as homage to his teacher, colleague and friend. In Persi-visión III, 1992, Castro attempted to make a statement on the Gulf War of 1991 by alluding to the simultaneity of the media and to the way

Agustín Castro
Persi-visión III, 1992
Acrílico y óleo sobre tela, 140 x 180 cm.
Colección Particular

pieza sorprendente es *La noche de los mayas*, en la que el título hace honor a la pieza orquestal de Silvestre Revueltas, y en ella Castro relaciona los frescos de Bonampak con el impresionante cuadro de El Greco *El entierro del Conde de Orgaz*.

En su autorretrato titulado *Los dos*, 1996, ha dejado plasmada su imagen, pero a un lado se vislumbra una silueta que es la de su padre, como un homenaje a su maestro, colega y amigo. En la obra *Persi-visión III*, 1992, Castro buscó hacer un planteamiento sobre la Guerra del Golfo en 1991, aludiendo a la simultaneidad que logran los medios de comunicación, y de cómo esas imágenes en donde se están muriendo personas reales han motivado juegos virtuales para niños. Es sin duda una obra recargada de ideas, de todas esas interrogantes que deja la guerra en el espíritu humano.

En el caso de Agustín Castro López se advierte la fuerza de lo heredado y de lo vivido, a veces como un agobio de lo inexplicable, y en otras como la reflexión que conduce al encuentro de su propia verdad. Su obra se manifiesta con intensidad, como una catarsis de sentimientos que buscan ser liberados. Lo que asombra en su trabajo es el equilibrado sustento que la técnica brinda a la fuerza expresiva. Cuando el oficio es contundente, las ideas logran sostenerse. Y es que Castro le exige a su pincelada que hable; le exige a su dibujo que esboce la imagen exacta de sus personajes, y al color le pide que manifieste la atmósfera correcta, la que corresponde a la narrativa del momento. Después de ello, para nosotros, espectadores de su obra, se plantea la pregunta: ¿Qué hacer ante estos trazos, ante estos personajes, ante estas atmósferas? Unicamente permanecer atentos, serenos, y con el espíritu dispuesto.

Y es que ante su obra, el que la mira, llega a escuchar el sentir de las imágenes. Y de pronto, se siente como si se estuviera ante esa fuerza malheriana que quiere decirlo todo, que desea vaciarse en sentimiento a través de notas y acordes. Castro nos somete a sus propias sinfonías, en las

true images of death have inspired video games for children. The painting is filled with ideas, as well as the questions imprinted by war on the human spirit.
The work of Agustín Castro López makes evident the force of inheritance and experience, at times with the frustration of the inexplicable, and at other times with the reflection that leads to truth. His work is intense, a catharsis of feelings, and attracts attention through the balanced support of expression by technique. When skill is conclusive, ideas are sustained. And Castro requires his brushstroke to speak; he asks for his drawing to present the exact image of his personages, and for color to make manifest the correct atmosphere of the moment. We viewers are presented with a question: What should be done with these lines, these people, these settings? We must simply remain attentive, serene and willing.
In the presence of Castro's work, viewers are able to hear the images, as if confronted by a force desiring to say all, to express all sentiment through notes and chords. Castro introduces us to his symphonies of rhythm, space, sonorous lines, quiet strokes, soft colors and disquieting shadows, which jointly exclaim and shout questions to the wind. Only the senses and

que hay ritmos, espacios, trazos sonoros y pinceladas quietas, colores suaves y sombras inquietantes, que en conjunto exclaman y gritan preguntas al aire, en busca de razones. A través de los sentidos y del espíritu es la única manera en que se puede convivir con estos personajes, como el que surge de una borrasca de colores por encima de los rascacielos en el cuadro *Pantalla de la abundancia*, 1994, o con aquel que emerge en agonía y éxtasis en el cuadro *Las dos Venus*, 1995.

En su trabajo cotidiano, Agustín disfruta de esa libertad que brinda el conocimiento pleno del oficio. Sin embargo, sus retos surgen al exigirse a sí mismo una pintura fresca, que no caiga en lo trillado; que como en la literatura siempre se ofrezca una nueva historia, una nueva propuesta. *"Para mí, pintar es como comer, como dormir. Es una actividad vital, que me lleva a entenderme y a entender la vida. [...] Al pintar me ha sucedido que empiezo por apasionarme con una idea que quiero plasmar, y acabo apasionado por la pintura misma".*

Agustín es un artista con un caudal de inspiración, porque es un hombre de inquietudes filosóficas. Pero la madurez que se va adquiriendo con el tiempo invita a una reflexión más precisa, más profunda, más serena, y esto se ha empezado a reflejar en algunos de sus recientes cuadros. *"He encontrado que la figura habla, pero también lo hace la textura. Por eso creo que mi obra se ha vuelto menos barroca"*. Su pincel y su talento han tocado la veta básica de la mina de un mineral inagotable que es su propia creatividad, y al igual que él calificó a su padre de virtuoso, el hijo heredó su don para la pintura.

the spirit are capable of interacting with these personages: examples are the figure that emerges from a storm of colors above a skyscraper in Pantalla de la abundancia, 1994, and the figure of agony and ecstasy in Las dos Venus, 1995.

In his daily work, Agustín enjoys the freedom provided by the complete knowledge of craft. His goal is to paint with freshness, and as in literature, to offer a new story, a new proposal. "For me, painting is like eating, like sleeping. It is a vital activity and makes me understand myself and understand life. [...] When I paint I have been excited by an idea that I want to portray, and have ended up excited by painting itself."

Agustín Castro is an artist who is flooded by inspiration, a man of philosophical concerns. Maturity has invited him to make reflections that are more precise, more profound and more serene, as proven by his recent work. "I have found that figures talk, but so does texture. That is why I believe my work has become less baroque." Castro's brush and his talent have touched the mother lode of the inexhaustible mineral of his creativity. Just as the son has called his father a virtuoso, he has inherited the father's talent for painting.

Agustín Castro
La noche de los mayas, 2001
Acrílico y óleo sobre tela, 140 x 200 cm.
Colección Particular

Roberto Cortázar
Cuatro semanas y cinco figuras
posando en el estudio, 2002
Oleo, carbón, grafito, pigmento, polímero,
resina, cera y gesso sobre tabla, 173 x 184 cm.
Colección Particular

Roberto Cortázar

Incursión en lo inexplorado

La capacidad expresiva que contiene la obra de Cortázar invita a la meditación. Roberto, como buen conceptualista, habla de la pintura en términos de lenguaje y, por lo tanto, se refiere con frecuencia a sus contenidos.

Lupina Lara Elizondo

Roberto Cortázar nació en Tapachula, Chiapas; sin embargo, quedó registrado en la ciudad de México en 1962. Allá vivía su abuela materna, por lo que sus padres constantemente viajaban para visitarla. En uno de esos viajes nació el pintor. Recuerda los largos trayectos en tren, que duraban varios días. Al hablar de su incursión en la pintura, comenta: *"Yo pienso que fui pintor desde que nací. Mi abuela materna pintaba por afición. Se dedicaba a hacer copias de obras importantes, las cuales veía en libros o en ilustraciones. Era muy interesante estudiar los temas que escogía, pues en su selección quedaba implícito su propio discurso artístico. El hermano de mi madre también dedicaba algún tiempo al arte; dibujaba muy bien. Mi padre se había encaminado hacia otros asuntos muy distintos. Por un lado, había nacido en la capital y no tenía ese carácter ligero que tiene la gente de provincia. Su preparación era más formal: había estudiado Leyes, y en esos años cursaba la carrera de Filosofía y Letras. Mi madre me cuenta una anécdota de él, la cual me explica muchas cosas acerca de mi profesión. Dice que, un día, llegó mi padre a la casa cargado de bastidores muy grandes, óleos, aceite de linaza, emulsiones y pinceles, todo en grandes cantidades, y le dijo que a partir de ese momento sería pintor. Todos se sorprendieron, pues nunca había tenido nada que ver con la pintura, y nadie sabía quién se encargaría de mantener la casa. Mi tío, que sintió usurpado su papel de artista, decidió abrir un taller-galería buscando una segunda fuente de ingresos para el sostén de la familia. La más asombrada de todos era mi madre, quien no tuvo tiempo siquiera para decirle que estaba embarazada, y el que venía en camino era yo. Llegó el día en que nací. Me cuenta ella que mi padre me vio, se dio la media vuelta, dejó la pintura, y jamás regresó con nosotros. Y, desde entonces, soy pintor. Para poder arreglar los asuntos de la separación, mi madre me dejaba encargado en la galería de mi tío, y en ese ambiente crecí".*

Roberto vivió las carencias que deja la ausencia de un padre, y al mismo tiempo las libertades que esto acarrea. Se acercó a su tío, quien cargaba con él para hacer su trabajo. Recuerda que pasaban por la Zona Rosa; era la plena época de los *hippies*, en la que se veía pintado por todas partes el signo de "amor y paz". Estos paseos folclóricos también estaban mezclados con frecuentes sesiones culturales, pues no había exposición de pintura y museo a los que no fueran. Se acuerda de haber tenido apenas unos seis años y estar entre cuadros del Ermitage, jugando a ver las pinturas entre las mamparas, pero fijándose muy bien en los temas que trataban. *"Desde mi más elemental infancia me ha llamado la atención de*

ROBERTO CORTÁZAR
LA FUERZA DE VENUS (RUEDO), 1995

ROBERTO CORTÁZAR WAS BORN IN TAPACHULA, CHIAPAS, but his birth was registered in Mexico City, in 1962. His maternal grandmother lived in Chiapas, and his parents visited her there often. On one of those trips, Roberto was born. He remembers the long train journeys of several days, to and from Chiapas. He comments on his beginnings in painting: "I think I was a painter from the moment I was born. My maternal grandmother painted as a hobby. She made copies of important paintings that she saw in books or illustrations. It was very interesting to study the topics she chose because her own artistic discourse was implicit in her selection. My mother's brother also spent time on art; he drew very well. My father had set his aim on other, very different matters. On one hand, he had been born in the capital city and did not have the easy-going personality of people from the provinces. His education was more formal: he had studied law and during those years was studying philosophy and letters. My mother tells me a story about him that explains many things about my profession. She says that one day my father arrived home loaded with very large canvases, oil paints, linseed oil, emulsions and brushes, all in large amounts, and told her that he

una manera muy especial todo lo relacionado con la pintura. No nada más los cuadros que veía en mi casa, todo me gustaba. Hasta un cartel que me dedicó José Luis Cuevas cuando tenía siete años, estaba colgado en mi cuarto junto a otro de Francis Bacon. El olor al óleo, hablar de San Carlos, de La Esmeralda, de Siqueiros, de las exposiciones o de los museos fue algo cotidiano en mi infancia. Algunas veces el tema lo iniciaba mi tío, otras la abuela, y también llegué a hablar de ello con mi padre, en las contadas ocasiones en las que lo volví a ver. Mi relación con él siempre fue en torno a la pintura. Cuando decidí ser pintor, nuestra comunicación se acrecentó y fue, de hecho, la primera vez que me regaló dinero y me dijo: –Te lo doy para que te compres material, porque cuando uno decide ser pintor, puede uno tener la terrible disyuntiva de volverse un perezoso, y el primer pretexto es: no tengo material. No quisiera que te pasara eso".

Su gusto por el dibujo empezó desde que era muy pequeño. Aún no aprendía a leer, pero le fascinaba acercarse a un librero en el cual tenía identificados, por colores y por los lugares que ocupaban, sus libros favoritos. Uno de ellos era un manual de caligrafía, en el cual el lector se guiaba con los grafismos marcados en la página, para continuarlos con la pluma por la orilla blanca de la hoja. Otro libro que le gustaba mucho era la Biblia, porque estaba llena de ilustraciones, que además, si las miraba de cabeza, aparecían múltiples formas más. Aprender a leer fue para él fantástico, porque le permitió ir a consultar los libros. Pero cuando todavía no lo hacía con mucha rapidez, tomaba una sola frase, se detenía en ella, y le surgía un mundo de ideas. Un día leyó un renglón en la autobiografía de Giovanni Papini: "el hombre que no tuvo infancia", y las interpretaciones que se le ocurrieron fueron: o su infancia no había sido importante, o se la había brincado y nacido de corbata y traje. Poderse imaginar todas estas cosas le fascinaba.

La primaria fue obligatoria, y luego llegó la secundaria. Roberto se sentía totalmente desviado de sus intereses. Por eso, decidió dejar los estudios para ingresar a la Escuela de Pintura, Escultura y Grabado "La Esmeralda". Convenció a su madre para que le diera permiso de continuar educándose por su propia cuenta. Faltaban seis meses para que abrieran las inscripciones en la escuela de arte, así que durante ese tiempo se dedicó a dibujar y a pintar, de día y de noche, para no perder tiempo. No contó con que uno de los requisitos para ingresar a la escuela de arte era el haber terminado la secundaria. Habló con Rolando Arjona, el director y él le dijo: "Su siguiente paso, joven Cortázar, es estudiar la secundaria". Cuando oyó eso, sintió que se le venía el mundo encima, pero no estaba dispuesto a darse por vencido. Su insistencia, llevando los dibujos y los trabajos que realizaba, le valieron para que el propio director creyera en él y le sugiriera asistir a las escuelas de iniciación artística del INBA. Dichos estudios normalmente requerían de tres años; Roberto los concluyó en uno. Regresó a ver al director y éste le explicó que si reprobaba el examen de admisión, no podría volver a intentarlo; pero si lo pasaba, él le ayudaría a regularizar sus papeles de estudio. El examen duró una semana. Cada día se veía un tema distinto: dibujo, composición, y así, hasta tener una visión clara de las aptitudes del aspirante. Para el Roberto de catorce años fue como entrar a otro mundo. El lugar estaba lleno de *hippies* barbones, con aspecto como de vagos; la mayoría de ellos le doblaba la edad. Entró al salón con su material, y lo primero que vio fue a una modelo desnuda, resolución artística que jamás había experimentado. Arjona le había advertido que el examen no iba a ser

was going to be a painter. Everyone was surprised because he had never had anything to do with painting, and no one knew who would be in charge of supporting the household. My uncle, feeling that his role as an artist had been usurped, decided to open a workshop gallery to obtain a second source of income for the family. The most surprised of all was my mother, who did not even have time to tell him she was pregnant—I was the one on the way. Then I was born. My mother says that my father saw me, turned around, left painting, and never came back. So, since then, I have been a painter. In order to be able to arrange the separation, my mother would leave me at my uncle's gallery, and I grew up in that atmosphere."
Roberto experienced the emptiness of a father's absence, as well as the corresponding freedoms. He became close to his uncle, who would take him along when he went to work. Roberto remembers that they would pass through the Pink Zone neighborhood during the height of the hippie days and see peace signs painted everywhere. Their outings were also dosed with culture—not a single painting exhibition passed them by. Roberto recalls having hidden behind the displays at the Hermitage exhibition when he was only six, while playing close attention to the topics on the canvases. "From earliest childhood I have been very especially attracted by everything related to painting. Not just the paintings I saw at home: I liked everything. A poster José Luis Cuevas signed for me when I was six years old hung in my room next to another painting by Francis Bacon. The smell of oil paints, talking about San Carlos, La Esmeralda, Siqueiros, exhibitions and museums were daily events during my childhood. Sometimes my uncle would start the conversation, sometimes my grandmother, and sometimes I talked about art with my father, on the few occasions that I saw him again. My relationship with him always revolved around painting. When I decided to be a painter, we communicated more. It was, in fact, the first time that he gave me money. He told me, 'I'm giving you money to buy supplies because when someone decides to be a painter, one can have the terrible misfortune of becoming lazy, and the first excuse is—I have no supplies. I would not want that to happen to you.'"
Roberto's enjoyment of drawing began when he was very young. He had not yet learned to read, but loved to look at his favorite books—which he identified by color and their position on the shelf. One of these books was a calligraphy manual based on tracing. Another was the Bible, full of illustrations that were of even greater interest if viewed upside down. Learning to read was wonderful for Roberto: it allowed him to consult books. At first, he would choose a single phrase, and imagine a world of ideas. One day he read a line from Giovanni Papini's autobiography about "the man without a childhood" that stimulated multiple interpretations in his mind: either his childhood had been

ROBERTO CORTÁZAR
SERIE V, EL SIGLO XX, OBRA I, 1996
Carbón, óleo, grafito y pigmentos sobre madera, 98 x 70 cm.
Colección Particular

unimportant, or he had been born with a suit and tie. It fascinated Roberto to use his imagination. Elementary school was mandatory. When secondary school appeared on the horizon, Roberto felt completely removed from his interests. He decided to leave school and enter the La Esmeralda school of painting, sculpture and engraving. He convinced his mother to allow him to continue studying on his own. Since La Esmeralda would not be accepting new students until six months later in time, Roberto took advantage to draw and paint, day and night. He did not know that one of the requirements for entering art school was a secondary school diploma. He spoke with Rolando Arjona, the director: "Your next step, young Cortázar, is to go to secondary school." Roberto felt the earth move under his feet, but was unwilling to give up. He insistently presented his drawing and painting until the director began to believe in him, and suggested he attend an INBA art-oriented school. While such studies are normally concluded in three years, Roberto finished in one. He returned to the director's office and learned that if he failed the admissions test, he would have no second chance; but if he passed, the director would help him regularize his paperwork. The examination lasted one week. Each day a different topic was covered: drawing, composition, and so forth, until the applicant had been thoroughly evaluated. Roberto, age fourteen, felt he was in a different world. The school was full of longhaired hippies who looked like castaways; most of them were twice his age. Roberto entered the classroom with his supplies, and encountered the unfamiliar sight of a nude model. Arjona had warned him the examination would not be easy, but Roberto did not expect the model to have to move every fifteen minutes. Finally, the week came to an end and Roberto received his results, marked with the word PASSED.

Some of Roberto's classmates were part of the 1968 student movement, and others had received its influence. They were young people with radical ideas and difficult personalities, night owls who had chosen the evening session; they would not be quick to accept teenaged Roberto. He was able to make his way in a difficult situation through his work: "I drew obsessively. I would work all morning at home, go to school all afternoon until ten at night, and then go home to the drawing board and continue drawing. So when they saw the quality of my work, they accepted me in their group and forgave our ideological differences and my not dressing like a hippie. Painting has always opened doors for me." Painting has helped Roberto handle situations and has revealed his convictions: his integrity, talent, commitment, and especially, the level of his demands.

Roberto completed the five-year program at La Esmeralda and believes that it provided him with the necessary education—the focus on the workshop, rather than academics, would provide the basis for his later work. He talks about an elderly sculpture teacher, called Gallardo: "He was like a 19th-century anatomist. He was my favorite teacher and I was his favorite student. I remember the teachers very well, their difficulties in teaching and communicating with the students. I must say that no one in that group became a painter. In the previous group were Sergio Hernández, Alamilla, Germán Venegas, Gustavo Monroy; it was a very generous group with painters. All

fácil, pero nunca se esperó que la modelo se tuviera que mover cada quince minutos. Por fin terminó la semana y recibió las notas, en las cuales aparecía la palabra APROBADO.

Algunos de sus compañeros de clase pertenecían a la generación del movimiento estudiantil del "68", otros habían recibido su influencia. Eran jóvenes con ideas radicales, de trato difícil, que preferían la pereza matutina y por eso habían escogido el grupo nocturno. Esto indicaba que no muy fácilmente iban a aceptar a un adolescente. Así que su situación no fue muy sencilla. Roberto logró abrirse camino a través de sus creaciones: *"Yo dibujaba de una manera enfermiza. Trabajaba toda la mañana en mi casa, estudiaba toda la tarde hasta las diez de la noche, y llegaba de nuevo al restirador a seguir dibujando. Así que, cuando ellos vieron la calidad de mis trabajos, permitieron que me integrara a su grupo, perdonándome las diferencias ideológicas y el que no me vistiera de 'hippie'. La pintura siempre me ha abierto las puertas"*. De alguna manera u otra le ha ayudado a manejar situaciones; ella ha podido, por sí sola, revelarnos las convicciones de este artista: su sentido de integridad, su talento, su compromiso y, sobre todo, el nivel de sus exigencias.

Estudió los cinco años reglamentarios y considera que ellos le dieron la educación necesaria, no en el aspecto académico, ya que La Esmeralda no sigue precisamente este camino, pero sí, a través del ejercicio del taller fue que logró sustentar lo que más tarde sería su trabajo. Roberto habla de un maestro ya grande, que le daba la clase de escultura, de apellido Gallardo: *"Parecía un anatomista del siglo XIX. Así que él era mi maestro favorito y yo su alumno predilecto. Recuerdo muy bien a los profesores, sus dificultades para enseñar y comunicarse con los alumnos, pues debo decir que dentro de esa generación ninguno llegó a ser pintor. En la generación anterior se encontraban: Sergio Hernández, Alamilla, Germán Venegas, Gustavo Monroy. Fue un grupo muy generoso de pintores. Todos ellos mantenían una actividad de taller enormemente fértil y de gran competencia, dura y muy difícil, pero llena de conocimientos empíricos e intuitivos, además de los recursos formales"*.

Cortázar terminó sus estudios en 1981 y en los últimos años ha ejercido el oficio de la pintura bajo una rigurosa disciplina. A lo largo de este tiempo hemos sido testigos de un evidente crecimiento, de una suma de experiencias y afirmaciones que se han ido amalgamando a lo largo de los años. Rápidamente se despojó de esa posición cautelosa y de ese análisis unilateral que caracterizan al principiante, para dar pasos firmes, obligándose a mantener esa constante búsqueda que caracteriza al talento inconforme. La actitud hacia su trabajo refleja el goce infinito que éste le brinda, infundiendo a su carácter una actitud alegre, amena y divertida, que se balancea con el rigor y la exigencia que él se marca al iniciar cualquier trabajo.

Es de cierta manera extraño encontrar en estos días a un pintor joven que, participando en la vanguardia contemporánea, tome en cuenta en su discurso plástico un enfoque serio de análisis y reflexión, así como una pintura

ROBERTO CORTÁZAR
UN VACÍO Y DOS FIGURAS
EN UNA HABITACIÓN, 2002
Carbón, grafito, óleo, pigmento, hoja de plata, polímero, barniz y cera sobre tabla, 49 x 49 cm.

enriquecida por un extraordinario oficio. La capacidad expresiva que contiene la obra de Cortázar invita a la meditación. Roberto, como buen conceptualista, habla de la pintura en términos de lenguaje y, por lo tanto, se refiere con frecuencia a sus contenidos. Al hablar sobre la creatividad, confiesa que él parte de la idea de que un artista debe poseer y enriquecer su cultura constantemente; que debe participar de un entorno, formándose una visión propia de la realidad y que, además, debe mantenerse en constante comunicación con sus circunstancias y fuentes de reflexión para ir enriqueciendo sus propios conceptos, los cuales influyen de alguna manera en su lenguaje artístico. El proceso creativo en la obra de Cortázar se ha ido definiendo en dirección de una pintura sensible, inspirada por el ánima o

of them were enormously productive and highly competitive in the workshop through activity that was hard and very difficult, while full of empirical and intuitive knowledge, in addition to formal resources."
Cortázar finished his schooling in 1981, and in recent years has painted with rigorous discipline. During this time period we have witnessed his evident growth, thanks to experiences and affirmations that have amalgamated over the years. He quickly shed the caution

and unilateral analysis characteristic of beginners, and took firm steps to force himself to search constantly—an indication of restless talent. His attitude toward work reflects infinite enjoyment, and infuses his creations with joy, pleasure and fun, balanced by self-imposed rigor and demands.
It is somehow strange to find a young painter of the avant-garde who includes serious analysis and reflection in his artistic discourse, in addition to paintings enriched by extraordinary skill. The expressiveness of Cortázar's work inspires meditation. Roberto, a good conceptualist, talks about painting in terms of language, and refers frequently to its content. He believes an artist should possess and enhance his culture constantly, that he should participate in the outside world to form his own view of reality, and that he should stay in constant contact with his circumstances and sources of reflection. In this manner, he will add to his own concepts, which in turn will influence his artistic language. The creative process of Cortázar's work has been defined as sensitive painting inspired by the animus or soul. Cortázar works directly from models, and avoids losing in sketches the vitality derived from simultaneous observation and

ROBERTO CORTÁZAR
UN CONTENIDO AUTOCRÁTICO Y TRES FIGURAS POSANDO EN EL ESTUDIO, 2003
Grafito, carbón, polímero, óleo, resina, barniz, gesso y pigmento sobre alucobond, 242 x 262 cm.

alma de las personas. Cortázar trabaja frente a sus modelos de manera directa, evitando perder en los bocetos esa vitalidad que se deriva de observar y crear al mismo tiempo. Con ello el pintor logra, hasta cierto punto, capturar y traspasar la esencia de su modelo al papel o la tela. Pero como él comenta, en ese proceso también se funde algo de él mismo. Se involucran: su punto de vista, su modo de aprecio, su conciencia, su sensibilidad y su destreza.

Cortázar es riguroso en su dibujo y en su composición. Domina la anatomía del cuerpo humano a un grado extremo; por ello lo puede conducir a su máximo nivel de expresión. Sus figuras de hombres y mujeres pueden hablar a través de su cuerpo: pueden moverse con naturalidad, adoptar cualquier pose y manifestar cualquier emoción; este dibujo extraordinario las ha dotado de esa libertad. Como lo exigía antiguamente la academia, un pintor no se iniciaba en el óleo hasta no haber dominado el dibujo, la anatomía y la composición. Así, Cortázar demostró sus dotes de gran dibujante antes de tomar los pinceles. Una vez que el óleo tomó parte en la escena, apareció una gama nueva de su expresión, en la que dibujo, color y composición son exigentes el uno con los otros.

En algunos casos el pintor nos provoca el encuentro con hombres o mujeres solitarios, casi siempre sobre fondos obscuros. Ellos aparecen meditabundos, en estado de reflexión; conscientes de su propia conciencia, disfrutando de ese estado inherente al espíritu. A finales de los ochenta, vimos aparecer en su pintura los paisajes, los cielos, las nubes, las vistas de ciudades lejanas, que ubicaban al ser en el entorno de un mundo físico, haciéndolo adoptar una ubicación y tomar conciencia del espacio. La evolución de su pintura siguió su curso, y a principios de los años noventa, nos presenta entornos más complejos, enriquecidos en su narrativa. Cortázar logró equilibrar su fuerza expresiva para dotarla también de esa narrativa sutil, sensible, emotiva, casi invisible. Así, en sus atmósferas se fueron aclarando las tonalidades de los fondos y aparecieron las luces, los brillos y la fineza del dibujo, que cada vez adquiría mayor precisión. A fines de los años noventa Cortázar incursiona en una idea que a distancia le parece absurda, pues implicaba

Roberto Cortázar
Obra 283, 2003
Oleo, grafito, pigmento, barniz, polímero, hoja de cobre, cera y gesso sobre tabla, 183.5 x 170 cm.

poder pasar a la tela una idea que por amplia era difícil de resolver. Así, se dio a la tarea de pintar "El siglo XX". En esta obra buscó dar forma a la representación de lo que ese período de tiempo llegó a implicar: cambio, tecnología, velocidad, sobrepoblación, confusión, continuidad, triunfo, lucha, encuentro. Roberto quiso poner a prueba la forma de representar esto, contratando a un grupo de modelos y actores para que ejemplificaran sus ideas. Catorce personajes, trabajando en el cuadro humano, siguiendo las indicaciones imaginativas del artista, quien estudió la máxima expresión de sus conceptos. Buscó miradas, gritos, abrazos, tensiones, afectos y también confusiones. Su único fin era que la atmósfera se lograra, y como dice él, que el cuadro funcionara.

En ocasiones las inquietudes creativas se desplazan hacia la incursión en lo inexplorado, pero cuando esta curiosidad se ha saciado, la inquietud se dirige hacia las sutilezas, hacia terrenos más profundos, hacia pequeñas variaciones. Así, en sus trabajos recientes sus personajes se desdoblan, se transforman, y es justamente esta transformación la que lo motiva, es esta diversidad de posibilidades la que reta su dibujo y entusiasma al pincel para producir una atmósfera. Para un creador virtuoso las ambiciones son simplemente posibilidades en espera de ser resueltas.

creation. He is thus able to grasp and transmit the model's essence to the paper or canvas. But as Roberto comments, something of himself is also melded into the process: his point of view, his form of appreciation, his awareness, his sensitivity and his mastery.
Cortázar is rigorous with his drawing and composition. He dominates human anatomy to an extreme degree and can direct it to a maximum level of expression. His figures of men and women speak through their bodies: they can move with naturalness, adopt any pose and make manifest any emotion—the freedom resulting from extraordinary drawing. According to former academy requirements, a painter could not start to use oils until he had mastered drawing, anatomy and composition. In adherence with this line of thought, Cortázar demonstrated his great talents as a draftsman before taking up the brushes. Oil paints allowed a new range of expression to appear in his painting, with the mutual demands of drawing, color and composition.
In some cases, Cortázar provokes our encounter with solitary men or women, almost always on dark backgrounds. These figures seem meditative, pensive, and aware of their own conscience: the beneficiaries of the inherent state of the spirit. In the late 1980s, Cortázar's work began to include landscapes, the sky, clouds, and views of distant cities that placed the viewer in a physical world and made him aware of space. The evolution of Cortázar's painting continued its course and in the early 1990s, presented us with more complex narrative settings. He was able to balance his expressive strength by providing it with subtle, sensitive, emotional and almost invisible narrative. As a result, the tones of his backgrounds began to lighten and brightness and lights appeared, along with increasingly precise drawing. In the mid-1990s, Cortázar started working on an idea, seemingly absurd from a distance, that implied representing on the canvas the impossibly broad concept of the "21st century". The piece attempted to provide form to the implications of a century: change, technology, speed, population growth, confusion, continuity, triumph, struggle and encounters. Roberto's plan was to hire a group of models and actors to exemplify his ideas. Fourteen people, working in a human square and following the artist's imaginative instructions, represented the maximum expression of his concepts. He searched for glances, yells, hugs, tension, affection and confusion, with the sole purpose of attaining an atmosphere and having the square function.
On occasions, creative interests shift towards the unexplored, but once curiosity has been satiated, the artist opts for subtleties, more profound areas and small variations. In Roberto Cortázar's recent work, the human figures unfold and transform—just the transformation that motivates the artist. Such a diversity of possibilities challenges his drawing and stimulates his brushes to produce a setting. For a virtuoso, ambitions are simply possibilities waiting to be addressed.

Costumbrismo

Lupina Lara Elizondo

La palabra costumbre nos lleva a pensar en la manera distintiva en que se comportan las personas dentro de un núcleo social, llámese familia, escuela, asociación, región o país. Estas prácticas se ven influenciadas por los movimientos políticos, ideológicos y económicos que afectan a una sociedad. Las costumbres conforman la historia cotidiana de un pueblo o de una nación. Ellas nos permiten comprender el modo de vivir y de sentir de las personas en un tiempo determinado. Las costumbres han sido rescatadas por historiadores, sociólogos y antropólogos a través de objetos y documentos escritos. Pero, afortunadamente, también contamos con importantes testimonios visuales a través de la pintura. Esta por lo general representa un testimonio espontáneo, lo que nos permite inferir que su contenido no se ha visto influenciado por otro motivo que no sea el de capturar escenas de la vida. Las imágenes congelan la visión y la emoción de un momento. La idea de registrar momentos y sentimientos para ser disfrutados a posteridad, ha sido una motivación natural en el hombre.

La manera de registrar estos momentos en el siglo XIX se vio sometida a diferentes influencias. Por su parte, tenemos la influencia del romanticismo surgido en Europa a fines del siglo XVIII, que buscaba hacer prevalecer el sentimiento sobre la razón, contrarrestando así la visión neoclásica que pretendía el racionalismo filosófico. Esta visión romántica influyó en todos los campos de las artes. Así encontramos que, a fines del siglo XVIII y principios del XIX, en las academias europeas se practicó una pintura que rescataba las costumbres de una manera romántica, envolviendo sentimientos. Esta visión llegó a la Academia de San Carlos, dejando un precedente de la pintura costumbrista, que invitó a los artistas a trabajar en esos temas, principalmente a los ajenos a la escuela.

Los artistas de provincia, por lo general no académicos, practicaron de manera espontánea este género, recreando escenas populares, a diferencia del costumbrismo que se practicó en las instituciones, en cuyos trabajos plasmaron principalmente a la clase burguesa. Entre los primeros encontramos a Agustín Arrieta, Hermenegildo Bustos, José María Estrada, Ernesto Icaza, Manuel Serrano, Primitivo Miranda y José Jara, y entre los segundos, a las hermanas Juliana y Josefa Sanromán, Juan Cordero, Daniel Dávila y Manuel Ocaranza. Quienes también hicieron registros de la vida y costumbres mexicanas fueron los pintores viajeros, que buscaban captar la manera de vivir y de convivir de los mexicanos.

José María Estrada
Retrato de María Encarnación
Navarrete de Castellanos, 1837
Oleo sobre tela, 63 x 50.5 cm.
Colección Particular, Cd. de México

José María Estrada

1811-1862

Estrada no escatima en detalles; presta considerable atención a la indumentaria de sus modelos, hace alarde de la textura de las telas, los encajes, las plumas, los terciopelos, los listones, los tocados y las joyas.

Lupina Lara Elizondo

José María Estrada, pintor tapatío, nació en Ahualulco, Jalisco, en 1811. Se sabe que ingresó a la pequeña Escuela de Bellas Artes del Instituto de Ciencias de Guadalajara, siendo allí alumno del pintor José María Uriarte, quien fungió como director de la institución entre los años 1826 y 1835. Se entiende que no fue un alumno regular, pues no llegó a cursar todas las asignaturas. No obstante, en su trabajo es evidente cierta preparación académica, que de alguna manera lo aleja de ser considerado como un pintor meramente popular. Sin embargo, en sus pinturas se escapan algunos detalles, como la ingenua perspectiva que maneja en sus retratos de cuerpo entero, en donde parece que el personaje está flotando y se plantea un espacio delimitado entre el piso y el fondo. También encontramos otros detalles, como la rigidez del cuello y la falta de naturalidad en el acomodo de los brazos y sobre todo en la posición de las manos.

Su actividad como pintor se concentró en la ciudad de Guadalajara, aunque se sabe que su fama trascendió a casi todo el estado. Para 1830 su trabajo ya era reconocido. Estrada trabajó ininterrumpidamente hasta el año 1860. Al estudiar su obra, se ha podido identificar que acostumbraba firmar sus cuadros de tres maneras diferentes: José María Estrada –siendo ésta la más frecuente–, José María Zepeda y José María Zepeda de Estrada. Justino Fernández, gran estudioso de la pintura mexicana, encuentra que diferentes cuadros firmados de estas tres maneras corresponden a un mismo modo de pintar, por lo que afirma que en la mayoría de los casos corresponden al artista en cuestión. Y decimos que en la mayoría de los casos, pues existen por allí algunas obras que le han sido atribuidas en las que los expertos encuentran dudas para atribuirlas a la mano de este artista. El mismo Justino argumenta: "...Cabe pensar que este bueno de José María firmaba sus obras indistintamente con el nombre paterno, el materno y con los dos unidos; es posible que el nombre sea de abolengo ilustre, por la 'de' que enlaza el Zepeda con el Estrada y que por razones democráticas, muy a tono con el tiempo, el pintor usase el último solamente y sólo de vez en cuando, por olvido o por alguna circunstancia, pusiese completo su nombre..."

Su obra no abarca otro género más que el retrato, el cual trabajó de tres maneras: de cuerpo entero, de la cintura hacia arriba y el puro rostro. Por lo general, siguió el entonces modelo tradicional acostumbrado en este género, con el personaje de tres cuartos, mirando hacia la

José María Estrada
Retrato de la esposa del pintor,
mediados s. XIX
Oleo sobre tela, 56.6 x 39.7 cm.
Colección Museo Nacional de Arte, INBA

José María Estrada, a painter from the state of Jalisco, was born in the town of Ahualulco in 1811. It is known that he enrolled in the small Escuela de Bellas Artes of the Instituto de Ciencias de Guadalajara, where he studied under the painter José María Uriarte, the institution's director from 1826 to 1835. Estrada was not a full-time student because he did not take all of the required classes. His work, however, shows academic preparation that prevents him from being categorized as simply a popular painter, in spite of details such as the ingenuous perspective of his full-length portraits, in which the limited space between the floor and background makes the person seem to float. We find other details such as rigidity through the subject's neck and a lack of naturalness in the positions of arms and especially hands. Estrada's activity as a painter was centered in Guadalajara, although he was well-known throughout practically the entire state. By 1830 his work was widely recognized. Estrada worked without interruption until 1860. The study of his output has permitted the identification of three different signatures on his paintings: José María Estrada (most frequent), José María Zepeda and José María Zepeda de Estrada. Justino Fernández, a scholar of Mexican painting, believes that the pieces carrying these three signatures correspond to a single manner of painting, and affirms that most of them were produced by Estrada. Experts have found reason to believe that some paintings previously attributed to Estrada may have been produced by other artists. Justino states: "It can be thought that this good man, José María, signed his work indistinctly with his paternal surname, his maternal surname, or with both together; it is possible that the name was of illustrious lineage, due to the 'de' that links Zepeda and Estrada, and that for democratic reasons, very in tune with the times, the painter would use the second name by itself and would sign his full name only on occasions, out of forgetfulness or other circumstances." Estrada's work includes no painting category besides portraits, which he produced in three different manners: full-length, waist up, and the face only. He generally followed the traditional model of the time for portraits, with the subject in a three-quarter pose towards the left and his hands at the height of the waist, holding an object related to his profession, age or position. This object was usually something the person or his family especially esteemed, or something that characterized the sitter. In other portraits, the model would be portrayed with a piece of paper between his hands, on which Estrada would paint the dedication. Following the viceregal tradition, Estrada tended to leave a blank strip at the lower edge of the painting for a more detailed description of the portrait, although at times he added the legend directly to the painting, as in

izquierda, y las manos colocadas a la altura de la cintura, sosteniendo un objeto relacionado con la actividad, edad y posición del retratado. El objeto, por lo general, correspondía a alguna pieza especialmente apreciada por el retratado o por sus familiares, o algo que lo caracterizaba. En otros casos, colocaba entre sus manos una hoja de papel en la que se acostumbraba inscribir dedicatorias. Siguiendo la tradición de los retratos virreinales, Estrada también solía dejar una franja en el borde inferior de la pintura, en la que se anotaba una leyenda más extensa que describía con mayor detalle el retrato, aunque en ocasiones llegó a anotarlo directamente dentro de la pintura, como es el caso de *Retrato de la niña Lorenza Martínez Negrete*, 1839.

Al saber que Estrada cursó estudios en la Escuela de Bellas Artes, surge una pregunta: ¿por qué se desvía de lo rigurosamente académico? Es una pregunta a la que difícilmente encontraremos la respuesta precisa al no poder hacérsela al pintor mismo; no obstante, podemos especular un poco, diciendo que no lo hizo en un acto premeditado, como lo harían algunos pintores rebeldes que años más tarde formarían la Escuela Mexicana de Pintura. En este caso, dos opciones quedan a consideración como posibles respuestas: una, que no se haya identificado con las rigurosas reglas académicas, y dos, que por alguna razón no haya tenido oportunidad de seguir estudiando, siendo ello la causa de que su aprendizaje quedara inconcluso. Cualquiera que fuese la verdad, nos encontramos ante un pintor que fue haciendo progresos significativos, y que a lo largo de su carrera llegó a dominar el oficio y a imprimir a sus trabajos un estilo propio, que llegó a ser representativo de su época.

Entre las características más sobresalientes que nos permiten identificar los trabajos de Estrada, podemos resaltar su habilidad para combinar esa ingenuidad y refinamiento que advertimos en sus retratos y que Fernández describe en sus textos de la siguiente manera: "...Las formas y actitudes de las manos, ocupadas siempre en algo, una fruta, un pañuelo, un abanico; sobriedad en los trajes, pero riqueza y hasta minucia en los detalles, adornos de los vestidos o de las cabezas, abanicos, mitenes, etcétera; hay además, algo inconfundiblemente de Estrada en los rostros, en las miradas, en las bocas, en la manera de sombrear o modelar con ingenuidad, mas con finura, las formas; los fondos son lisos para que destaquen las figuras". Estrada no escatima en detalles; presta considerable atención a la indumentaria de sus modelos, hace alarde de la textura de las telas, los encajes, las plumas, los terciopelos, los listones, los tocados y las joyas.

En su tiempo, las obras de Estrada fueron solicitadas por algunos aristócratas y burgueses que integraban la alta sociedad tapatía, aunque algunos otros preferían acudir a los artistas más preparados y por tanto de

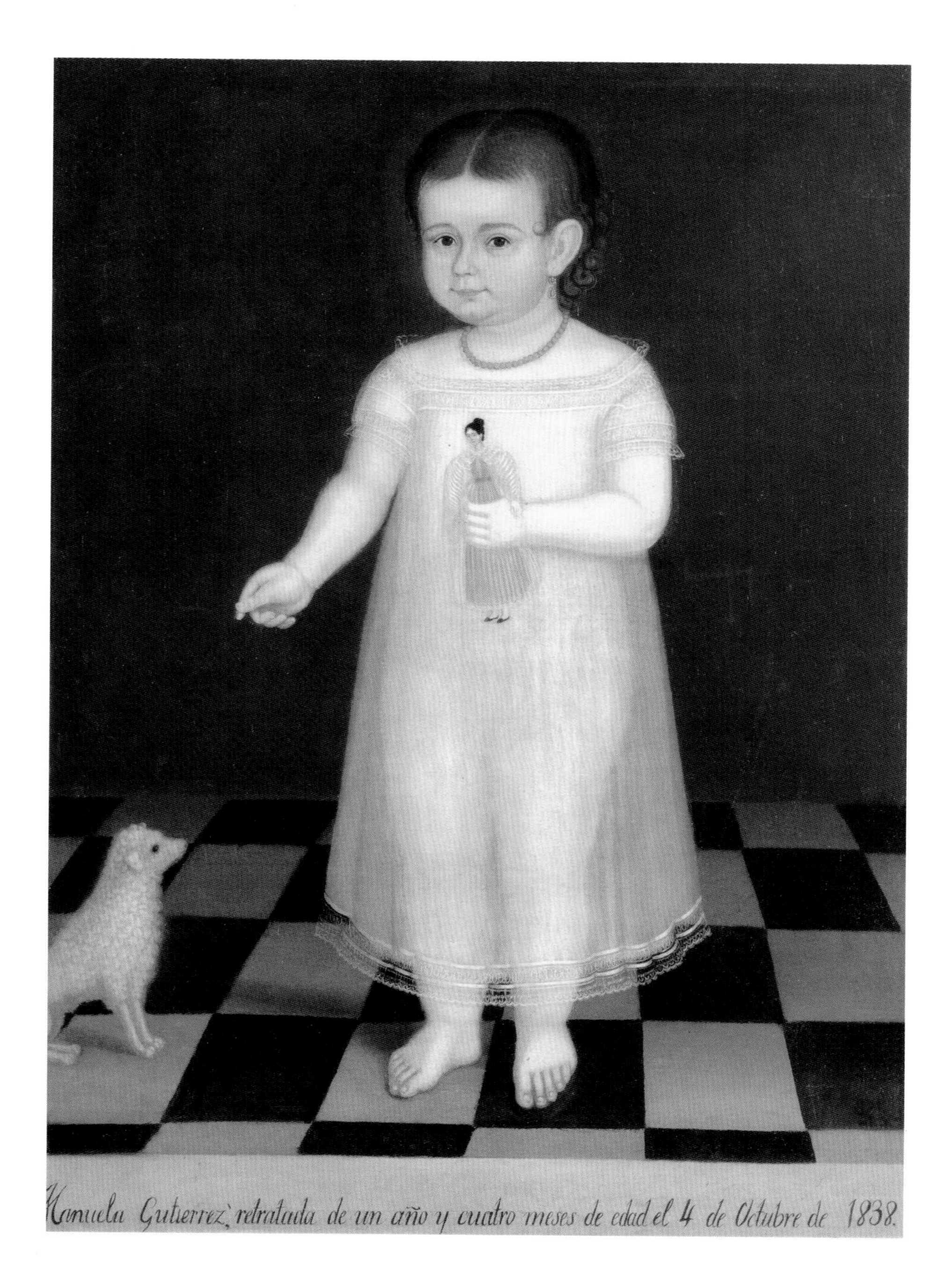

José María Estrada
Retrato de Manuela Gutiérrez, 1838
Oleo sobre tela, 98 x 72.8 cm.
Museo Nacional de Arte

Retrato de la niña Lorenza Martínez Negrete, 1839. Knowing that Estrada studied at the Escuela de Bellas Artes gives rise to doubts about his reasons for deviating from rigorously academic painting. The impossibility of asking the painter prevents us from finding an exact response, but we can speculate that it was not a premeditated act like the rebellion of the painters of later years who formed the Escuela Mexicana de Pintura. Two possible options remain: first, that Estrada did not identify with rigorous academic rules, and second, that for some reason he was forced to interrupt his studies. Either version presents us with a painter who made significant progress in mastering his craft throughout his career and imprinting on his work a unique style: a painter who came to represent his era.
An outstanding characteristic that allows us to identify Estrada's work is his skill in combining ingenuity and refinement in portraits, as described by Fernández: "The shapes and attitudes of the hands, always occupied with something, a piece of fruit, a handkerchief, a fan; the sobriety of the suits, but with rich and meticulous details, the adornments on dresses or head coverings, fans, etc.; in addition, there is something unmistakably Estrada in the faces, in the gazes, in the mouths, in the way forms are shaded and modeled with ingenuity, yet refinement; the backgrounds are plain to emphasize the figures." Estrada does not spare details: he pays considerable attention to his models' garments, and makes a display of the texture of fabrics, laces, feathers, velvet, ribbons, hair ornaments and jewels.
During Estrada's lifetime, his work was requested by aristocrats and the upper classes of Jalisco society, although some preferred to patronize artists who were more highly trained and famous. Estrada's clients were motivated to acquire his work because of his special charm in depicting the model. The individuals who posed for him included members of well-known families, such as the Martínez Negrete, Gordoa y Loayza, and Villaseñor families. On the other hand, Estrada's portraits enjoyed high demand among wealthy doctors, lawyers and merchants, as well as certain cattlemen and prosperous farmers wanting to keep family images; Estrada made portraits of their children, parents, wives and grandparents. His clients were generally pleased by the results, and not hesitant to recommend him. Less frequently, Estrada painted military officers, the clergy, monks, and sometimes nuns: Clérigo Secundino González 1838, Sor Teresa de San José, Obispo Juan Cayetano Portugal, and Fraile Luis de Jesús Moreno. Guillermo Tovar y de Teresa describes Estrada's work: "He portrayed all of them with perspicacity and psychological veracity, in a direct manner and without academic mannerisms. That is why he enjoyed great prestige, and it is said that he received commissions from as far away as remote sites in the region of Jalisco."

We could affirm that the educated circles and art critics of the time highly valued refinement and accuracy in painting, more than expressiveness, and that as a result, José María Estrada was considered a painter of average level. However, over the years, many qualities of another nature have been recognized in Estrada's work. It is evident that Estrada, just like his contemporary from Guanajuato, Hermenegildo Bustos, was an excellent interpreter of the physiognomy, as well as the character of his sitters, and that these qualities were transcending in provoking a special similarity between portraits and their models.
Having already referred to Bustos, it would seem pertinent to make certain comparisons between his work and that of Estrada. Estrada's view of his subjects was beautified to a degree, as if he realized that they wanted their portrait to reflect the best of themselves in terms of both interior and exterior beauty. To the great merit of the painter, Estrada achieved this objective without having to distort his models' physiognomy, but simply by depicting beauty and innocence, and adding a certain serenity to the expression of the eyes. In the case of Bustos, quite the opposite occurs; he generally attempted to make portraits rigorously precise. The people in Estrada's portraits appear to be better dressed, possibly because of the higher purchasing power of his clientele, as well as the exacerbated refinement predominant in Guadalajara's society; this tendency was manifest not only in society's taste for good literature and music, but also in its interest in culture. For example, it was then common for the upper classes to learn French as a second language. In the first half of the 19th century, the population of Guadalajara, known as the Perla de Occidente ("Pearl of the West"), had more than tripled, from 20,000 to 75,000 inhabitants. As the capital of Jalisco, Guadalajara had become the maximum industrial and commercial center of the region. Important factories for making shoes, soap, tobacco products, mezcal liquor and beer showed the zone's prosperity and enterprise. The case of Guanajuato was different, not due to an absence of educated and refined individuals, but because such tastes were not as widespread. Estrada lived in the state capital, while Bustos continued to live on the outskirts of Guanajuato, dedicating his time to various secondary activities, such as preparing his famous ices and leasing everyday utensils; as a result, Bustos' clients were of a more humble origin. Bustos' painting is so frank in its expression that it depicts every physical defect in detail: warts, scars, bloodshot eyes and even wrinkles, and his models' gazes contain exceptional force. It was expression that interested him most, and clothing remained in the background. On the other hand, Estrada, without losing interest in the model's expression and

JOSÉ MARÍA ESTRADA
RETRATO DE LA NIÑA
LORENZA MARTÍNEZ NEGRETE, 1839
Oleo sobre tela, 100 x 71 cm.
Colección Arq. Francisco Martínez Negrete, Cd. de México

mayor renombre. Sin embargo, sus clientes encontraban un encanto especial en la manera en que este artista representaba a sus modelos, que los invitaba a adquirirlos. Es por ello que entre sus retratados nos encontramos destacados apellidos, como Martínez Negrete, Gordoa y Loayza, y Villaseñor, entre otros. Por otro lado, sus retratos gozaron de gran demanda entre personas adineradas, como médicos, abogados, comerciantes y hasta algunos pequeños ganaderos y campesinos prósperos que deseaban guardar la imagen de alguno de sus familiares; de esta manera, les hizo retratos de sus hijos, de sus padres, de la esposa, el abuelo o la abuela. Por lo general, sus clientes quedaban complacidos, y esto invitaba a que ellos lo recomendaran. Aunque con menor frecuencia, también retrató a militares, canónigos, frailes y en ocasiones también realizó retratos de monjas, como lo demuestran las obras: *Clérigo Secundino González*, 1838, *Sor Teresa de San José*, *Obispo Juan Cayetano Portugal*, y *Fraile Luis de Jesús Moreno*. Al respecto y al describir los retratos del jalisciense, comenta Guillermo Tovar y de Teresa: "A todos los retrató con perspicacia y veracidad psicológica, de manera directa y sin amaneramientos académicos. Por eso gozó de gran prestigio, y se dice que le hacían encargos aun de sitios remotos de la región de Jalisco".

Podríamos afirmar que en aquella época, en los círculos cultos y la crítica de arte se valoraban altamente el refinamiento y el verismo en la pintura, más que la expresividad. Es por ello que en su momento a José María Estrada se le llegó a considerar como un pintor de mediano rango, consideración que al paso del tiempo se ha ido reconsiderando por reconocer en su pintura un cúmulo de cualidades de otra índole. Es evidente que Estrada, al igual que su contemporáneo guanajuatense Hermenegildo Bustos, era un excelente fisonomista, así como un agudo intérprete del carácter de sus personajes, cualidades que trascendían al provocar un parecido especial entre los retratos y sus modelos.

Ya que nos hemos referido a Bustos, considero pertinente hacer algunas comparaciones entre la obra de estos dos artistas. La apreciación que Estrada toma de sus personajes está de alguna manera embellecida, como si advirtiera que ellos buscaran que quedara reflejado en el retrato lo mejor de sí mismos, tanto en la belleza exterior como en la interior. Lo maravilloso de Estrada es que logra este objetivo sin tener que distorsionar la fisonomía de sus modelos, simplemente expresando belleza e ingenuidad, y agregando cierta serenidad en la expresión de los ojos. En el caso de Bustos, sucede lo contrario; por lo general, él buscará hacer un retrato rigurosamente fiel. Los personajes retratados por Estrada, aparecen mejor ataviados. Posiblemente esto se deba a que se trataba de clientes con mayor poder adquisitivo, y también porque en esa época en la sociedad de Guadalajara predominaba un refinamiento exacerbado, que se manifestaba no nada más en el gusto en el vestir sino también en el gusto por la buena

Retrato de Dª Lorenza Martinez Negrete a la edad de 4 años y medio, nació el día 4 de Disciembre del año de

IZQUIERDA
JOSÉ MARÍA ESTRADA
RETRATO DE DON RAFAEL
SÁNCHEZ ALDANA, 1840
Oleo sobre tela, 60 x 50 cm.
Colección Museo Regional de Guadalajara, INAH

DERECHA
RETRATO DEL FRAILE
LUIS DE JESÚS MORENO, MEDIADOS S. XIX
Oleo sobre tela, 69.5 x 52 cm.
Colección Particular, Cd. de México

personality, maintained a global view of the portrait and a romantic intent that stimulated him to envelop it in aesthetics and beauty.
Estrada's portraits of children are highly formalistic. His models were almost always small children, four or five years old, yet he made them appear to be teenagers; in spite of this intentional falseness, the portraits show grace and charm. Knowing that parents see their children as the most handsome, the most endearing, and the most intelligent of all, Estrada took great pains not to betray his clients' expectations.
Estrada's portrait of María Encarnación Navarrete de Castellanos, 1837, shows us an elegant Creole woman richly dressed in the Spanish style, with an embroidered mantilla held in place with a classic tortoiseshell comb. Her graceful hairstyle and prominent jewels reflect her

literatura y la buena música, además del interés por la cultura. En esa época era común entre la clase acomodada aprender el francés como segunda lengua. En la primera mitad del siglo XIX, la llamada "Perla de Occidente" había más que triplicado su población de 20,000 a 75,000 habitantes. A lo largo de ese tiempo, la capital jalisciense había llegado a convertirse en el máximo centro industrial y comercial de la región. Importantes fábricas de calzado, jabón, tabaco, mezcal y cerveza mostraban la prosperidad y el empuje en esa zona. El caso de la sociedad guanajuatense era diferente, no queriendo con ello decir que no existieran personas cultas y refinadas, pero sí que este gusto no estaba tan ampliamente diseminado. Estrada vivió en la capital del estado, mientras que Bustos continuó viviendo en las afueras de la ciudad capital, dedicándose a varias actividades secundarias, como la preparación de sus famosos helados y la renta de utensilios de uso común; de aquí que sus clientes fueran personas sencillas, de origen más humilde. La pintura de Bustos es tan franca en su expresión que llega a captar con lujo de detalles cualquier defecto físico: verrugas, cicatrices, derrames en los ojos y hasta las mismas arrugas; la mirada de sus personajes contiene una fuerza excepcional. Era esta expresión lo que más le interesaba, por lo que la vestimenta quedaba relegada a segundo término. En tanto que Estrada, no perdiendo su interés en la expresión y el carácter de su modelo, mantiene una visión global de su retrato y una intención romántica que lo invita a envolverlo en estética y belleza.

En sus retratos de niños, podemos observar que Estrada los presenta con gran formalismo. Casi siempre se trata de niños pequeños, de cuatro o cinco años, que el pintor hace aparecer como jovencitos y señoritas adolescentes, y no obstante esta intencional falsedad, existe gracia y encanto en cada uno de ellos. Como los padres siempre ven a sus hijos como los más bonitos, los más graciosos, los más inteligentes, Estrada se esmeró en estos retratos para no defraudar la esperanza de sus clientes.

En el retrato de *María Encarnación Navarrete de Castellanos,* 1837, nos muestra a una elegante dama criolla, ricamente ataviada al estilo español, con mantilla bordada que se sostiene en la cabeza con la clásica peineta de carey. Su elegante peinado y prominentes joyas nos hablan de una mujer de alta posición. Por otro lado, el retrato de su esposa es limpio. En él, el artista hace alarde de su habilidad en el manejo de los blancos y el trabajo de las transparencias. Otro aspecto relevante en Estrada es que logra dar a cada uno de sus personajes un especial tono de piel, que distingue a la mujer mestiza de la criolla, o de aquellas con más sangre indígena. Las tonalidades pueden ir del color blanco perla al rosado o al color arena, hasta los distintos tonos morenos. Al reflexionar sobre el colorido que emplea en sus obras, encontramos que su paleta se dirige más bien hacia los tonos fríos. Justino Fernández describe su paleta con las siguientes palabras: "En el color se ajustaba a un gusto medido siempre, mas por igual usa finos blancos y grises como una entonación brillante o caliente, o su color se torna grave y profundo".

La calidad ejemplar de la pintura de José María Estrada nos obliga a ampliar y a revalorar el concepto de arte popular mexicano, o a reclasificar la producción de artistas de esta talla, que superaron por mucho una producción intuitiva y limitada en su oficio. José María Estrada murió en el año 1862, a los cincuenta y un años de edad, dejándonos el legado de su pintura como un testimonio fiel de su época. Estos retratos nos hablarán de las costumbres, mostrándonos una cara humana de la historia.

high social position. In contrast, the portrait Estrada painted of his wife is quite simple, and provides proof of his skill in handling white and transparent tones. Another relevant aspect of Estrada's work is the skin color he achieves on the canvas, which distinguishes between a mestizo and Creole, or those with more Indian blood. Tones can range from pearly white to pink or sand, up to the dark-skinned hues. If we reflect on the colors of Estrada's work, we find that his palette was directed more towards the cool tones. Justino Fernández describes this aspect as follows: "In color, he always opts for moderate taste, but he also uses fine whites and grays as a bright or warm intonation, or his color becomes serious and profound."

The exemplary quality of José María Estrada's painting obligates us to broaden and reevaluate the concept of Mexican folk art, or to reclassify the production of artists of the stature of Estrada, who went far beyond intuitive and craft-based work. José María Estrada died in 1862, at age fifty-one, leaving us his painting as the faithful witness of his times. His portraits tell us about customs and show us the human side of history.

José María Estrada
Retrato de María del Pilar
Saavedra Basauri, 1829
Oleo sobre tela, 85 x 55 cm.
Colección Fernando Juárez Frías y Sra., Guadalajara

Josefa Sanromán
La lectura, 1854
Oleo sobre tela, 136 x 125 cm.
Colección Particular

Juliana y Josefa Sanromán

(ca. 1827-)   (1829-)

Sin darse cuenta, ellas dejaron huella de profesionalismo y competencia, y abrieron la puerta para que en un futuro no muy lejano otras mujeres incursionaran de manera profesional en la pintura.

Lupina Lara Elizondo

DURANTE LA ÉPOCA COLONIAL, LA EDUCACIÓN DE LAS MUJERES MEXICANAS DE CLASE MEDIA Y ALTA estaba orientada hacia el conocimiento elemental de la aritmética, la gramática, y nociones de geografía e historia. Ellas complementaban sus estudios con la ayuda de algún maestro o tutor, quien les daba clases particulares de lectura, en las que estudiaban poesía; también recibían clases de música y canto. En ocasiones aprendían a pintar temas decorativos, como naturalezas muertas y flores, y también eran educadas en manualidades, como la costura y el bordado. Las clases marginadas no tenían acceso a una educación formal. Algunas mujeres de extracción humilde, que vivían en rancherías y llegaban a leer y a sumar, aprendían con los párrocos de los pueblos cercanos y ellas a su vez trataban de enseñar a sus hijos.

Esta situación prevaleció durante los primeros años del siglo XIX. Sin embargo, durante el período de la lucha armada iniciada en 1810, se cerraron las escuelas y el débil sistema educativo se deterioró considerablemente. Al volver la calma una vez consumada la independencia se reabrieron las escuelas, que en su mayoría eran dirigidas por sacerdotes y monjas, para continuar con su labor. Así transcurrió un período en que logró recuperarse la educación, hasta el año 1833 cuando inician las reformas educativas promovidas por el presidente Valentín Gómez Farías, que buscaban una educación laica y que más tarde se consolidarían con la promulgación de las Leyes de Reforma por el presidente Juárez. Aunque a partir de esta legislación muchas escuelas cerraron sus puertas, otras continuaron impartiendo sus clases de manera clandestina.

Para solventar la deficiencia educativa y buscando estar al día con los adelantos tecnológicos, en ese tiempo surgió la costumbre de enviar a los hijos varones a complementar sus estudios a Europa, principalmente a Inglaterra. Esto era posible gracias a la apertura postindependentista. En el caso de las mujeres, se encontraron diferentes alternativas para que ellas se educaran. Se siguió con la tradición virreinal de contratar institutrices, tutores y maestros especiales que suplieran la falta de escuelas. Otro medio de proveer educación a las señoritas mexicanas eran las pequeñas academias que las mujeres viudas formaban en sus casas, como medio de obtener recursos para mantener a sus familias. Ellas no siempre estaban capacitadas en las materias que enseñaban y tampoco contaban con un método de instrucción, y a base de clases improvisadas lograban transmitir

JOSEFA SANROMÁN
SALA DE MÚSICA, SIGLO XIX
(COPIA DE JULIANA SANROMÁN)
Oleo sobre tela, 136 x 125 cm.
Colección Particular

DURING COLONIAL TIMES, THE EDUCATION OF MIDDLE- and high-class Mexican girls was based on an elementary knowledge of arithmetic and grammar, and notions of geography and history. Young women would supplement their studies with the help of private teachers or tutors, who would give them classes in reading and poetry, as well as music and singing. Sometimes they learned to paint decorative topics, and practiced manual skills such as sewing and embroidery. The lower classes had no access to a formal education. Poorer girls who lived in rural areas learned reading and arithmetic from priests in nearby villages, and would attempt to pass their knowledge on to their children.
This situation prevailed during the early 19th century. When the armed struggle for independence began in 1810, schools were closed and the weak educational system deteriorated considerably. The restoration of peace marked the reopening of schools, most under the direction of priests and nuns. Educational stability was achieved and maintained until the educational reforms of President Valentín Gómez Farías in 1833, which took effect in the name of lay education. Consolidated as reform laws under President Juárez, this legislation was the reason behind the closing of many schools; those that stayed open were forced to operate clandestinely.
In a desire to compensate for educational deficiencies and remain abreast of technological advances, families adopted the custom of sending their sons to Europe, especially to England, to obtain additional education. Such trips were possible thanks to the new freedom of independent Mexico. For the girls in the family, parents found other educational alternatives. They continued to follow the viceregal tradition of hiring governesses, tutors and private teachers to substitute for the lack of schools. Some young Mexican women were educated in small academies that widows opened in their homes for supplemental income. The teachers at these academies were not always trained in the subjects they taught, nor did they have an instructional method, but simply improvised classes to transmit their elementary knowledge to their students. The possibility for young women to begin to train as teachers in the normal schools arose in the 1870s as a product of the Mexican government's educational policies.
Independent Mexico generated expectations in Europe, and many travelers arrived in search of the nation's still wealthy exuberance. Along with the entrepreneurs came artists wanting to make color

conocimientos elementales a sus alumnas. La visión educadora del gobierno en los años setenta, abrió la posibilidad para que la mujer se empezara a preparar como maestra en las Escuelas Normales.

El México independiente creó expectativas en el continente europeo. Así, muchos viajeros llegaron a nuestro país con el fin de conocer estas tierras exuberantes, que aún ofrecían riquezas. Y junto con hombres de negocios, llegaron artistas que buscaban hacer retratos a color de estas tierras mexicanas. Algunos de ellos se contrataron en nuestro país como maestros particulares de música y de pintura, como fue el caso del pintor Edouard Pingret.

Dentro de las actividades permitidas a las señoritas de aquella época, la pintura fue la que despertó más interés. Quizá a esto se deba que la Academia de San Carlos haya sido una de las primeras en el mundo que permitió el acceso a las mujeres. Se sabe que durante la segunda mitad del siglo XIX algunas alumnas asistían a las clases de dibujo, pintura, claroscuro, grabado y copia de yeso; sin embargo, les estaba prohibido participar en las clases de anatomía y desnudo. Ellas no eran alumnas regulares, es decir, no podían cursar la carrera de pintura, tan sólo algunas materias. No obstante, desde la primera exposición de la institución, se les permitió exhibir sus obras, al lado de sus maestros. Fue hasta fines de siglo cuando logran cursar la carrera completa.

Las hermanas Sanromán fueron sin duda unas de las pintoras más destacadas en el siglo XIX. Al hablar de ellas debemos tomar en cuenta los antecedentes de la pintura costumbrista en nuestro país. Para ello considero importante partir de la clasificación temática de la pintura que prevalecía en la Academia de San Carlos en el siglo XIX. Hasta la llegada de los maestros catalanes Pelegrín Clavé y Manuel Vilar a San Carlos en el año 1846, la pintura se encontraba dividida en dos grandes temas: el histórico, que abarcaba los motivos propios de la historia y en el que también se incluían los temas religiosos y mitológicos, y por otro lado se encontraba la "pintura de género", la cual comprendía los demás temas, como el paisaje, la naturaleza muerta, los retratos y las escenas costumbristas. Los maestros reclasifican la "pintura de género", considerando la clasificación que prevalecía en las academias europeas, separando así cada uno de sus temas. De esta manera, se trató de otorgar igual importancia a cada uno de ellos. Lo cierto fue que, después de esta apertura, los temas históricos siguieron teniendo la mayor importancia. A éstos siguió el paisaje, que en gran medida fue promovido y elevado en rango por el gran maestro italiano Eugenio Landesio. Los temas costumbristas y las naturalezas muertas, aunque no igualaron su importancia, sí lograron ser incluidos en el quehacer académico. En ese tiempo se trajeron de Europa como acervo de la Academia obras costumbristas para inspiración de los alumnos.

En esa época, quienes podían dedicarse a la pintura eran las señoritas burguesas, que no tenían otro compromiso que el de cultivar sus virtudes y su belleza para enriquecer en el futuro su entorno familiar. Sin embargo, estas señoritas debían respetar los cánones sociales y así, como no

descriptions of our land. Some were hired as private music and art teachers, including the painter, Edouard Pingret.
Compared with other activities permitted for the young ladies of the times, painting stimulated the most interest. Perhaps for this reason the Academia de San Carlos was one of the first academies in the world to accept female students. During the second half of the 19th century, girls attended drawing, painting, chiaroscuro, engraving and sculpture classes at San Carlos, but were prohibited from participating in anatomy classes or depicting nudes. Girls were not regular students because they took only certain subjects and were not eligible for degrees. From the time of the institution's first exhibition, however, young women were invited to show their work alongside that of their teachers, and by the end of the century they were permitted to take the entire program of study.
The Sanromán sisters were undoubtedly among the most outstanding painters of the 19th century. On speaking of them, we must take into account the history of genre painting in Mexico, and the thematic classification of painting that prevailed in the Academia de San Carlos during the 19th century. Until the arrival of the Catalonian teachers, Pelegrín Clavé and Manuel Vilar in 1846, painting at San Carlos was divided into two major topics: history, which covered well-known events from the past as well as religious and mythological topics; and the pintura de género ("genre painting") of all other topics—landscapes, still lifes, portraits and everyday scenes. The teachers at San Carlos attempted to attach equal importance to each topic by reclassifying pintura de género and adopting the system of the European academies. The topics were separated, but historical themes continued to be the most highly emphasized, followed by landscapes, which were promoted and raised in importance by the great Italian teacher, Eugenio Landesio. Everyday scenes and still lifes, while of lesser stature, were still included in the academic program. During this period, genre pieces were brought from Europe to form part of the Academia's collection and serve as inspiration for the students.
The individuals of the time who were truly able to devote themselves to painting were young women of the bourgeoisie, who had no commitments other than cultivating their own virtues and beauty to the enrichment of their future family environments. Since these young women were required to respect social cannons and not paint at the Academia, they painted at home: their primary source of inspiration was the family setting. As a result, their work reflects the style

Josefa Sanromán
Interior del estudio de una artista,
Siglo XIX
Oleo sobre tela, 132.5 x 115 cm.
Colección Fundación Cultural Antonio Haghenbeck y de la Lama, I.A.P., Museo Casa de la Bola

and settings of bourgeois life in 19th-century Mexico. Juliana and Josefa Sanromán were the second and fourth children of Blas Sanromán Gómez and María de Jesús Castillo. The family, originally from the state of Jalisco, had seven children: Refugio, Juliana, Genaro, Josefa, José Trinidad, Buenaventura and María de Jesús. Juliana and Josefa were the only family members who dedicated themselves to painting. An exact determination of their dates of birth has not been possible, but it is known that in 1836, because of the business activities of Mr. Sanromán, the family moved to Mexico City. The family's economic position meant that the children were raised in a refined and comfortable atmosphere; however, a consultation of the social chronicles of the day reveals that the family did not attend the functions of Mexico City's high society.

No clear record of the women's beginnings in painting is available. Their work is believed to have participated in the first exhibition of the Academia de San Carlos in 1848. A catalogue was not produced that year, but the sisters' names appear in the catalogues of various subsequent exhibitions. The book by Ida Rodríguez Prampolini, La crítica de arte en México en el siglo XIX, *tells us that Juliana participated in the second and third exhibitions, and Josefa, in the second, third, seventh and eighth. Reference is also made to their close relationship with Maestro Pelegrín Clavé, who painted the portraits of the three sisters, Josefa, Juliana and Refugio, and showed them at the Academia in 1853. The historian, Leonor Cortina, proposes that the sisters' teacher may well have been Clavé, based on the similarity of style between Josefa's portraits of her family and those of Clavé. Josefa showed her talents as a portraitist in the paintings of her father, mother and brother, Genaro, as well as other sitters.*

It is understood that the sisters worked together. On occasions, they made copies of each other's paintings, such as Sala de música, *which Josefa produced as a copy of one of Juliana's paintings. They also painted still lifes in pairs: one sister would make one painting, and the other sister, the second. Leonor Cortina comments: "Their works of this sort follow two very marked tendencies. The most simple is the Mexican style, with kitchen objects, copper pots, bottles, animals, wooden shelves, etc. ... This type of still life was one of the most original creations of Clavé's workshop and his students... The other tendency is less original than the first because it follows the European model of still lifes that reigned in some circles in the 18th century and remained in vogue during the 19th century. Here the topic of the Sanromán painters was luxurious ornate objects, such as alabaster urns, porcelain vases, and fruit and flowers placed on marble table tops, with a background of open skies." These aspects are evident in Josefa's* Cuadro de comedor.

Domestic topics or family scenes were the sisters' most highly appreciated paintings. Josefa painted several pieces based on these topics: Interior del estudio de una artista, Gabinete de costura, La

podían pintar en la Academia, debían hacerlo en sus hogares, y qué mejor inspiración que el ambiente familiar. Esta situación va a provocar que los trabajos de estas pintoras reflejen un costumbrismo que nos habla del estilo y ambiente de la vida burguesa en el México del siglo XIX.

Juliana y Josefa Sanromán ocuparon el segundo y cuarto lugar en la familia de Blas Sanromán Gómez y María de Jesús Castillo. Se sabe que la familia, que era originaria de Jalisco, estuvo integrada por siete hermanos: Refugio, Juliana, Genaro, Josefa, José Trinidad, Buenaventura y María de Jesús. Juliana y Josefa fueron las únicas en dedicarse a la pintura. A la fecha no ha sido posible identificar la fecha de nacimiento de nuestras pintoras. En el año 1836, debido a las actividades comerciales del señor Sanromán, la familia se traslada a la ciudad de México. Las hermanas crecieron en un ambiente culto y con comodidades, ya que gozaban de una buena posición económica. Sin embargo, al consultar las crónicas sociales de la época, se llega a entender que no acostumbraban frecuentar los círculos y eventos de la alta sociedad capitalina.

No existe algún registro que indique con claridad cómo fue que se iniciaron en la pintura; no obstante, se tiene noción de que desde 1848 sus cuadros participaron en la primera exposición que se realizó en la Academia de San Carlos, aunque de ésta no hubo un catálogo. Sus nombres aparecen en los catálogos de varias exposiciones posteriores. El libro de Ida Rodríguez Prampolini, *La crítica de arte en México en el siglo XIX,* nos indica que Juliana participó en la segunda y tercera exposición, y que Josefa, en la segunda, tercera, séptima y octava. También se tiene referencia de la cercana relación que mantuvieron con el maestro Pelegrín Clavé. El pintor realizó los retratos de las hermanas Josefa, Juliana y Refugio, y los exhibió en la Academia en 1853. La historiadora Leonor Cortina, estudiosa de este tema, propone que el maestro de las hermanas bien pudo haber sido Clavé. Esto lo concluye basada en la similitud de estilo que encuentra entre las pinturas que Josefa realizó de su familia con las que el maestro catalán pintó. Josefa mostró sus dotes de retratista en los cuadros que realizó: de su padre, de su madre doña María de Jesús, de su hermano Genaro, entre otros.

Se entiende que las hermanas trabajaban juntas. En ocasiones, entre ellas se hicieron copias de sus propios cuadros, como lo demuestra el titulado *Sala de música,* pintado por Josefa como copia de un cuadro de Juliana. También acostumbraban pintar naturalezas muertas en pares; una de ellas hacía uno de los cuadros y la otra el otro. En este tema, Leonor Cortina comenta: "Sus obras de este género siguen dos tendencias muy marcadas. La más sencilla es de estilo mexicano, con objetos de cocina, cazos de cobre, botellas, animales, alacenas de madera, etcétera. [...] Este tipo de bodegón fue una de las creaciones más originales del taller de Clavé y sus discípulos. [...] La otra tendencia es menos original que la anterior, porque se ajusta al modelo de naturaleza muerta europea que privó en algunos círculos en el siglo XVIII y continuó en boga en el siglo XIX. Aquí las pintoras Sanromán utilizaron como tema objetos de ornato lujosos, como jarrones de alabastro, floreros de porcelana, fuentes de plata y bronce, flores y frutas selectas, colocados sobre mesas de cubierta de mármol, con fondo de paisaje de celajes abiertos". Esto último se hace evidente en *Cuadro de comedor,* pintado por Josefa.

Josefa Sanromán
La convalecencia, Siglo XIX
Oleo sobre tela, 132.5 x 118 cm.
Colección Fundación Cultural Antonio Haghenbeck y de la Lama, I.A.P., Museo Casa de la Bola

convalecencia, Sala de música and Sala de lectura. Juliana painted Sala de música. An account of their work was published by El Espectador de México on January 25, 1851, in texts compiled by Rodríguez Prampolini: "Miss Josefa Sanromán has come to prove again this year her indisputable talent and rapid progress, as well as her untiring constancy. We were keen to see the paintings by this distinguished young lady because her previous studies, so fondly remembered by art lovers, provided us with high expectations for the present exhibition. Our hopes have been fulfilled and the three canvases exhibited by Miss Sanromán are certainly worthy of the brush of more experienced artists." The article continued with a description of her sister's pieces: "...Alongside these three paintings shine those of Miss Juliana Sanromán de Haghenbeck: two beautiful canvases in which the relevant qualities of this young lady's talent for painting insistently shine ..."

Cortina informs us that Juliana, the older sister, was married to Carlos Haghenbeck, a businessman of German origin, and that she died childless at a young age. Four years later, on August 23, 1856, according to research carried out by Angélica Velázquez Guadarrama in Mexico's national archives, Josefa, age twenty-seven, married her sister's widower at the Iglesia de Loreto. Josefa had five children: Catalina and Josefina, who did not survive childhood, and María de Jesús, Carlos and Agustín. After marrying Haghenbeck, Josefa continued to paint with dedication and commitment, although less frequently because of her family obligations. The paintings she completed during this period include the portrait of her husband, Carlos Haghenbeck, and that of her daughter, María de Jesús Haghenbeck.

Juliana Sanromán's painting, Sala de música, later copied by her sister, reveals the bourgeois family atmosphere. Depicted is a scene in the Haghenbeck home, where one young woman is playing the piano and another, sitting beside her, is singing. The women may well be the two sisters. A man, comfortably seated and dressed in an elegant robe, listens to them with pleasure while exhaling smoke from his pipe. We are made to believe this person is the painter's husband. At the end of the well-appointed room is an open window, with a landscape that attracts our attention.

One of the most notable paintings by Josefa Sanromán is La lectura. The scene is a bishop's study, and the personages are the painter and her family, who are listening to the bishop read. At the lower edge of the painting is an elegant spittoon, evidence of the customs of the times. Josefa's best piece is perhaps La convalecencia, a family setting in which a young woman, possibly Juliana, is being seen by a physician at the entrance to her room. Julieta paints herself in a standing position, reflecting concern and fraternal affection. The painful emotions of the moment are shown in the characters' faces.

The Sanromán sisters also painted landscapes, the inside of convents and religious topics. Their

Los temas domésticos o escenas familiares fueron sus cuadros más apreciados. Josefa pintó varias obras con estos motivos: *Interior del estudio de una artista, Gabinete de costura, La convalecencia, Sala de música* y *Sala de lectura.* Juliana tan sólo llegó a pintar *Sala de música.* Rodríguez Prampolini recopila los textos del periódico *El Espectador de México,* en el que el día 25 de enero de 1851 se publicó lo siguiente: "La señorita Josefa Sanromán ha venido a probar de nuevo en este año su indisputable talento y sus rápidos adelantamientos, así como su infatigable constancia. Deseábamos vivamente ver los cuadros de esta distinguida joven, porque sus anteriores estudios que con tanto gusto recuerdan los amantes de las artes, nos hacían esperar mucho para la presente exposición. Nuestras esperanzas se han realizado y los tres lienzos que ha expuesto la señorita son dignos ciertamente del pincel de más experimentados artistas...", y continúan hablando de la hermana: "...Al lado de estos tres cuadros, brillan los de la señorita doña Juliana Sanromán de Haghenbeck: son dos hermosos lienzos en los cuales brillan a porfía las relevantes cualidades de que esta señorita está dotada para la pintura..."

Cortina también nos comenta que Juliana, la mayor, contrajo matrimonio con don Carlos Haghenbeck, un comerciante de origen alemán, y que siendo bastante joven, ella murió sin sucesión. Cuatro años después, el 23 de agosto de 1856, según lo investigado por Angélica Velázquez Guadarrama en el Archivo General de la Nación, se confirma que Josefa contrajo matrimonio con su cuñado viudo, en la Iglesia de Loreto, a la edad de veintisiete años. Se sabe que Josefa tuvo cinco hijos: Catalina y Josefina, que murieron cuando eran niñas, y María de Jesús, Carlos y Agustín. Después de que contrajo matrimonio con Haghenbeck continuó pintando, y aunque no lo hizo con la misma asiduidad que en años anteriores debido a sus obligaciones familiares, sí lo hizo con dedicación y empeño. Entre las obras que realizó en esa época se encuentra el retrato de su esposo, Carlos Haghenbeck, y el de su hija María de Jesús Haghenbeck.

El cuadro de Juliana Sanromán, *Sala de música,* copiado posteriormente por su hermana, revela la atmósfera de una familia burguesa. Ella pintó un salón de la casa de Haghenbeck, en donde aparece una señorita tocando el piano y otra a su lado que la sigue cantando. Posiblemente se trate de ella misma y de su hermana. Un hombre, ataviado con una elegante bata de casa, las escucha con agrado sentado confortablemente mientras exhala el humo de su pipa. Nos hace pensar que se trata de su esposo. Al fondo del suntuoso salón se abre una ventana, tras la cual se aprecia un paisaje que fuga nuestra mirada.

Entre las pinturas más notables de Josefa Sanromán, resalta *La lectura.* Esta nos muestra el estudio de un obispo, frente a quien se pintó junto con su familia, escuchando la lectura del religioso. En la parte inferior se alcanza a ver una elegante escupidera, que nos hace evidente la costumbre de escupir públicamente. Otro cuadro de Josefa es el titulado

La convalecencia; quizá éste sea una de sus mejores piezas. En éste la pintora nos ofrece una escena familiar en la que una joven muchacha, posiblemente su hermana Juliana, es atendida por el médico en la antesala de su habitación. Se podría pensar que ella se representa de pie, mostrando su preocupación y cariño fraternal. Resalta en los rostros la dolorosa emotividad del momento.

Las pintoras también realizaron paisajes, pinturas de interiores de conventos y temas religiosos. El quehacer de estas pintoras no representó para ellas, como para los hombres pintores de su época, un medio de subsistencia, pero sí un medio de expresión personal y de hacer patentes sus capacidades. Sin darse cuenta, ellas dejaron huella de profesionalismo y competencia, y abrieron la puerta para que en un futuro no muy lejano otras mujeres incursionaran de manera profesional en la pintura. Este es uno de los atributos de su trabajo, además del evidente valor pictórico, y a éstos se une el haber rescatado para la posteridad las imágenes de su época.

painting was not a means of subsistence, as for the male painters of the times, but a form of personal expression and externalization of talent. Unsuspectingly, they left behind evidence of professionalism and competence, and opened the door for other women in a not so distant future to participate professionally in painting. Having provided this opportunity is one of the attributes of the work of Juliana and Josefa Sanromán, in addition to the obvious pictorial value of their painting and the preservation of images from their times for all posterity.

Josefa Sanromán
Cuadro de comedor, Siglo XIX
Oleo sobre tela, 75 x 92 cm.
Colección Fundación Cultural Antonio Haghenbeck y de la Lama, I.A.P., Museo Casa de la Bola

Ernesto Icaza
Tomando un descanso
Oleo sobre cartón, 12 x 16 cm.
Colección Particular, cortesía Miguel Angel Cristóbal

Ernesto Icaza

1866-1926

Se podría decir que la obra de Icaza continúa con la corriente costumbrista del siglo XIX. Es ella un testimonio de anécdotas y costumbres que con el paso del tiempo se han perdido.

Lupina Lara Elizondo

Ernesto Icaza nació en el año de 1866, en el seno de una familia aristócrata y de abolengo. Su padre fue don Joaquín Icaza y Mora, y su madre, doña Luz Sánchez. Se conoce poco sobre su vida. No hay un registro preciso que nos indique si realizó estudios de pintura, y menos se sabe si formó una familia o no. El museógrafo Fernando Gamboa lo bautizó como "charro pintor de charros" cuando presentó su obra en el Palacio de Bellas Artes. No fue el único charro que pintara los temas típicos de su oficio, pues se cuenta con la obra de distintos ejecutantes, como José Rincón Gallardo, Fernando Alfaro, Manuel Ocaranza, entre tantos artistas anónimos que trataron escenas del campo mexicano.

Algunos estudiosos de su obra han afirmado que fue autodidacta. Quizás lo único cierto que sabemos es que no fue un artista académico; sin embargo, su misma obra podría sugerirnos que recibió la guía de alguna persona experta. Así lo confirma Agustín Cristóbal, joven y experimentado galerista, quien entrevistó a uno de los descendientes del pintor y apunta: "Este familiar me hizo saber que la persona que le enseñó a pintar fue la segunda esposa de su padre, una mujer extranjera, probablemente inglesa". También existe evidencia de dos premios de dibujo que obtuvo en la escuela primaria y secundaria, en 1876 y 1879, respectivamente; de que mantuvo una cercana amistad con José Ibarrarán y Ponce, maestro particular de alguno de los miembros de su familia, y de que a través de la familia Cuevas, propietaria de la Hacienda de los Morales, conoció a Germán Gedovius, al cual visitaba con frecuencia en el taller que tenía en esa propiedad y en donde pasaba largas horas observándolo pintar.

Otras opiniones del mismo Gamboa nos dicen que entre las principales virtudes plásticas de Icaza estuvieron el sentido de composición y el movimiento que imprimía a las formas, lo que le lleva a dudar que lo haya guiado solamente la intuición. Es posible, e incluso probable, que Icaza haya recibido cierta enseñanza en algún lugar. No pocas de sus obras están regidas por una sabia geometría interior, y en algunas de ellas hasta parece haber aplicado la proporción áurea. Por su parte, Juan Sánchez Navarro y Peón se refiere a él en su libro *La dama mexicana:* "No fue un pintor académico. Artista innato, supo elegir el tema ejemplar con el que compartió su vida".

Ernesto Icaza was born in 1866, in the heart of an aristocratic family. His father was Joaquín Icaza y Mora, and his mother, Luz Sánchez. Little is known about his life. There are no precise records to inform us if he studied painting, or if he formed a family of his own. The museum specialist, Fernando Gamboa, referred to Icaza as a charro pintor de charros ("cowboy painter of cowboys") when he showed his work at the Palacio de Bellas Artes. He was not the only cowboy to paint the typical activities of his profession: José Rincón Gallardo, Fernando Alfaro, Manuel Ocaranza, and other anonymous artists also depicted scenes from the Mexican countryside.
Some students of Icaza's work have affirmed that he was a self-taught painter. Perhaps the only certainty is that Icaza was not an academic artist; however, his work seems to suggest that he received guidance from an expert. This fact was confirmed by Agustín Cristóbal, a young and experienced gallery owner, who interviewed one of the painter's descendants: "This family member told me that the person who taught him to paint was his father's second wife, a foreign woman, probably English." There is also evidence that Icaza won two drawing prizes in primary and secondary school, in 1876 and 1879, respectively; that he kept up a friendship with José Ibarrarán y Ponce, a private tutor in his family; and that through the Cuevas family, the owners of Hacienda de los Morales, he met Germán Gedovius and often watched him paint at his Hacienda workshop.
According to Fernando Gamboa, the principal plastic virtues that can be attributed to Icaza are his sense of composition and the movement he provided to form—making it doubtful that Icaza was guided solely by intuition. It is possible and even probable that Icaza received instruction. More than a few of his paintings are governed by a knowledgeable interior geometry, and the golden section seems to have been applied to some. In the words of Juan Sánchez Navarro y Peón, who refers to Icaza in his book entitled La dama mexicana: "He was not an academic painter. An innate artist, he knew how to select the exemplary topic with which he shared his life."
The dates written on Icaza's paintings beneath or alongside his signature, indicate that he took up the brushes in 1900, when he was thirty-four years old. He grew up during the calm years of Porfirio Diaz's administration, which enabled him to travel constantly outside of Mexico City to the most prominent haciendas around the country. The long visits to stables and pastures stimulated his passion for horses and Mexican rodeo events, and he became an

Las fechas anotadas en sus cuadros, las cuales aparecen debajo o a un lado de su firma, indican que tomó los pinceles en el año de 1900, cuando contaba con treinta y cuatro años de edad. Icaza creció en el tiempo en que se respiraba la calma porfiriana; eso le dio la facilidad de poderse retirar de la ciudad, emprendiendo constantes viajes a las haciendas más prominentes del país. Justamente con esas largas estancias en los establos y los potreros se despertó su pasión por los caballos y por las suertes, los encierros, la doma y el jaripeo, transformándose él mismo en un auténtico charro. Sólo aquel que ha vivido de cerca este tema lo podría haber plasmado con tanta precisión y sobre todo con tanta emoción. Los cuadros encierran con lujo de detalles los trajes de los patrones y de los caballerangos, así como las lujosas sillas de montar, los carruajes jalados por animales de tiro, y todos ellos revelan el estado de ánimo, la algarabía de los participantes.

El nunca pudo mantenerse a sí mismo de su pintura, pero el pretexto de pintar le permitió en más de una ocasión obtener techo y comida en alguna de las grandes fincas. Quienes lo conocieron, lo describen como un sujeto de carácter afable, ameno y festivo, que se lucía orgullosamente con un traje de charro. Sin embargo, esta imagen empezó a cambiar notoriamente conforme la situación se tornó adversa, no nada más para él, sino para muchos mexicanos. La revolución logró que se quitaran las tierras a gran parte de los hacendados, y con ello perdió sus tan queridos

Ernesto Icaza
Buenos días patrón
Oleo sobre cartón, 10 x 12.5 cm.
Colección Particular

Ernesto Icaza
Jineteando, 1918
Oleo sobre cartón, 15.5 x 23 cm.
Colección Particular, cortesía Miguel Angel Cristóbal

escenarios y también a los clientes, sus amigos, que no podían distraer su dinero para adquirir un cuadro. Así cayó el artista en el vicio de la bebida, trascendiendo ello en el deterioro de su trabajo y en la pérdida de buena cantidad de sus amigos, que rehuían su presencia y sus visitas. Sumido en la miseria, se resignaba a pintar sólo aquellos cuadros que le pedían, que no eran muchos, pues su obra se consideraba cara y el dinero no abundaba. Esto se entiende al comparar sus precios con los cuadros de otros artistas. Un anticuario francés, que tenía su negocio en la calle de Puente de Alvarado, vendía un óleo de Icaza en cuatro y ocho pesos, dependiendo del tamaño, mientras que un Cabrera costaba siete pesos, y un Velasco de 17 x 32 cm., dieciocho pesos.

En los últimos años de su vida ya no pudo trabajar. Al abandonar lo que más quería, la pintura y la charrería, se acabaron sus ilusiones y con ellas su energía. Durante mucho tiempo se creyó que había muerto en el año de 1935; sin embargo, recientemente se encontró su tumba en el antiguo Panteón Francés, en donde aparece la fecha de su nacimiento en la ciudad de México en el año de 1866, y la de su muerte: 1926.

authentic rodeo cowboy. Only a painter who had experienced this life could have depicted it with such precision and emotion. Icaza's paintings detail the clothing of owners and grooms, as well as the ornate saddles and carriages, and all of the paintings' elements reveal the mood and excitement of their participants.

Icaza was unable to support himself with his art, but on more than one occasion the pretext of painting provided him with food and lodging on the large estates. Those who knew Icaza describe him as an affable and festive man who was proud to dress as a typical Mexican cowboy. This pleasant image began to change notoriously, however, as general living conditions became adverse, not only for Icaza but for many other Mexicans. With the revolution, large numbers of haciendas were seized, and Icaza lost the beloved settings for his work as well as his clients, his friends, who were no longer able to spend money on

paintings. Icaza turned to drink, resulting in the deterioration of his work and the loss of many of his friends, who avoided his presence. In the throes of misery, Icaza resigned himself to painting only commissioned work, which was not bountiful since his prices were considered high and cash was scarce. A comparison of Icaza's prices and those of other artists proves the point: a French antique dealer, whose business was located on Puente de Alvarado street, offered oil paintings by Icaza for four or eight pesos, depending on the size, while a painting by Cabrera would cost seven pesos, and one by Velasco, measuring 17 by 32 centimeters, eighteen pesos.
Icaza found it impossible to work during the final years his life. The absence of what he loved most—painting and the cowboy life—did away with his illusions and his energy. It was long believed that Icaza had died in 1935; yet his tomb was recently found in the old Panteón Francés, with an inscription of the date of his birth in Mexico City, 1866, and that of his death, 1926.

REFLECTIONS ON ICAZA'S WORK

Icaza's inspiration was the haciendas of his relatives and friends, including the Rincón Gallardo, Romero de Terreros, Sánchez Navarro, Martínez del Río, and Redo families. Perhaps at these haciendas he saw the English prints of hunting and riding scenes that had been created by British artists in the 17th and 18th centuries to depict equestrian topics. Also in circulation throughout Mexico in the mid-19th century, and possibly consulted by Icaza, were the lithographs by the teacher of José María Velasco, Claudio Linati, which portrayed diverse personages on horseback and ranching topics.
Prior to Icaza, Morales and Alfaro had painted such topics with a predominantly aesthetic rather than anecdotal sense. It can be stated that Icaza's work continues within the current of 19th-century genre painting. His paintings provide a testimony of common procedures and customs that have been lost over the passage of time.
Tracing Icaza's artistic production is not easy: agrarian reform occurred a few years after his death, and with it, the extermination and liquidation of the haciendas. The original owners were obligated to leave their land, and in many cases, their belongings. The new owners, not knowing the importance of the objects received, often permitted their total deterioration or use as firewood. Nonetheless, more than three hundred of Icaza's paintings have been identified and documented.
The experts who have painstakingly studied these paintings have reached interesting conclusions. Icaza's most noteworthy period of work was between 1908 and 1920. The paintings from this era show meticulous execution as well as the use of professional brushes, oils and canvases that were almost all of

REFLEXIONES SOBRE SU OBRA

Su inspiración surgió en las haciendas de sus parientes y amigos, entre otros los Rincón Gallardo, los Romero de Terreros, los Sánchez Navarro, los Martínez del Río, los Redo. Quizás en ellas también pudo haber observado las estampas inglesas sobre temas de cacería y de equitación. Estas estampas habían sido ejecutadas por los artistas británicos en los siglos XVII y XVIII, en un afán de recrearse con los temas relacionados con el caballo. También encontramos las litografías del maestro de José María Velasco, Claudio Linati, con temas de rancheros y de diversos personajes a caballo, que circularon en el México de mediados del siglo XIX y que el pintor debió haber consultado.

Antes que él, Morales y Alfaro habían pintado ya este tema con un predominante sentido estético, más que por resaltar la anécdota pintada. Se podría decir que la obra de Icaza continúa con la corriente costumbrista del siglo XIX. Es ella un testimonio de anécdotas y costumbres que con el paso del tiempo se han perdido.

No fue fácil dar seguimiento a su producción artística, ya que algunos años después de su muerte vino el reparto agrario y con ello el exterminio y liquidación de las haciendas. Los dueños originales se vieron obligados a abandonarlas, y en muchos casos a dejar allí sus pertenencias. Los nuevos propietarios, ajenos a la importancia de los objetos recibidos, permitieron en muchos casos su total deterioro, llegando en ocasiones a utilizarlos como leña para calentar el almuerzo. A pesar de ello, se han llegado a identificar más de trescientas piezas, las cuales se tienen perfectamente identificadas y documentadas.

Los expertos han estudiado con detenimiento estas pinturas, obteniendo de ellas algunas conclusiones interesantes. Su mejor período de trabajo es el comprendido entre los años 1908 y 1920. En su producción fechada en este tiempo se palpa una minuciosa ejecución, así como el uso de óleos, lienzos y pinceles profesionales, casi todos ellos importados: cartón preparado para pintar de origen francés; lino belga, montado sobre bastidores de muy buena madera, y pinturas alemanas o inglesas Windsor & Newton. A partir de 1920 el declive pictórico en sus cuadros se vuelve muy evidente. De acuerdo con lo ya mencionado, se deduce que esto se debió a que trabajaba cansado y deteriorado por las constantes parrandas. Además, en ellas apostaba y gastaba el dinero que tenía, limitando cada vez más los materiales de buena calidad. Se llegan a ver cuadros muy flojos, pintados sobre manta de cielo, que posiblemente haya tomado de la decoración de las alcobas, pues en ese tiempo ésta se utilizaba para recubrir las bóvedas.

Ernesto Icaza
Terniando en el campo, 1921
Oleo sobre cartón, 10 x 14 cm.
Colección Particular

SUPERIOR
Ernesto Icaza
Sin título
Oleo sobre cartón, 12 x 16 cm.
Colección Particular

INFERIOR
Ernesto Icaza
Sin título
Oleo sobre cartón, 12 x 16 cm.
Colección Particular

foreign origin: prepared cardboard for painting that had been imported from France; Belgian linen stretched on frames of good-quality wood; and German or English paints from Windsor & Newton. In 1920, the pictorial decline of Icaza's work started to become very evident, assumed to be the result, as previously mentioned, of the deterioration of constant drinking. In addition, Icaza gambled with his paintings, and increasingly limited his use of good materials. His work, painted on gauze possibly taken from the typical ceiling coverings of the time, began to look lackadaisical.
Icaza also did mural work. We must remember that the wealthy landowners wanted to own large-scale pictorial works to depict visually the magnitude of their properties, and that they commissioned topographical landscapes of their holdings, including living spaces, fields and livestock. Also usual in the nineteenth century were wall decorations on pulque bars in the cities as well as in the rural areas. Since drinking pulque was a daily custom not limited to the lower classes, it can be assumed that Icaza's enjoyment of long nights of gambling and drinking led him to visit pulque bars frequently and closely observe their murals. Once he had become known for his work in small formats, Icaza was asked on several occasions to paint cowboy scenes for the Rincón Gallardo family (who owned the Ciénega de Mata Hacienda in Jalisco), for the owners of the Hacienda de Tetlapaya in Hidalgo, and the owners of the Hacienda de la Cofradía in Estado de México. He produced nine large paintings, one with a new topic: El asalto armado contra una diligencia ("Armed Robbery of a Stagecoach").
Ernesto Icaza delights us with his small paintings, carried out for reasons more related to photography than to aesthetics: his end was to record the atmosphere and emotion of the moment. Icaza's paintings are treasured as nostalgic reminders of the close-knit community life shared by all who lived on the haciendas, as well as of the festivities surrounding livestock events.

En cuanto a su obra mural, debemos tener en mente el gusto de los ricos terratenientes y hacendados por poseer obras pictóricas de gran escala en las que se representara visualmente la magnitud de sus propiedades; de tal manera, ordenaban a los artistas paisajes topográficos de sus territorios, incluyendo los espacios de vivienda, junto con los de la siembra y los del ganado. También en el siglo XIX se realizaron trabajos en los muros para decorar las pulquerías tanto de las ciudades como del campo. El tomar pulque fue una costumbre cotidiana que no se limitó a los estratos sociales bajos. Así pues, Icaza, que por lo que se sabe gustaba de las noches largas en las que había juego y se tomaba, debió haber asistido con frecuencia a estas pulquerías, habiendo podido contemplar con detalle la pintura de estos murales. Ya que había adquirido fama en el pequeño formato, los propietarios de la Hacienda de Ciénega de Mata, en Jalisco, en este caso la familia Rincón Gallardo, los de la Hacienda de Tetlapaya, en Hidalgo, y los de la Hacienda de la Cofradía, en el Estado de México, en repetidas ocasiones pidieron al artista que les pintara escenas charras. En ellas trabajó nueve grandes pinturas, y en una de ellas pintó un tema nuevo: *El asalto armado contra una diligencia.*

Ernesto Icaza nos deleita con estas pequeñas obras, trabajadas más que con sentido estético con un interés que va más allá del fotográfico, ya que en su caso el pintor desea guardar la atmósfera y la emotividad del momento. Sus cuadros en la actualidad son atesorados con la nostalgia de esa vida comunal, casi familiar que se desarrollaba entre todos los habitantes de las haciendas, aunada a la gran fiesta que se provocaba en torno a las faenas propias de la ganadería.

ERNESTO ICAZA
SIN TÍTULO
Oleo sobre tela, 40 x 58 cm.
Colección Particular

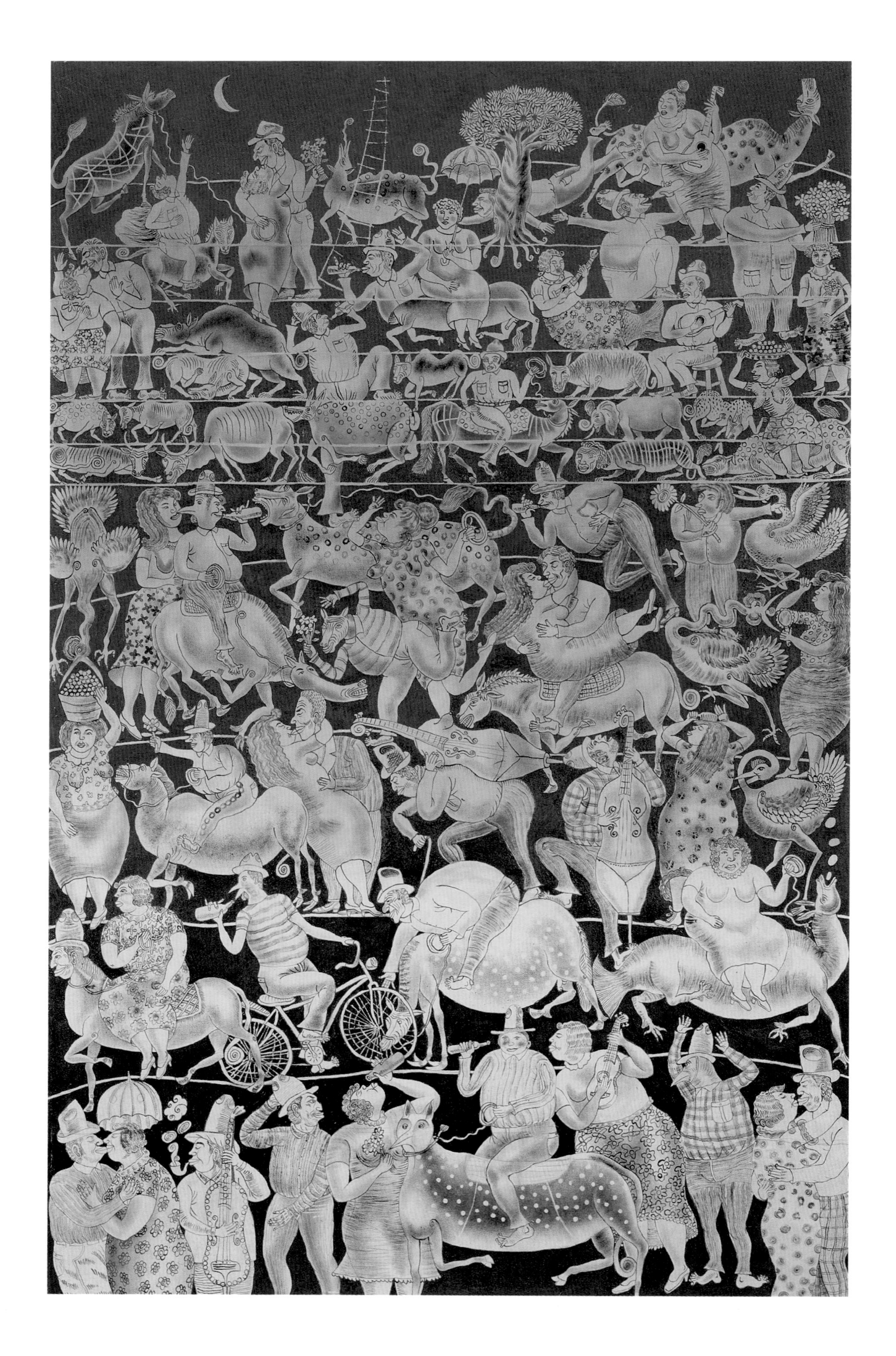

Maximino Javier
Sin título, 2002
Oleo sobre tela, 200 x 130 cm.
Colección Particular

Maximino Javier

Cuentos vividos en los campos de tabaco

En la obra de Maximino Javier no se advierten poses ni pretensiones.
Por el contrario, su voz es franca y auténtica; se expresa con sinceridad y sentimiento.
No hay en ella ningún truco o artificio expresivo.

Lupina Lara Elizondo

Valle Nacional, Oaxaca, es una población al sur del Estado, dentro del municipio de Tuxtepec, colindante con el estado de Veracruz. Su vegetación es exuberante, y su clima, húmedo y lluvioso. A partir de la conquista se le llamó Valle Real, y al declararse la independencia de México, se cambió su nombre por el de San Juan Bautista Valle Nacional. En chinanteco lleva el nombre de Jungiá, que quiere decir "agua que nace" o "nacimiento del río". Su etimología proviene de jun, "río" o "agua" y yiá, "nacer". En el año de 1609 una terrible epidemia de viruela invadió estos lugares y el resto de la población, aterrada por los estragos que causó entre los moradores, se diseminó por los bosques. Los pocos que lograron escapar de la epidemia emigraron hacia el pueblo de Papantla. Al poco tiempo esta población fue invadida también por la viruela y sus habitantes la abandonaron, congregándose en el año de 1811 una nueva población para fundar este nuevo pueblo de San Juan Bautista Valle Nacional, formado por las rancherías de San Pedro Ozumasín, San Mateo Yetla y Santa María de la Asunción Jacatepec.

En este poblado bello y selvático en el año 1948 nació Maximino Javier. Con su temperamento apacible y una voz cálida que deja sentir la cadenciosa forma de hablar de los oaxaqueños, comenta acerca de su infancia: *"Yo nací en el campo; soy hijo de campesinos. Mi familia es grande. Eramos nueve hermanos y, desde muy chicos, todos íbamos a trabajar al campo; cultivábamos tabaco. Eramos esclavos del tabaco".* –¿Por qué esclavos?– *"Porque el tabaco es una siembra que no te permite descansar. Desde que se hace el almácigo para la semilla hasta que se entrega ya el tabaco en bulto, hay que estar pendiente de todo; es muy exigente. Era un trabajo muy agotador. Bueno, era, porque ya no se cultiva allí el tabaco; ahora se cultiva el hule".*

Desde los seis años, Maximino acompañaba a su padre al campo. En aquella época no se exigía que los niños fueran a la escuela. Por ello no fue sino hasta que él tenía diez años cuando entró a estudiar la primaria, gracias a la constante insistencia del maestro del pueblo que pedía a sus padres que lo dejaran estudiar. *"Me recuerdo que desde que entré a la escuela pintaba mucho. Luego el maestro no creía que yo había hecho esos dibujos".* –¿Qué dibujabas? –le pregunté. *"Dibujaba escenarios campiranos. Pintaba vacas, árboles, gallinas... Lo que yo veía. Ya después, como pude leer muchas historietas, entonces me puse a hacer mis propias historietas. Yo las hacía*

The town of Valle Nacional is located in the southern part of the state of Oaxaca, within the municipality of Tuxtepec and adjacent to the state of Veracruz. Its vegetation is exuberant and its climate damp. After the Spanish conquest, the town's name was Valle Real, which was changed to San Juan Bautista Valle Nacional when Mexico declared its independence. In the Chinanteco language, the town is known as Jungiá, meaning "water that is born" or "birth of a river": jun for "river" or "water", and yiá, "born". In 1609, a terrible smallpox epidemic invaded the area and the population, horrified by the devastation, fled to the surrounding forest. The few who escaped from the epidemic migrated to the town of Papantla. Within a very short time, however, this location was also infested by the disease and abandoned. In 1811, the population congregated to found the new town of San Juan Bautista Valle Nacional, at the site of the hamlets of San Pedro Ozumasín, San Mateo Yetla and Santa María de la Asunción Jacatepec.

Maximino Javier was born in this beautiful, verdant town in 1948. With a warm, peaceful voice and cadence typical of Oaxaca, Maximino talks about his childhood: "I was born in the country; I am the son of peasants. My family is large. There were nine of us children, and from a young age we all worked in the fields; we grew tobacco. We were slaves of tobacco." In response to the question, "Why slaves?" Maximino comments: "Because tobacco is a crop that does not let you rest. Starting with preparing the seedbed for planting, up to delivering the packed tobacco, you have to watch everything; it is very demanding. It is very exhausting work. Well, I should say it was exhausting because tobacco is no longer grown there; now rubber is grown." When he was six years old, Maximino began to accompany his father to the fields. At that time, attendance at school was not obligatory. Maximino did not enter elementary school until he was ten, and only then thanks to the insistence of the local teacher, who untiringly asked Maximino's parents for permission. "I remember that when I started school, I drew a lot. Then the teacher didn't believe that I had done the drawings." When asked about what he drew, Maximino replies: "I drew rural scenes: cows, trees, chickens... What I saw. And then, since I read a lot of comic books, I started to make my own. I made them with drawings. I invented the words and wrote the stories, and drew them square by square. I really liked to draw! I did not get tired of drawing! I loved it. In the afternoons, we would come in from the field, and since it is very rainy there, I would get a chair, and another smaller chair, and I would sit in the light that came through the doorway, and draw and draw. Then my friends would ask me for the comic books to read them. Even then I had a good stroke: very loose and defined. Later I bought 'Vinci' paints (acrylics) and began to do landscapes on cloth. I had noticed how a young man who made advertising banners worked, and I got the idea to paint on cloth. I sold those little paintings to people who had stores, and they would give me three or four pesos for them. I would spend the money to buy a soft drink, or anything else that appealed to me." When the town's schoolteacher saw Maximino's work,

con dibujos. Inventaba mis letras y escribía las historias, y las iba dibujando cuadrito por cuadrito. ¡Me gustaba mucho dibujar! ¡No me cansaba de dibujar!... Me encantaba. En las tardes, cuando ya llegábamos del campo, y como allá es muy lluvioso, pues agarraba una silla y otra sillita más chica, y a la luz que entraba por la puerta me ponía dibuje y dibuje. Después mis amigos me pedían las historietas para leerlas. Desde entonces tenía un buen trazo: muy suelto y definido. Más tarde compré pinturas 'Vinci' (pintura acrílica) y empecé a hacer paisajitos en tela. Me había fijado cómo lo hacía un muchacho que hacía mantas publicitarias, y de eso surgió la idea de pintar en tela. Esas telitas las vendía a las personas que tenían tiendas, y me daban tres pesos o cuatro. Yo me los gastaba en comprarme un refresco, o cualquier cosa que se me antojaba".

Cuando el maestro de su escuela veía sus trabajos, le comentaba que era muy importante ir a estudiar a Oaxaca; que allí había una escuela de Bellas Artes donde enseñaban pintura, poesía y música. A Maximino le entusiasmaba la idea, pero se le hacía que la ciudad estaba muy lejos, y un poco contra su voluntad entró a estudiar la secundaria. Comenta que terminó sus estudios con muy buenas notas, y que en ese tiempo seguía trabajando en el tabaco o en la siembra de arroz. Realmente le gustaba ir al campo, pues en su caso, no se trataba únicamente de ir a trabajar, sino de ir a convivir con la naturaleza. Cierto día en que se encontraba solo, limpiando el arroz, se preguntó si el campo sería realmente su destino, o si existían otras posibilidades para él. Pensó: *"Tengo aptitudes para el dibujo, y posiblemente podría trabajar haciendo caricaturas para un periódico en Oaxaca y abrirme un futuro..."*

Al día siguiente consiguió dinero prestado, informó a su familia que se iría a Oaxaca con un tío y así lo hizo. *"Mi tío, que más bien era un pariente lejano y vivía en las afueras de la ciudad, me dio trabajo limpiando las vacas en el pesebre. Después de unos días, me fui a buscar la escuela, y de esa manera fue como llegué a Bellas Artes. En las tardes iba a clases con el maestro Roberto Donis. El me dijo que me iba a poner a prueba un mes y me pidió diez dibujos. Hice unos dibujos muy 'padres', y cuando los vio, me dijo que me podía quedar y que allí me iban a dar pinturas y papel. Yo estaba feliz, pues nada más sabía dibujar y nunca había trabajado con óleos, ni conocía la técnica. Estaba muy emocionado. Llegaba muy puntual a las clases. En esa época había mucha 'grilla' en el interior de la universidad y a los dos meses cerraron las clases, pero Donis nos dijo que estuviéramos pendientes porque en poco tiempo abrirían un taller independiente".* Al poco tiempo se abrió el Taller Rufino Tamayo, que tenía apoyo del INBA y del Gobierno del Estado. *"En ese taller también nos apoyaban con las telas y las pinturas. Después de un tiempo, Roberto me consiguió una beca y con eso me alcanzaba para ir a comer al mercado. Lo bonito del taller era que todos los compañeros teníamos la misma condición de necesidad. Veníamos de diferentes pueblos y se formó como una especie de hermandad, en la que todos nos ayudábamos. Vivíamos en el taller; dormíamos en cartones, y los que tenían mejor condición se habían comprado su colchoncito. Yo me acostaba en un cartón debajo de mi caballete, y cuando me despertaba, me ponía a pintar. Fue muy emocionante".*

Francisco Toledo iba con frecuencia al taller a hacer sus impresiones de grabado. Un día vio una pintura de Maximino y le gustó tanto que la compró. Esa fue la primera venta de una pintura suya. Toledo le pagó como tres mil pesos. El maestro Donis era el administrador de la venta de obra que hacían los alumnos. Aplicaba una parte al taller para la compra de materiales y otra parte se la guardaba a los estudiantes, y ellos le iban pidiendo cada semana para sus gastos. Maximino recuerda otra ocasión en que Toledo fue al taller y le obsequió un libro del pintor flamenco Pieter Bruegel, en el que aparecían ilustraciones de sus pinturas representando paisajes y escenas de campesinos. También le obsequió un libro del holandés Hiëronymus Bosch, conocido como El Bosco, pintor que con un realismo alucinante representa un mundo fantástico. Maximino disfrutó los libros y encontró cierta identificación con la obra de ambos pintores. Alguna relación vio Toledo en cuanto al ánimo expresivo de Maximino con la de los grandes pintores europeos y quizá haya pensado que esas imágenes lo entusiasmarían.

he told him that it would be very important for him to go to the capital city of Oaxaca to study at Bellas Artes, where there was a school that taught painting, poetry and music. Maximino was enthusiastic about the idea, but the city seemed far away; so somewhat against his will, he entered secondary school. He comments that he finished school with very good grades, while continuing to work in the tobacco and rice fields. The countryside, not only his place of work, was also a true source of enjoyment for Maximino because it permitted his contact with nature. On a certain day when he was working alone, weeding the rice, he asked himself if field work was his destiny, or if he had other possibilities. He thought: "I have a talent for drawing, and I might be able to draw cartoons for a newspaper in Oaxaca and make myself a future." The following day he borrowed some money and informed his family that he would be going to Oaxaca to live with an uncle. "My uncle, who was really a distant relative, lived on the outskirts of the city. He gave me work

MAXIMINO JAVIER
PARIENTES DEL ALVARADO, 2000
Oleo sobre tela, 56.5 x 76 cm.
Colección Particular

IZQUIERDA
MAXIMINO JAVIER
INTERIOR CON LONA, 2002
Gouache sobre papel, 76 x 56 cm.
Colección Particular

DERECHA
TRASTOCANDO EL SUEÑO, 2002
Gouache sobre papel, 76 x 56 cm.
Colección Particular

cleaning the cow barn. After a few days, I went to look for the school, and I found Bellas Artes. In the afternoons, I would attend class with Maestro Roberto Donis. He told me that he would let me try for one month, and he asked me for ten drawings. I did some very nice drawings, and when he saw them, he told me I could stay there and that the school would give me paints and paper. I was happy, because I knew only how to draw and had never worked with oil paints, nor did I know the technique. I was very excited. I was very punctual about going to class. At that time, there were a lot of politics at the university, and classes were suspended two months after I started. But Donis told us to be on the lookout because an independent workshop was soon to open." The project took shape as the Taller Rufino Tamayo, supported by the INBA (National In-

Durante el tiempo que estuvo en el Taller Tamayo, Roberto Donis fue su maestro de la clase de pintura. El dejaba que los jóvenes trabajaran; era más bien un taller libre. Cuenta Maximino que Donis acudía una vez al día, pasando con cada alumno, y les iba haciendo indicaciones, como: "Aquí se te está ensuciando el color", "Aquí hay que cambiarle", o cosas así, muy generales. Maximino recibía muchas indicaciones por su problema de daltonismo y así lo recuerda: *"No sabía qué color estaba poniendo, pues no puedo distinguir el color café, ni el rojo, ni el verde, ...ni los colores combinados. Veo bien el azul, el blanco, el negro y el amarillo. Pero los demás colores no los puedo distinguir. Entonces Donis me decía: –Fíjate que le estás poniendo verde en la cara–, pero para mí era color carne. Nos gustaba mucho la libertad del taller, pues podíamos hacer lo que queríamos hacer. No teníamos límites para hacer nuestras cosas".*

Maximino estuvo cerca de dos años y medio en el taller. Durante ese tiempo, Roberto Donis organizó diferentes exposiciones colectivas, principalmente en la ciudad de México. Todo ello lo motivaba, pues sus cuadros lograban venderse con facilidad; sin embargo, al cabo de este tiempo, le surgió la inquietud de conocer otros lugares y probarse a sí mismo. *"Donis me echó mucho pleito para que no me saliera. Me decía que el medio era muy duro y que me iban a destrozar. Pero no me importó y me salí del taller, junto con una muchacha pintora que conocí allí".*

Al estar independiente del taller, le empezó a ser necesario encontrar la manera de vender su obra. Su primera exposición individual surgió de una manera singular: Francisco Toledo tenía un importante coleccionista de origen holandés, Ben Nordemann, y un día en que éste fue a su casa vio el cuadro que Toledo había comprado a Maximino y le preguntó acerca del pintor. El holandés se pasó un buen tiempo en Oaxaca tratando de localizar a Maximino Javier, hasta que un día lo encontró, con unos amigos, celebrando la venta de una pintura. Nordemann le comentó acerca de unos cuadros que estaban en el Taller Tamayo, pues él los quería comprar, pero los cuadros ya habían sido adquiridos por el ingeniero Víctor Bravo Ahuja, entonces Secretario de Educación Pública. Maximino no tenía más pinturas y por eso el coleccionista le dejó su tarjeta, encargándole que en cuanto pintara algunas más, se las llevara a la ciudad de México. Al poco tiempo estuvieron listas y Maximino se fue a la capital para entregarlas, ignorando en ese momento que se quedaría en esa ciudad casi tres años. El señor Nordeman le propuso hacer una exposición en su casa. Esta tuvo un éxito rotundo, pues se vendieron todos los cuadros. Seguido a ello, el coleccionista lo apoyó en las gestiones hasta conseguir que se organizara una exposición en la Galería del Instituto Francés de la América Latina, IFAL. La primera exposición en esta galería se llevó a cabo en el año 1978, la segunda en 1979 y posteriormente realizó otra en 1983. Estas exposiciones marcaron el inicio de una trayectoria de grandes éxitos en México y en Estados Unidos. Entre ellas se encuentran las realizadas en las galerías: Miró, en Monterrey; en la Casa del Lago, UNAM, en la ciudad de México; en la Arte Klein y la Art Workshop, en Chicago, y la Rubicón, en Los Altos, California. Posteriormente expuso en las galerías Arte Marchand, Alejandro Gallo y Arte Acá, en Guadalajara, Jalisco, y también en las galerías Rafael Matos, Arvil y en la Casa Lamm, en la ciudad de México. En su estado natal ha expuesto de manera individual en el Palacio Municipal de Tuxtepec y en la Galería Quetzalli. En el año 2002 presentó una exposición con el título *Trastocando lo cotidiano* para la Casa José Cuervo, en Tequila, Jalisco. En los últimos veinte años, su obra ha participado en más de ochenta exposiciones colectivas en Nueva York, París, Rotterdam, Buenos Aires, Puerto Rico, La Habana, Washington, D.C., Madrid, San Antonio, Monterrey, la ciudad de México y Oaxaca.

Durante su estancia en México, Maximino comentó al señor Nordemann que le interesaba hacer obra gráfica; que quería aprender a hacer litografía. Este le comentó que lo pondría en contacto con el maestro Francisco Zúñiga, que en ese tiempo estaba haciendo obra gráfica de extraordinaria calidad. *"Un día me llamó Zúñiga y me citó en su casa. Todo un personaje. Era un conversador excelente. Y él mismo le habló al impresor Andrew Vlady para presentármelo. El apellido es similar al del pintor muralista mexicano Vlady, pero no se trata de él; ambos son rusos, pero vienen de diferentes familias".* En

stitute of Fine Arts) and the Oaxaca state government. "At that workshop, they also supported us with canvas and paint. After a time, Roberto got me a scholarship, and with that I had enough money to eat at the market. What was nice about the workshop was that all of us were in a needy condition. We were from different towns and we formed a kind of brotherhood of mutual aid. We lived in the workshop, we slept on stacked cardboard, and those with more money bought their mattresses. I would sleep on cardboard under my easel, and when I woke up, I would start painting. It was very stimulating."

Francisco Toledo often went to the workshop to do engraving. One day he saw a painting by Maximino and liked it so much that he bought it—Maximino's first sale. Toledo paid him three thousand pesos. Maestro Donis managed the proceeds from the students' sales. He used a portion to buy materials for the workshop, and set aside another portion for the students, who requested money each week to cover their expenses. Maximino remembers another visit when Toledo gave him a book about the Flemish painter, Pieter Bruegel, with illustrations of his landscapes and peasant scenes. He also gave him a book about Hieronymus Bosch, the Dutch painter who depicted a fantastic world with hallucinating realism. Maximino enjoyed the books and was able to identify with the work of both painters. Toledo seems to have associated Maximino's expression with that of the great European painters, and must have thought that such images would motivate him.

While Maximino was at the Taller Tamayo, Roberto Donis was his painting teacher. He would allow the young people to paint during the class, which was actually more of an open workshop. Maximino comments that Donis would visit the class once a day to see each student's work and give him general instructions: "The color is getting dirty here." "You need to change it here." Maximino remembers receiving many indications that involved his color blindness: "I did not know what color I was using because I cannot distinguish brown, or red, or green.... or mixed colors. I see blue, white, black and yellow well. But I cannot distinguish the other colors. So Donis would tell me: 'You're putting green on the face', but for me it was the color of flesh. We liked the freedom of the workshop very much because we could do what we wanted. We had no limits in doing our projects."

Maximino was at the workshop close to two and one-half years. During that time, Roberto Donis organized various collective exhibitions, mainly in Mexico City. Maximino was motivated by the easy sale of his work, but the challenge of visiting other places intrigued him. "Donis highly resisted my leaving. He said that the art world was very difficult and that it would destroy me. But I didn't care, and I left the workshop along with a girl I had met there who also painted."

Outside of the workshop, Maximino needed to find a way to sell his work. His first solo exhibition occurred in a unique manner: Francisco Toledo knew an important collector from Holland, Ben Nordemann, who one day visited Toledo's house and happened to see the painting he had bought from Maximino. Nordemann searched at length for Maximino Javier in Oaxaca, and finally found him in the company of friends, celebrating the sale of a painting. Nordemann asked him about buying some paintings he had seen in the Taller Tamayo, but the pieces had already been acquired by Víctor Bravo Ahuja, then Mexico's minister of public education. Since Maximino had no more paintings available, the collector left him his card and asked him to send him work in Mexico City. On finishing the pieces, Maximino traveled to the capital city to make the delivery, unaware that he would remain there for almost three years. Nordeman proposed an exhibition at his residence. The event was wonderfully successful and all the paintings were sold. He then supported Maximino in obtaining an exhibition at the gallery of the Instituto Francés de la América Latina, IFAL. Maximino's first showing at the gallery was in 1978, the second in 1979 and the third in 1983. These exhibitions marked the beginning of a trajectory of successes in Mexico and the United States, including gallery events at Miró in Monterrey, at the UNAM's Casa del Lago in Mexico City, at the Arte Klein and the Art Workshop in Chicago, and at the Rubicón in Los Altos, California. He held later exhibitions at the galleries of Arte Marchand, Alejandro Gallo and Arte Acá in Guadalajara, Jalisco, and at the Rafael Matos gallery, Arvil gallery and Casa Lamm in Mexico City. In his native state, Maximino has presented solo exhibitions at the Palacio Municipal de Tuxtepec and at the Galería Quetzalli. In 2002, he presented an exhibition entitled Trastocando lo cotidiano for the Casa José Cuervo, in Tequila, Jalisco. Over the past twenty years, Maximino Javier's work has participated in more than eighty collective exhibitions in New York, Paris, Rotterdam, Buenos Aires, Puerto Rico, Havana, Washington, D.C., Madrid, San Antonio, Monterrey, Mexico City and Oaxaca.

While in Mexico City, Maximino commented to Mr. Nordemann that he was interested in graphic work, and that he would like to learn lithography. Nordemann offered to put him into contact with Francisco Zúñiga, who was then producing graphic work of extraordinary quality. "One day Zúñiga called me and asked me to come to his house. He was a character. An excellent conversationalist. And he spoke with the printer, Andrew Vlady, to introduce me to him. The name is similar to that of the Mexican muralist, Vlady, but it is not the same person; both are Russian, but from different families." In 1980, Maximino moved to Guadalajara. There he learned engraving techniques in the workshop of Cornelio García. The portfolios of engravings he sent around the world served not only to share his rich and well-structured work, but also his magical vision of the life and customs of the Oaxaca peasants.

Maximino Javier's art has neither false poses nor pretensions. On the contrary, it speaks in a frank and authentic voice, with sincerity and sentiment. It carries no expressive artifice or device. Javier's painting is like his own personality, uncomplicated and open. His narrative is expressed through draftsmanship that is accustomed to transcribing history, fantasies and stories. In this case, the stories are real—stories experienced by Maximino in the tobacco fields and in the lush forest where it was easy to hear the goats, chickens and cows, to understand the wind, and to feel the vital role of the sun and moon in the grand daily fiesta of nature.

Maximino's life has been recorded as a rich memory nourished by his sensitive vision. His sight does not remain fixed on the surface, on the outside layer or on the apparent, but is able, through the artist's affinity with others, to enter

1980 Maximino se fue a vivir a Guadalajara. Allí aprendió la técnica del grabado en el taller de Cornelio García. En ese tiempo se hicieron carpetas de grabados que llegaron a diferentes partes del mundo. A través de ellas, se lograba compartir no únicamente una pintura rica y bien estructurada, sino también una visión mágica de la vida y costumbres de los campesinos oaxaqueños.

En la obra de Maximino Javier no se advierten poses ni pretensiones. Por el contrario, su voz es franca y auténtica; se expresa con sinceridad y sentimiento. No hay en ella ningún truco o artificio expresivo. Su pintura es como es, simple y abierta. Su narrativa se expresa mediante un dibujo que está acostumbrado a transcribir historias, fantasías y cuentos. Pero los suyos son cuentos reales, cuentos vividos por él mismo en los campos de tabaco, en esa exuberante selva donde era fácil escuchar el lenguaje de las cabras, de las gallinas y de las vacas, también entender al viento y sentir el importante papel del sol y de la luna en esa gran fiesta que día a día celebra la naturaleza.

Las vivencias de Maximino se han guardado como un recuerdo rico y pleno, nutrido por esa visión sensible que él tiene para apreciar las cosas. Su mirada no se detiene en lo superficial, en la capa externa, en lo aparente. Su gran afinidad le ha permitido adentrarse y ocupar el espacio de aquello que mira, alcanzando a percibir la vida y a palpar la esencia de las cosas. De esta manera transparente es como Maximino Javier ha observado la tierra, las plantas, las vacas, y a las personas: a sus compañeros campesinos, a los enamorados, a los niños y a los arreadores de ganado. Entre otras cosas, guardó en su memoria diferentes escenas como la que nos comenta: *"Las hijas del cacique de mi pueblo eran muy bonitas y siempre las veía con curiosidad y con gusto. Pasaban las tres muchachas montadas en un caballo, pues como allá hay mucho lodo, era la única manera de salir de Valle Nacional. Disfrutaba mucho de verlas"*. Otra de las vivencias que recuerda es ésta: *"Cuando niño, en la noche, cuando ya estaba oscuro, nos juntábamos los chamacos. No había luz eléctrica, así que a la luz de la luna un muchacho nos contaba cuentos. Esos cuentos yo me los he imaginado y los pinto. Yo no sé si es por eso que pinto escenas nocturnas, o se deba a mi daltonismo, pero realmente no me preocupa si es de día o de noche"*. Experiencias como éstas cobran vida en sus cuadros, reflejadas con un colorido que sin quererlo nos sabe a tierra, a humedad y a tabaco.

La frescura de su expresión se puede comparar con la de Bruegel, El viejo, pues como se ha mencionado, la obra de Maximino, al igual que la del flamenco, guarda un perfecto equilibrio entre realidad y fantasía. Sus pinturas nos sitúan sin ningún esfuerzo en una atmósfera campirana, y no obstante su gran magia, ellas guardan un pie muy bien puesto sobre la tierra. Y esto es justamente lo que la distingue de la obra de Marc Chagall, pues considero que en ésta predomina lo fantástico. Si miramos sus cuadros con algo más que no sean los ojos, podremos sentir y estremecernos con su exquisita manera de hablarnos de los enamorados besándose; del baile; de los músicos tocando sus sones; de las parejas a caballo, las gallinas, los guajolotes, toros y gatos, la gran fiesta que duerme durante la jornada de trabajo y se despierta cuando ésta termina o en los días de descanso.

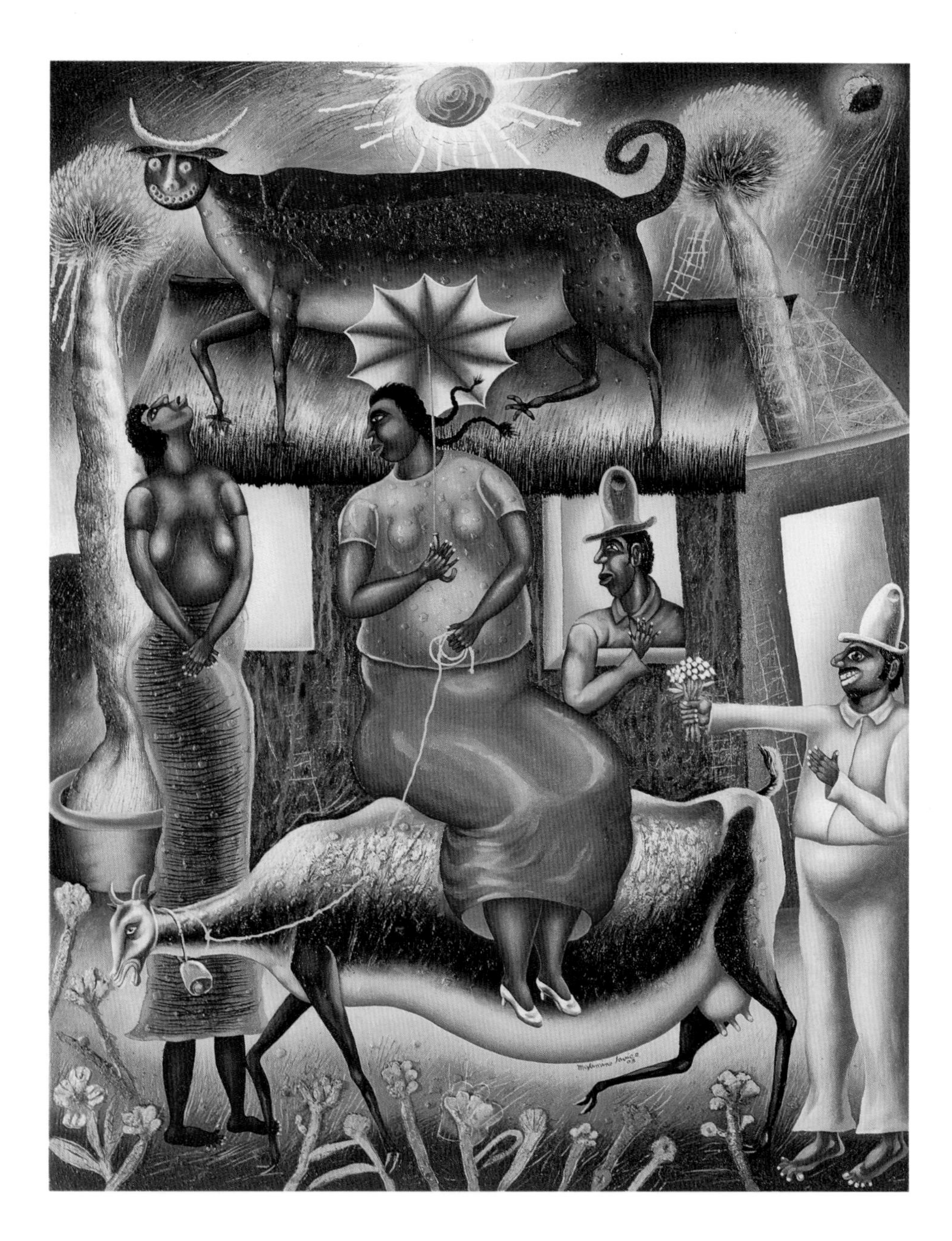

MAXIMINO JAVIER
CABRA EN EL JARDÍN, 2003
Oleo sobre tela, 130 x 100 cm.
Colección Particular

¿Cómo es que al paso del tiempo su obra ha logrado mantener esa frescura? Maximino ha insistido en no perder el contacto con su pueblo y su gente, no obstante los grandes cambios que se viven, recibiendo influencias extranjeras con las que podrían perderse nuestras raíces. Hace ocho años, decidió regresar a Tuxtepec. Una de sus inquietudes era aprender el chinanteco, que es la lengua de su madre, y una de las dieciséis que se hablan en Oaxaca. El quería poder tener un contacto más directo con ese mundo mágico que duerme en la memoria de los chinantecos. *"Me fui a vivir durante seis años a Tuxtepec. Quería aprender el chinanteco; eso me entró ya de grande en la conciencia. Quería aprenderlo para poder comunicarme con mis paisanos. No pude aprenderlo, pues creo que no hubo quien tuviera la paciencia de enseñarme, y yo no tengo buena memoria. Pero me preocupa que no se vaya a borrar esa lengua. Me gustó esa experiencia en mi tierra, por la lluvia, por los árboles. Siempre me ha gustado sentir la naturaleza muy fuerte, muy de cerca. Allá seguí pintando; lo que más disfruto ahora es pintar. Me meto en un cuadro y soy muy muy feliz pintando un óleo. El cuadro ocupa todo mi tiempo... Eso es lo que más me gusta..."* Cuando lo dice, lo dice de tal manera que sientes su gusto y sientes su espíritu, como se pueden sentir también en su pintura.

and occupy the space on view and thus perceive the essence of life. In this transparent manner Maximino Javier has observed the earth, plants, cows and people: peasants, lovers, children and cattle herders. He comments on the scenes he has retained in his memory: "The daughters of the political boss in my town were very pretty and I always looked at them with curiosity and with pleasure. The three girls would pass by on horseback, the only way to get out of Valle Nacional because of the mud. I enjoyed seeing them very much." He also remembers: "When I was little, we kids would get together at night. There was no electricity, so a boy would tell us stories in the moonlight. I have imagined and painted those stories. I do not know if that is why I paint nighttime scenes, or if it is because of my color blindness, but I really do not care if it is day or night." Experiences like these come to life in Maximino's paintings and are reflected in coloring that unintentionally makes us feel the earth, the dampness and the tobacco. The freshness of Maximino's expression can be compared to that of Pieter Bruegel the Elder, since Maximino Javier, just as the Flemish master, keeps perfect balance between reality and fantasy. Maximino's paintings situate the viewer effortlessly in a rural setting, and in spite of the magic, keep one foot firmly on the ground. (And it is precisely this aspect that distinguishes them from the work of Marc Chagall, where fantasy tends to predominate.) If we experience Maximino's paintings with something more than eyesight, we can feel his exquisite manner of telling us about the kissing lovers, about the dance, about the musicians playing their parts, about horseback riders, chickens, turkeys, bulls and cats—the grand fiesta that sleeps during the workday and awakens during the resting hours.

How has Maximino's work been able to maintain its freshness over time? Its creator has insisted on remaining in contact with his town and his people, in spite of the changes and foreign influences that put our roots at risk. Eight years ago, Maximino decided to return to Tuxtepec. One of his goals was to learn Chinanteco, his mother's language and one of the sixteen spoken in Oaxaca. He wanted to have more direct contact with the magical world that is asleep in the memory of the Chinanteco people. "I lived for six years in Tuxtepec. I wanted to learn Chinanteco. I became aware of that when I was grown. I was unable to learn it because I think there was no one with the patience to teach me, and I do not have a good memory. But it worries me that the language could disappear. I liked that time in my native land, because of the rain, because of the trees. I have always liked to feel nature very intensely, very closely. I continued painting there; what I most enjoy now is painting. I get involved in a painting and I am very happy painting with oils. The painting takes up all my time ... That is what I like most." Such a statement allows the listener to feel Maximino's pleasure and spirit, the same qualities that can be perceived on viewing his work.

Nicolás de Jesús

Amor a la tierra y a su comunidad

Nicolás hacía pinturas de la muerte con esa visión natural en que los pueblos precolombinos la concebían: una muerte sin carne, de puro hueso, emotiva, traviesa y juguetona, que disfrutaba andando con los vivos en las fiestas y en las procesiones.

Lupina Lara Elizondo

En la zona norte del río Balsas, municipio de Zumpango, en el estado de Guerrero, se encuentra el pueblo de Ameyaltepec, que está poblado por indígenas que hablan el náhuatl. Un pueblo rico en tradiciones, entre ellas la de pintar sobre amate. La patrona del pueblo es la Virgen de la Concepción que, en este lugar, por razones que han sido olvidadas, en vez de festejarse el día 8 de diciembre, se festeja el día 7. Nicolás de Jesús nació en este pueblo el 6 de diciembre de 1960. Nada más tuvo una hermana. Allí vivió su primera infancia, jugando a las canicas, probando mezcal, fumando cigarros a escondidas, oyendo cuentos y leyendas de las mujeres rezanderas, y escuchando la vigorosa música de la tambora. Su guía y maestro fue su padre, don Pascual de Jesús, quien había perfeccionado su técnica de dibujo y de grabado en el taller de Felipe Ehrenberg, en la ciudad de México. Y no obstante sus enseñanzas, él no deseaba que su hijo fuera pintor, como los demás de su pueblo. Le hacía ver que esa actividad traía satisfacción, pero no había traído progreso ninguno. Por ello, lo mandó a estudiar la secundaria con unos tíos a la ciudad de Iguala; pero Nicolás traía la pintura en la sangre. Este niño indígena, bilingüe, pues desde niño hablaba el español y el náhuatl, dibujaba a toda hora; era una fascinación que no lo dejaba en paz. Al dibujar, viajaba en el tiempo: no había pasado ni presente, sólo la dimensión que el papel, la pluma y su imaginación creaban. Al terminar la secundaria, no defraudó a su padre, y a pesar de sus deseos de hacer otra cosa, continuó estudiando la preparatoria.

Desde la infancia tomó conciencia de la marginación que existía en los pueblos, de ese futuro que se presentaba infranqueable; de la desesperanza que provocan los abusos. Quizá, en ese tiempo, no alcanzó a comprender que los orígenes de este mal provienen de la falta de preparación y de oportunidades, así como de los más graves lastres sociales, como la apatía, el alcoholismo y la desesperanza. El observó cómo lucharon sus paisanos para hacer frente a los abusos, sin que la violencia trajera otra cosa más que más violencia. Así, en 1976 tuvo que sufrir el asesinato de su padre, tema del cual prefiere no hablar. Ese año viajó con su madre y su hermana a la ciudad de Cuernavaca, alejándose del dolor y de los peligros. Pero por encima de la amargura y de la tristeza, tuvo la fortuna de no buscar venganza. Nicolás de Jesús había nacido pintor, y a eso se iba a dedicar. En Cuernavaca ganó el Primer Lugar de Dibujo en los V Juegos de los Trabajadores "Ricardo Flores Magón". El premio le permitió creer en él mismo y visualizar un futuro.

PÁGINA 218
NICOLÁS DE JESÚS
PROCESIÓN AL CIELO
Grabado sobre amate, 120 x 70 cm. (medida amate)
Colección Particular

ON THE NORTHERN SIDE OF THE BALSAS RIVER IN THE municipality of Zumpango and the state of Guerrero, is the town of Ameyaltepec, inhabited by indigenous speakers of Náhuatl. They are a people rich in traditions, including the custom of painting on amate. The town's patron saint is Our Lady of the Immaculate Conception, and the community celebration, for unknown reasons, is on December 7 instead of December 8, the usual feast day. Nicolás de Jesús was born in this town on December 6, 1960. He has only one sister. He spent his childhood in Ameyaltepec, playing marbles, sneaking a taste of mezcal, secretly smoking, hearing the stories and legends told by the pious women of the town, and listening to the vigorous beat of the bass drum. His teacher and guide was his father, Pascual de Jesús, who had perfected his drawing and printmaking techniques in the workshop of Felipe Ehrenberg in Mexico City. Yet in spite of his education, Nicolás' father did not want his son to be a painter. He made Nicolás understand that the town's tradition of amate painting had brought satisfaction, but not progress. As a result, this bilingual indigenous boy—a native speaker of Spanish and Náhuatl—was sent to live with relatives in the city of Iguala to attend secondary school. But he had been born with art in his blood and used every spare minute of his time for drawing, his unending fascination. When Nicolás drew, he traveled in time: there was neither a past nor a present, only the dimension created by his paper, pen

Siguió la tradición de su pueblo pintando sobre papel amate, sobre esa corteza que representa vida y tiempo. Desde entonces sus temas se referían a la vida cotidiana. A través de sus cuadros, deseaba recopilar la crónica y el sentir de su pueblo, de manera franca, carente de pudor y de artificios. Pero su obra también le serviría como un bálsamo para sanar sus heridas. Nicolás hacía pinturas de la muerte con esa visión natural en que los pueblos precolombinos la concebían: una muerte sin carne, de puro hueso, emotiva, traviesa y juguetona, que disfrutaba andando con los vivos en las fiestas y en las procesiones. El llegó a conocer la obra de José Guadalupe Posada mucho tiempo después de que él pintara estos temas: *"En esos años yo mandaba mis trabajos a venderse a la ciudad de México. Un día me llamó el dueño del negocio para decirme que una periodista francesa había visto mi obra y deseaba hacerme una entrevista para la televisión de Francia. Me citaron en el Hotel Cortés, que se encuentra ubicado a espaldas de La Alameda, en la ciudad de México. Llegué al lugar, y cuál fue mi sorpresa que allí se encontraban: Elena Poniatowska, Lucha Villa, Hermilo Novelo, entre otros famosos personajes. Cada uno iba a hablar sobre su tema –la música, la literatura– y a mí me entrevistarían sobre mi pintura. Estaba muy nervioso, las manos me sudaban y me sudaban. Ya me quería ir de allí, pero el representante de mi obra insistía en que me quedara. Mientras esperaba, me entretuve viendo el grabado de 'La Catrina', de José Guadalupe Posada. Tenían un libro allí, pues estaban comparando sus trabajos con mi obra. Conforme veía las imágenes, pensaba que se trataba de uno de los pintores de mi pueblo, y me dije: –¡Ah, caray! A este paisano no lo conozco–. Pero cuál fue mi sorpresa al descubrir que era un pintor anterior, y que ya había muerto. Después de eso, me dediqué a*

Nicolás de Jesús
Fiesta de los muertos
Grabado sobre amate, 40 x 93 cm. (medida amate)
Colección Particular

investigar acerca de él y de su trabajo. Lo que más me interesó fue que involucraba temas políticos en su pintura. Cuando vi su calavera zapatista y su calavera maderista, me dije: —¡Este 'güey' está loco!— Sentí una gran identificación con su trabajo y con sus temas, y desde entonces empecé a involucrarlos en mi pintura".

En 1986 Nicolás de Jesús realizó su primera exposición individual en la Alianza Francesa, en la ciudad de México. El año siguiente participó con su obra en la exposición *Un millón de minutos para la paz,* patrocinada por las Naciones Unidas, en la Casa de la Cultura de León, Guanajuato, y también presentó *Un pintor nahua en San Juan Chamula,* en el Café La Galería, en San Cristóbal de las Casas, Chiapas. En 1988 expuso en la *Plástica Morelense* y en la Galería Galpler, en Cuernavaca, así como en la Galería Olas Altas, en Puerto Vallarta. Nicolás de Jesús fue promotor cultural, a través de la Secretaría de Educación Pública, bajo la coordinación de Felipe Ehrenberg.

La pintura iba bien; sin embargo, Nicolás pensó que la política llenaría esa inquietud de reivindicar a su pueblo, pero muy rápido se desilusionó. Así, a principios de los años noventa, emprende la huida a los Estados Unidos en busca de mejores oportunidades. Llevaba consigo sus pinturas, sus pinceles y sus recuerdos. No sabía que, además de pintar, iba a tener que hacerla de todo: de plomero, de jardinero, de mesero... Primero llegó a California, y después se fue a Chicago, donde vivía su hermana. Al poco tiempo mandó traer a su esposa y a su primera hija. En 1991, un día en que miraba la televisión, se enteró de una exposición que se organizaba en el Mexican Fine Arts Museum de Chicago. Tomó los datos y concertó una cita, explicando que era un pintor mexicano y que deseaba mostrar su obra. De inmediato le

and imagination. On finishing secondary school, he pleased his father by continuing on to preparatory school, in spite of his own desires to the contrary.
As a small child, Nicolás became aware of the poverty of small-town Mexico, of the seemingly bleak future and the desperation provoked by suffering. At that time, he probably did not comprehend that the origins of such misery included the absence of education and opportunity, as well as serious social ills such as apathy, alcoholism and despair. Nicolás saw how his people struggled against abuse, and how violence created simply more violence. In 1976, he underwent the trauma of his father's murder, a topic he prefers to avoid. That year he moved with his mother and sister to the city of Cuernavaca, far removed from danger and pain. He was fortunate to be able to rise above bitterness and remorse, without a desire for revenge. Nicolás de Jesús had been born a painter, and to painting he would dedicate his time.
In Cuernavaca, he won first prize in drawing at the fifth Juegos de los Trabajadores "Ricardo Flores Magón". The prize gave him self-confidence and the possibility of visualizing a positive future.
Nicolás returned to his hometown tradition of painting on bark-based amate paper, a representation of life and time. His topics referred to daily life, in an attempt to compile the history and sentiment of his town in a frank, sincere manner. And his work would also serve as a salve in healing his wounds. Nicolás painted death from the natural viewpoint of the

pre-Hispanic peoples: a figure of death with dry-bone skeletons that in an emotional, mischievous and playful manner enjoyed moving among the living at fiestas and processions. Much later, Nicolás would become familiar with the work of José Guadalupe Posada: "At that time, I was sending my work to Mexico City to have it sold. One day, the owner of the business called me to say that a French journalist had seen my work and wanted to interview me for French television. The appointment was at the Hotel Cortés, located behind the Alameda in Mexico City. I arrived there, much surprised to encounter Elena Poniatowska, Lucha Villa, Hermilo Novelo, and other famous people. Each one was going to talk about his topic—music, literature—and I was going to be interviewed about my painting. I was very nervous, and my hands would not stop sweating! I wanted to leave, but the man who sold my work insisted I stay. While I waited, I entertained myself by looking at José Guadalupe Posada's print of La Catrina. They had a book there because they were comparing his work with mine. As I was looking at the images, I was thinking that they had been made by one of the painters from my town, and I said to myself, 'Wow! I don't know this man!' But then I discovered it was a painter from before, who had already died. After that, I spent time researching him and his work. What most interested me was that he involved political themes in his painting. When I saw his skeleton of Zapata and his skeleton of Madero, I thought, 'This guy is crazy!' I greatly identified with his work and with his topics, and I started to involve them in my painting."

In 1986, Nicolás de Jesús held his first individual exhibition at the Alianza Francesa in Mexico City. The following year, his work was shown at the exhibition, Un millón de minutos para la paz, sponsored by the United Nations at the Casa de la Cultura in León, Guanajuato. He then presented Un pintor nahua en San Juan Chamula at the Café La Galería, in San Cristóbal de las Casas, Chiapas. In 1988, Nicolás showed his work in Plástica Morelense and at the Galería Galpler in Cuernavaca, as well as at the Galería Olas Altas in Puerto Vallarta. Nicolás de Jesús worked as a cultural promoter for the Mexican Ministry of Public Education, under the coordination of Felipe Ehrenberg. Nicolás' painting progressed well, but he very quickly abandoned the idea that politics would provide him with a way to help his people. As a result, in early 1990, he fled to the United States in search of opportunities. He took along his paints, his brushes and his memories. He did not know that in addition to painting, he would have to be a jack-of-all-trades: a plumber, gardener and waiter. First he traveled to California, followed by a trip to Chicago to stay with his sister. After a short time, he sent for his wife and daughter. In 1991, he saw a televised report about an exhibition being organized at the Mexican Fine Arts Museum in Chicago. He took note of the information and requested an appointment, explaining that he was a Mexican painter who wished to show his work. The appointment was arranged immediately. "I arrived early, and while I was waiting, I met William Goldman, the head of the museum store. When he saw my work, he was surprised and told me straight

dieron la cita. *"Llegué temprano, y mientras esperaba, conocí a William Goldman, el encargado de la tienda del museo, que cuando vio mi trabajo se quedó sorprendido y sin más ni más me dijo: —Te doy mil dólares por estas dos piezas—. Se me abrieron los ojos, pues aunque ya había vendido algunas pinturas en los Estados Unidos, con ninguna había logrado esos precios. Posteriormente sostuve la entrevista con el director, y ésta abrió las puertas para mi primera exposición, que se celebraría el 'Día de Muertos'. Para la exposición me solicitaron un mural de tres metros por seis, y además, treinta y cinco cuadros".*

En 1991 presentó la exposición *Día de Muertos*, en la biblioteca Rudy Lozano de Chicago, que posteriormente se presentó en el Mexican Museum de San Francisco, California. Estos eventos marcaron el inicio de una amplia carrera en el país vecino, con exposiciones como: *Day of the Dead*, en la Universidad de Wisconsin, *The other Mexico*, en el Museo de Bellas Artes de Chicago, *Arte del otro México, Fuente y significado*, exposición itinerante de veinte artistas mexicanos que radican en Estados Unidos, presentada en varias galerías de Chicago, México, Oaxaca, San Francisco y Nueva York, entre tantas otras. En la ciudad de México esta última exposición fue presentada en 1993 en el Museo de Arte Moderno, con gran afluencia de visitantes. En Chicago, de Jesús logró instalar un estudio propio, desde el cual trabajaba una obra colmada de sensibilidad y sentimiento. *"En mi estudio tenía oportunidad de razonar las cosas. Cuando me ponía a pintar, me llegaba una gran nostalgia; me acordaba de mi tierra. Era como si platicara conmigo mismo. Recordaba mi tierra, recordaba a las gentes. Las recordaba bien; sin problemas, pues. Las recordaba con afecto. ...La tierra se me hacía presente. Empecé a sacar, sacar todo eso en mi pintura. Fue algo especial".*

Nicolás fue miembro fundador del Taller Mexicano de Grabado en Chicago, en donde se impartía esta técnica a diferentes artistas. Era un foro abierto al que acudían jóvenes de origen latino, norteamericanos y también europeos. *"Los güeros pensaban que yo era algún ayudante, un pinche de cocina. Hasta que me conocieron como maestro, y entonces me tomaron respeto. Es increíble cómo, el buen trabajo, siempre provoca respeto".* Nicolás participó directamente en la fundación de este lugar. Invitó a reconocidos artistas mexicanos, entre ellos a Francisco Toledo, José Luis Cuevas y otros más, quienes donaron obra para organizar subastas y así recaudar fondos para comprar las prensas y acondicionar el lugar. En todo ello la entusiasta participación de Nicolás fue determinante.

Después de cinco años de trabajar en diferentes proyectos, de experimentar el éxito y el reconocimiento, Nicolás puso en una balanza el costo del desarraigo cultural de sus cuatro hijas. Observó que existía el peligro de que ellas, como sucedía a otros niños de origen latino, se avergonzaran de que sus padres hablaran español y de que siguieran las

Nicolás de Jesús
Nitotia (baila)
Acrílico sobre amate, 64 x 40 cm. (medida amate)
Colección Particular

off, 'I'll give you a thousand dollars for these two pieces.' My eyes were opened. Although I had sold some paintings in the United States, I had never reached those prices. I then had my appointment with the director, and it opened the doors for my first exhibition, to be held on All Souls' Day. For the exhibition, they requested from me a mural of three by six meters, in addition to thirty-five paintings."

In 1991, Nicolás presented the exhibition, *Día de Muertos*, at the Rudy Lozano Library in Chicago, and then at the Mexican Museum of San Francisco, California. These events marked the beginning of an extensive career in our neighbor to the north. He participated in exhibitions such as *Day of the Dead* at the University of Wisconsin, *The Other Mexico* at the Art Institute of Chicago, and *Arte del otro México, Fuente y significado*, a traveling exhibition of the work of twenty Mexican artists living in the United States. This final exhibition was presented at various galleries in Chicago, Mexico City, Oaxaca, San Francisco and New York, and in 1993 at the Museo de Arte Moderno in Mexico City, where it was highly successful. In Chicago, Nicolás de Jesús was able to install his own studio, and produced work overflowing with sensibility and feeling. *"At my study I had the opportunity to reason out things. When I painted, I was filled with tremendous nostalgia; I would remember my land. It was like talking to myself. I remembered my homeland, I remembered people. I remembered them well, without problems. I remembered them with affection. The land seemed near to me. I began to externalize, externalize all that in my painting. It was something special."*

Nicolás was a founding member of the Taller Mexicano de Grabado in Chicago, where printmaking was taught to different artists. It was an open forum attended by young people of latino origin from Europe as well as the Americas. *"The blond ones thought I was an assistant or a cook's helper until they knew me as a teacher; then they respected me. It is incredible how good work always brings respect."* Nicolás participated directly in founding the group. He invited well-known Mexican artists, including Francisco Toledo, José Luis Cuevas and others, who donated pieces to sell at auctions; in this way, funds were raised to buy the presses and adapt the facilities. During the entire process, Nicolás' enthusiastic participation was decisive.

After five years of working on various projects and enjoying success and recognition, Nicolás began to weigh the cost of his four daughters' cultural uprooting. He realized that there was a danger that his daughters, like many other children of latino origin, would be embarrassed by their parents' speaking Spanish and following Mexican traditions. This aspect of living outside of Mexico was a real worry for Nicolás: he loved his country, his customs and roots, and in 1996 decided to return to Mexico. His family

IZQUIERDA
Nicolás de Jesús
Más allá sin banderas
Grabado sobre amate, 64 x 40 cm. (medida amate)
Colección Particular
DERECHA
Voladores
Grabado sobre amate, 64 x 40 cm. (medida amate)
Colección Particular

established their base in Mexico, while Nicolás continued traveling to Chicago for several years to follow up on his projects and promote his work. Once living among his people, he looked for ways to sup-

tradiciones mexicanas. Eso lo preocupó, pues él amaba su tierra, sus costumbres y sus raíces, así que en 1996 decidió regresar a México. Estableció a su familia, y durante varios años continuó viajando a Chicago para dar seguimiento a sus proyectos, con el fin de promover su obra. Pero ya radicado en su pueblo, buscó apoyar a sus paisanos, y con recursos propios ha montado un taller de grabado, en donde se imparten clases de grabado. Posteriormente, mandó construir una prensa grande, en la que ha logrado imprimir en grabado sobre amate piezas suyas hasta de 100 x 200 cm.

Las exposiciones han continuado: en el Congreso del Estado de Guerrero, LV Legislatura; en el Museo Histórico Naval de Acapulco; en la Galería Indigo de Oaxaca; en el Museo Histórico de San Miguel de Allende, en Guanajuato. El año 2001, en Ameyaltepec, recibió la visita del sociólogo francés Yvon Le Bot, quien lo invitó a participar en una gran exposición en París, para la que preparó treinta y dos pinturas. La exposición se llevó a cabo en el Parc de la Villete, en París. En esa muestra se presentaron obras de otros artistas mexicanos, provenientes de Oaxaca y Chiapas, entre ellas obra de Francisco Toledo, quien asistió a la inauguración. Esta experiencia reavivó sus inquietudes de pintar y seguir exponiendo en el extranjero.

Nicolás de Jesús es un pintor talentoso que domina magistralmente el grabado en papel amate con la técnica conocida como aguafuerte. En el desarrollo de este proceso se ataca con ácidos una placa de níquel encerado, una y otra vez, hasta lograr dejar huella de todos los detalles, y posteriormente se procede a reproducirla en papel amate. Formalmente emplea el medio tono, y una composición barroca con varios planos, que crea una perspectiva diferente a la tradicional. Muchas de sus piezas son realizadas en original, sobre madera, tela o sobre papel amate; sin embargo, el grabado le atrae enormemente.

En los recuerdos de la infancia de Nicolás de Jesús se encuentran mezclados los sentimientos de amor a la tierra y a su comunidad, junto con aquellos de desesperanza y opresión. Hay imágenes vivas de los días festivos en los que todo el pueblo salía a "guarachar"; las enaguas de las mujeres daban vuelo en el aire, los rancheros y campesinos se envaselinaban el copete para andar del brazo de sus parejas, y los perros acompañaban a los músicos, celebrando con fuertes ladridos. Pero aunque no lo quiera, también recuerda las amenazas, la violencia, las tierras improductivas y la orfandad, una orfandad que es suya, pero que comparte con muchos más. Comenta que viajar le ha permitido entender que la opresión también viene de los intereses de afuera, y que lo que debe hacerse es sacar las cosas adelante. Esta visión externa también se ha reflejado en sus pinturas. Nicolás tiene un cuadro en el que aparece un poste con voladores, como los de Papantla. Arriba se encuentra Osama Bin Laden, sentado, y colgando de los hilos el mundo y diferentes personajes poderosos. Con gran simpatía y risas irónicas, dice: *"El Bin Laden puso al mundo a dar de vueltas"*. También me muestra otro grabado, y me explica: *"Yo me voy a pintar al cerro. Allá tengo otro taller, en donde trabajo con los ácidos. Una noche me quedé en vela, pensando en la composición de un cuadro. Pero como no logré hacer nada, me bajé a desayunar a mi casa. Era el 11 de septiembre, y cuando llegué, vi en la televisión los aviones que se estrellaron. Desayuné rápido y me subí a pintar. Hice una pintura de eso"*.

Nos encontramos ante un artista que ha pintado lo que sus ojos han visto, pero también lo que su alma ha palpado. Sus pinturas nos hablan de esa fisonomía sencilla, tierna y natural que se capta de primera intención. En ellas se advierten la suspicacia y la ironía de Posada, pero además, gozan de una vitalidad que se desborda. Existe en ellas un carácter festivo que nos hace ver que él ha sido partícipe de esas fiestas.

port their work, and with his own resources opened a printing shop for giving classes. He had a large press built, which has produced prints on amate measuring up to 100 centimeters by 200 centimeters.
The exhibitions have continued: at the Congress of the State of Guerrero, Fifty-fifth Legislature; the Museo Histórico Naval of Acapulco; the Galería Indigo of Oaxaca; and the Museo Histórico of San Miguel de Allende, Guanajuato. In 2001, Nicolás received a visit in Ameyaltepec from the French sociologist Yvon Le Bot, who invited him to participate in a large exhibition in Paris. Nicolás prepared thirty-two paintings for the event, held in the Parc de la Villete in Paris. The show presented work by other Mexican artists from Oaxaca and Chiapas, including Francisco Toledo, who attended the opening. This experience revived his interest in painting and in continuing to exhibit abroad.
Nicolás de Jesús is a talented painter who brilliantly dominates printmaking on amate paper by using an etching technique known as aguafuerte. In this process, a plate of waxed nickel is repeatedly attacked with acids until the last detail is marked, and the design is reproduced on amate. Nicolás employs a baroque composition with various planes, resulting in an untraditional perspective. Many of his pieces are produced directly on wood, cloth or amate, yet printmaking attracts him enormously.
Nicolás de Jesús' childhood memories include mixed feelings of love for his land and community, along with desperation and oppression. His mind retains vivid memories of feast days when the whole town went out to guarachar ("stomp"); the women's skirts would whirl in the air, the ranchers and peasants would oil their hair and escort their sweethearts on their arms, and the dogs would accompany the musicians with loud barking. Yet he also remembers the threats, the violence, the sterile soil and the orphans—a condition he shares with many others. Nicolás comments that traveling has allowed him to understand that oppression also comes from outside interests, and that making progress is a personal requirement. His viewpoint has been reflected in his painting. One of his pieces shows a maypole with flying gymnasts, similar to the Voladores de Papantla. Sitting on top of the pole is Osama Bin Laden, who holds the ropes of the world and of various powerful figures. With great charm and an ironic smile, Nicolás remarks: "Bin Laden made the world start going in circles." He explains another print: "I go to the hills to paint. Up there I have another workshop, where I work with acids. Once I stayed up all night, thinking about the composition of a piece. But since I achieved nothing, I went down to my house to have breakfast. It was September 11, and when I got there, I saw the airplane crashes on television. I ate quickly and went back to paint. I made a painting of that."
We are in the presence of an artist who has painted what his eyes have seen, in addition to what his soul has perceived. Nicolás de Jesús' paintings show us simple, tender and natural physiognomy that is portrayed on the first attempt. They reveal the distrust and irony of Posada, but rejoice in overflowing vitality. Their festive nature makes us see that the artist has participated in their celebrations.

L. IZAGUIRRE

Romanticismo, Historia y Fantasía

Lupina Lara Elizondo

PARA ENTENDER LOS CAMBIOS QUE SE MANIFESTARON EN EL ARTE MEXICANO EN LAS ÚLTIMAS DÉCADAS del siglo XIX, se hace necesario visualizar los movimientos sociales, ideológicos y filosóficos que los influyeron. La independencia dio a México una apertura en todos los sentidos. Es por ello que las diferentes corrientes de pensamiento procedentes de Europa llegaron a nuestro país, influyendo en los intelectuales, poetas, pintores y músicos, quienes dejaron reflejado este sentimiento en sus trabajos.

El romanticismo surge desde fines del siglo XVIII como un movimiento de carácter filosófico que buscaba entre otras cosas que prevalecieran el sentimiento y la libertad, lo contrario al neoclasicismo que colocaba a la razón en primer término. A mediados del siglo XIX apareció el simbolismo, movimiento literario y artístico que en un afán de defenderse de la competencia de la realidad plasmada en la fotografía, pretendía manifestar una nueva expresión, que consideraba que la idea era superior a la forma; entonces a la forma se le podían asignar diferentes significados, pero los significados tan sólo eran comprendidos por una elite culta. A fines del siglo XIX surge el movimiento hispanoamericano denominado modernismo, que buscaba actualizar la visión estética. Posteriormente el decadentismo propagó una visión de extremo refinamiento, que provocó hastío. Los decadentes justificaban su falta de moral y se manifestaban antagónicos al avance tecnológico.

A más de cien años de distancia, las ideas que alimentan las artes del siglo XXI en México son muy variadas. A una visión que manifiesta un vacío de espíritu y de sentido existencial, se contrapone otra que rescata sueños, fantasías, valores, sentidos y motivos. Por un lado, se observa un panorama en el que la estética podría considerarse una idea obsoleta; el oficio y la técnica se aniquilan a ultranza, y salvaguardar el conocimiento parece irrelevante; el horror es visto como un medio de atraer la atención de los críticos; el éxito no lo conquista el mejor trabajo; la expresión llega a ser aberrante y confusa; se piensa que los valores morales y el sentido de la vida inhiben la libertad; se advierte un individualismo que se manifiesta en una comunicación unilateral. Ante ello surge un punto de vista que cree en el sentido sensible, estético y espiritual del arte, que comulga con la idea de que el oficio debe sustentar la fuerza y calidad expresivas; que cree en la libertad creadora; que desea enriquecer no degradar la expresión artística, y que considera que el ingenio, la autenticidad, la sinceridad y la destreza conforman el valor artístico.

Manuel Ocaranza
La flor muerta, 1868
Oleo sobre tela, 169 x 117.5 cm.
Museo Nacional de Arte

Manuel Ocaranza

1841-1882

A través de sus temas, Ocaranza rompió con la tendencia que prevalecía en la Academia en aquellos años. Su pintura se inclina por los temas románticos, en los que introduce una fuerte dosis de simbología.

Lupina Lara Elizondo

En México el hecho más trascendente del siglo XIX fue sin duda "el grito de Dolores", que dio inicio a la Guerra de Independencia. El movimiento vio su fin hasta el año 1821, después de sangrientos combates durante más de diez años y la pérdida de más de seiscientas mil vidas humanas. El atraso económico y educativo que este evento dejó fue considerable. Se paralizó la industria minera; se perdió gran parte de la producción textil. Durante los primeros años del conflicto armado, muchas de las escuelas cerraron sus puertas; niños y jóvenes se enlistaban en las filas insurgentes, dejando a un lado la escuela. No fue sino hasta 1824 cuando triunfó la república; sobrevino el federalismo sobre el centralismo y la derrota de los monárquicos. Durante muchos años, el México independiente se debatió en constantes luchas entre liberales y conservadores. Puede afirmarse que la peor época de nuestra historia transcurre en el período que comprende los años 1842 a 1867, ya que durante ese período perdimos la mitad de nuestro territorio, sufrimos invasiones extranjeras, se soportaron los últimos gobiernos de Santa Anna y también el imperio de un príncipe austríaco, Maximiliano de Habsburgo.

Por su parte, la Academia de San Carlos sufrió lo suyo, ya que a finales de 1820 cerró sus puertas debido a las penurias del erario público. Y no fue sino hasta 1843 en que, gracias al celo de don Manuel Baranda, se logra el resurgimiento de la institución, al obtener por decreto oficial que se le asignaran los beneficios de la lotería. Con este apoyo, se logró la renovación de las instalaciones. Se reacondicionaron los salones de clases. En ese tiempo se instaló un nuevo sistema de alumbrado, que suplía las lámparas de sebo por modernas lámparas de gas, con las que los alumnos tenían buena luz, aun en los cursos nocturnos. Por otro lado, se decidió contratar a competentes catedráticos europeos que vinieran a impartir una sólida formación técnica a los alumnos, entre ellos el catalán Pelegrín Clavé y el maestro italiano Eugenio Landesio. Es por ello que durante el final del siglo XIX tanto la pintura como la escultura siguieron las tradiciones europeas. No obstante, en esa época las ideas liberales dejaron sentir su influencia entre los estudiantes, invitándolos a reproducir temas de la historia nacional, haciendo énfasis en aquellos que reflejaran la grandeza indígena y la conquista, excluyendo, por supuesto, lo relativo al período colonial.

Manuel Ocaranza
El amor del colibrí, 1869
Oleo sobre tela, 145 x 100 cm.
Museo Nacional de Arte

The most transcendent event of 19th-century Mexico was doubtlessly the grito de Dolores ("shout from Dolores") that marked the beginning of the War of Independence. The conflict did not end until 1821, after ten years of bloody combat and the loss of more than 600,000 lives. The economic and educational backwardness that followed the war was considerable. The mining industry was paralyzed, and a large part of the textile production had been lost. During the early years of the war, many schools had closed; boys and young men had set aside their studies to enlist in the insurgent ranks. In 1824, the republic triumphed at last and federalism overcame centralism with the defeat of the monarchists. For many years, independent Mexico suffered from the constant conflict between liberals and conservatives. It can be affirmed that the worst era of our history was from 1842 to 1867, when we lost one-half of our national territory, witnessed foreign invasions and endured the governments of Santa Anna and the Austrian prince, Maximilian of Habsburg.

The Academia de San Carlos suffered as well, and in late 1820 closed its doors because of the penury of the public treasury. In 1843, thanks to the zeal of Manuel Baranda, the institution was resurrected by an official decree that assigned it earnings from the national lottery. With this support, the school's facilities were remodeled and the classrooms conditioned. A new lighting system was installed to replace the old kerosene lanterns with modern gas lamps that would provide students with good light at all hours. The decision was made to hire competent European teachers—including Pelegrín Clavé from Catalonia and the Italian maestro, Eugenio Landesio—who could offer students solid technical training. As a result, both painting and sculpture followed European traditions in the late 19th century. Liberal ideas, however, continued to exert their influence on students by encouraging them to depict topics from Mexican history and emphasize indigenous grandeur and the conquest, to the exclusion, of course, of the colonial period.

During the agitated times of the 19th century, Manuel Ocaranza Hinojosa was born in Uruapan, Michoacán, on July 31, 1841. His parents were Luis Ocaranza and María Dolores Hinojosa. Manuel started elementary school when he was six years old, and it is known that he felt inclined to paint from a very young age. He most probably spent time drawing, a subject that formed part of children's basic education in the Lancastrian system of mutual learning used in his school. The Lancastrian method permitted teaching more students at a lower cost, since the teacher gave classes to only the most outstanding pupils (known as instructors), who in turn taught their classmates in

En esos agitados tiempos del siglo XIX nació Manuel Ocaranza Hinojosa, en Uruapan, Michoacán, el 31 de julio de 1841. Sus padres fueron Luis Ocaranza y María Dolores Hinojosa. Cuando Manuel tenía seis años, ingresó a la escuela primaria, y se sabe que desde temprana edad se inclinó por la pintura. Es muy probable que desde pequeño haya practicado el dibujo, ya que estudió bajo el sistema lancasteriano de enseñanza mutua, y en este sistema el dibujo se incluía como parte de la formación elemental de los alumnos. El método lancasteriano permitía enseñar a un mayor número de estudiantes a un costo reducido, ya que el profesor enseñaba únicamente a los alumnos más destacados, que se conocían como instructores, y ellos a su vez enseñaban a sus compañeros en grupos. Por la calidad y soltura de sus primeros trabajos, también se asume que durante su adolescencia debió haber estudiado con algún maestro particular en Uruapan. Pero no fue sino hasta que tenía veinte años, cuando se trasladó a la ciudad de México y comenzó sus estudios de pintura en la Academia de San Carlos. Entre sus maestros se encontraban: Pelegrín Clavé, José Salomé Pina, Santiago Rebull y Eugenio Landesio. Acerca de sus primeros trabajos en la Academia, el diario capitalino *El Siglo XIX*, el 19 de febrero de 1862 publicó en sus páginas el siguiente texto: "Don Manuel Ocaranza, a quien dimos el primer lugar en el claro-oscuro, presenta algunos estudios en el colorido; y en el "San Juan Bautista", copia de Ingres, marca el destello de su buena disposición y facilidad, indicada desde sus primeros estudios; si este joven continúa con decisión, indudablemente hará grandes adelantos en el arte".

A través de la exposición anual de la Academia, los trabajos de los alumnos se mostraban a la sociedad y a la crítica. En ella se premiaban los trabajos más notables. Esta era una manera de motivar a la sociedad a interesarse y conocer sobre el tema. Así, acudía una nutrida concurrencia y los periódicos comentaban a detalle el evento. Al estudiar la lista de los alumnos premiados en la exposición de la Academia de 1863, no se encuentra el nombre de Manuel Ocaranza. Este hecho ha dado motivo a que se especule sobre la idea de su regreso a Uruapan durante la ocupación francesa (1862-1864), para unirse a la resistencia que luchaba contra el

Imperio. Esto podría aclararnos la relación que mantuvo con importantes jefes militares a lo largo de su vida. Esta tesis también queda avalada por el hecho de que en 1865 su obra vuelve a figurar en la exposición anual de la Academia, en la sección de los discípulos de Pelegrín Clavé.

La cercana amistad que Manuel Ocaranza mantuvo con el escritor y caudillo cubano José Martí, lo lleva a compartir con éste su visión liberal y su profundo americanismo, a través de los versos y ensayos que el cubano escribió en esa época. Martí fue, sin proponérselo, uno de los precursores latinoamericanos del modernismo. Las diferentes cartas que José Martí escribió a su amigo Manuel Mercado, revelan que el héroe cubano siempre tenía presente a Ocaranza, como amigo y como artista, como es el caso de las siguientes líneas que escribió desde Guatemala el 19 de abril de 1871: "Cuando escriba a Manuel he de decirle que las Artes aquí no tienen templo, sacerdotes, ni creyentes. Todo lo absorbió el dogma, y, amén de los escultores sagrados de la Antigua, y de Pontaza, pintor sagrado que, por lo que profana, parece profano, ni hubo ni hay cosa digna de mención. Cierto escultor Quesada valió mucho, e hizo excelentes Cristos, pero éstos han desaparecido, y con ellos toda noticia o modo de darla acerca de su autor... Con esto, y con decirle pienso en él cada vez que veo algo bello, está escrito el principio de mi carta a Manuel Ocaranza..."

Es curioso el hecho de que, más o menos en la misma época, un homónimo suyo, Manuel María Ocaranza, en el año 1860 estudió en la Academia de San Carlos la carrera de arquitecto, obteniendo el título de arquitecto e ingeniero civil. Su homónimo muere muy joven, al contraer el terrible vómito negro. Este hecho ha creado ciertas confusiones en cuanto a la vida del pintor.

En 1866 la Academia de San Carlos recibe el nombre de Escuela Nacional de Bellas Artes. Ese año

groups. Because of the quality and assurance of Ocaranza's early work, it is assumed that he must have studied with a private teacher in Uruapan during his teenage years. At age twenty, Manuel moved to Mexico City and began to study painting at the Academia de San Carlos. His teachers included Pelegrín Clavé, José Salomé Pina, Santiago Rebull and Eugenio Landesio. On February 19, 1862, the Mexico City daily, El Siglo XIX, reported on Ocaranza's

MANUEL OCARANZA
TRAVESURAS DEL AMOR, 1871
Oleo sobre tela, 141 x 99 cm.
Museo Nacional de Arte

el pintor michoacano obtiene el Segundo Premio en la clase de composición de una figura, presentando cuatro extraordinarios óleos: *El amor del colibrí, La flor muerta, Autorretrato* y *Mendigo.* La crónica de la Escuela de Bellas Artes del 24 de diciembre de 1868, describe a detalle las dos primeras piezas: "...Aunque como decimos son dos cuadros, en realidad el pensamiento que presidió a la ejecución de ambos es uno mismo: pudiera decirse que son dos cantos de un mismo poema. El primer lienzo representa una joven de mirada lánguida y de encendidos labios en que se dibuja la sonrisa. Desde su ventana contempla una blanca azucena que recibe la caricia de un lindo pajarillo. En todo el cuadro domina cierto ambiente de frescura y de vida; el colorido es armonioso y verdadero, las líneas variadas y los accesorios oportunos y tocados con inteligencia. Las madreselvas y otras plantas que trepan por la ventana, la luz artificial que alumbra el interior del gabinete y que contrasta con la tarde, todo contribuye a dar a este cuadro un aspecto encantador. En el segundo ha ido acaso más feliz el pintor: revela más inspiración y más poesía en el artista. La joven contempla ahora la misma azucena; pero la flor marchita ahora y destrozada se detiene apenas de su tallo; el viento que antes la acariciaba se ha convertido en huracán y la ha ultrajado sin piedad, y la niña levanta convulsas sus manos y las aprieta con dolor, derramando llanto sus ojos..."

A través de sus temas, Ocaranza rompió con la tendencia que prevalecía en la Academia en aquellos años. Su pintura se inclina por los temas románticos, en los que introduce una fuerte dosis de simbología. Sus obras, aunque a distancia podríamos pensar que rayan en la cursilería, representan fielmente la manera de sentir de aquella época. Algunos, como el mismo Martí, cuestionaban el hecho de que sus personajes no correspondían a los personajes mexicanos, pues su obra definitivamente recibió influencias del rococó francés. La única pieza que hasta ahora se conoce en la que complació el comentario de Martí, es *La flor del lago,* 1871, en la que observamos una bella mujer indígena en Xochimilco, en su trajinera repleta de flores.

En 1871 y en 1873 el pintor michoacano también participó en las exposiciones de la Academia, con las obras: *Café de la Concordia, Travesuras del amor, La cuna vacía, La flor del lago, Una joven esposa contempla con gozo* y *Denegación del indulto de Maximiliano.* Cabe aquí aclarar que el Café de la Concordia se encontraba frente a la iglesia de La Profesa, en las actuales calles de Madero e Isabel la Católica. A este lugar acudían las clases pudientes de la ciudad de México, elegantemente ataviadas, a tomar café, a beber *champagne* y a degustar exquisitos bocadillos. Las escenas de su interior contrastan con la figura del humilde muchachito, que hambriento se saborea los suculentos manjares. El cuadro es crudo y abierto en su crítica a la sociedad.

beginnings: "Manuel Ocaranza, to whom we awarded first place in the chiaroscuro category, is showing some studies in color; and "San Juan Bautista", a copy of Ingres, marks the brightness of his interest and talent, evident from his first studies; if this young man continues with determination, he will undoubtedly make great progress in art."

At the annual exhibition of the Academia, the students' work was shown to the general public and the critics, and the most noteworthy pieces were awarded prizes. The event served to motivate society's involvement in art. Attendance was heavy, and the newspapers published detailed accounts. The absence of Manuel Ocaranza's name from the list of award winners in 1863 has led to speculations that he returned to Uruapan during the French occupation (1862-1864) to join the resistance forces that were fighting against the Empire. This supposition may also explain his lifelong relationships with important military figures, and is reinforced by the new appearance of his name in the listing of the Academia's 1865 exhibition, in the section devoted to the students of Pelegrín Clavé.

Manuel Ocaranza's close friendship with the Cuban writer and political leader, José Martí, led him to adopt the liberal viewpoint and profound Americanism expressed in Martí's verses and essays. Unknowingly, Martí was to be a forerunner of Modernism in Latin America. José Martí's personal correspondence with Manuel Mercado reveals that the Cuban hero considered Ocaranza a friend and an artist, as shown by the lines he wrote in Guatemala on April 19, 1871: "When I write Manuel, I must tell him that the arts have no temple here, no high priests, or believers. Dogma has absorbed everything, including the sacred sculptors of Antigua, and Pontaza, a sacred painter who seems profane because of what he profanes. Neither was there nor is there anything worthy of mention. A certain sculptor, Quesada, was worth much and did excellent figures of Christ, but they have disappeared along with all news of their author... With this—and by saying it, I think about him every time I see something beautiful—I started my letter to Manuel Ocaranza..."

A degree of confusion about Ocaranza's life has been caused by the fact that a contemporary with a similar name, Manuel María Ocaranza, also studied at the Academia de San Carlos and in 1860 received a degree from the institution in architecture and civil engineering. Unfortunately this young man died at an early age from yellow fever.

In 1866, the name of the Academia de San Carlos was changed to Escuela Nacional de Bellas Artes. That year, Ocaranza won the second prize in composition with four extraordinary oils: El amor del colibrí, La flor muerta, Autorretrato and Mendigo. The school's newspaper of December 24, 1868, describes the first two pieces in detail: "...Although as we say, they are two paintings, the same idea presided over their execution: it could be said that they are two verses of the same poem. The first canvas represents a young woman with a languid gaze and a bright mouth on which a smile is drawn. From her

MANUEL OCARANZA
LA CUNA VACÍA, 1871
Oleo sobre tela, 80.5 x 56.5 cm.
Museo Nacional de Arte

window, she observes a white lily that is receiving the caress of a pretty little bird. An ambiance of freshness and life dominates the entire painting; the coloring is harmonious and true, the lines are varied, and the accessories are timely and touched with intelligence. The honeysuckle and other plants climbing along the window, and the artificial light that illuminates the inside of the room in contrast with the afternoon light all contribute to making this painting look enchanting. In the second piece, the painter has perhaps been even more fortunate: it reveals more inspiration and poetry in the artist. The young woman is looking at the same lily, but the now wilted flower barely stays on its stem; the breeze that caressed it before has become a hurricane and has destroyed it mercilessly, and the girl wrings her convulsed hands in pain, with tears flowing from her eyes ..."

Ocaranza's topics broke with the trends that prevailed in the Academia at the time. His painting leaned toward romantic themes, with a strong dose of symbology. From a distance we could believe that his work borders on the vulgar, yet it represents faithfully the feelings of the times. Some viewers, including Martí, questioned the lack of similarity between Ocaranza's depiction of human figures, definitely influenced by the French Rococo, and the typical characteristics of the Mexican people. The only piece known to have received gratifying comments from Martí was La flor del lago, 1871, which shows a beautiful indigenous woman in a flower-filled boat in Xochimilco.

In 1871 and 1873, Ocaranza participated in the Academia's exhibitions with Café de la Concordia, Travesuras del amor, La cuna vacía, La flor del lago, Una joven esposa contempla con gozo and Denegación del indulto de Maximiliano. The café shown in the first painting, the Café de la Concordia, was located across the street from La Profesa church on what is now the corner of Madero and Isabel la Católica; its patrons were the wealthy classes of Mexico City, elegantly dressed, who frequented the establishment to drink coffee and champagne and sample the exquisite hors d'oeuvres. Ocaranza's painting openly criticizes this society by contrasting the scenes inside the café with the figure of a meek child hungrily enticed by the succulent food.

La cuna vacía perhaps produced some of the highest honors for Ocaranza. As in many of his paintings, he became involved in the most intimate feelings of the characters, in this case the grief of a mother who has recently lost her baby. The drama of the scene keeps a careful watch on every detail. The mother cries disconsolately, remembering her child as she looks at the empty crib; seen on the nightstand are the bottles of medicine that were unable to save the young life.

La cuna vacía es quizá una de sus composiciones que le valieron para obtener los más altos reconocimientos. Ocaranza entra, como en muchas de sus obras, a los sentimientos más íntimos de sus personajes; en este caso el dolor de una madre que acaba de perder a su pequeño hijo. El dramatismo de la escena ha sido cuidado al grado de no perder detalle. El luto de la madre que llora desconsolada, recordando a su hijo al mirar la cuna vacía. Sobre la mesita de noche se pueden ver los frascos de remedios y medicinas que no lograron salvar a este pequeño.

Travesuras del amor corresponde a una de sus obras más apegadas a la tradición alegórica, en las que muestra la clásica figura de Eros a través de un cupido de alas transparentes, que aparece frente a un armario lleno de matraces, redomas y libros de ciencias ocultas. Gozoso, vierte una gota de veneno entre los pétalos de una rosa para lograr el enamoramiento de algún mortal.

MANUEL OCARANZA
LA CARIDAD, 1871
Oleo sobre tela, 140 x 103.3 cm.
Museo Nacional de Arte

La pintura *Denegación del indulto a Maximiliano*, es la única entre su producción que se basa en un tema histórico. Sin embargo, en ella Ocaranza se inclinó más hacia revelarnos el aspecto emotivo que a resaltar el carácter histórico de la escena. En enero de 1874, el periódico *La Crónica* escribió la siguiente descripción de esta pintura (fragmento): "...La princesa Salm-Salm, arrodillada a los pies de don Benito Juárez solicita de él el indulto de Maximiliano, que debe ser fusilado dentro de tres días. El señor Lerdo entra a la sazón en la pieza para infundir resolución en el ánimo del señor Juárez, próximo a ceder a las lágrimas de la bella intercesora..." Se aprecia en ella que el pintor se inclina a representar la emotividad, más que al aspecto histórico del evento, lo que en su tiempo levantó contradictorios comentarios de los críticos.

A lo largo de las exposiciones en la Academia, Ocaranza había demostrado sus evidentes dotes artísticas, lo cual le valió para que en 1874 recibiera una pensión por dos años para ir a estudiar en Europa. Ese año realizó un cuadro de Melchor Ocampo y otro de Ana Martí, hermana de José Martí, quien fue el amor de su vida. En 1875 viajó en barco hasta llegar al viejo continente. Ocaranza se estableció en París, y se piensa que desde allí visitó las principales capitales europeas. Durante su estancia, pintó *La mujer de la paloma*, así como algunas copias de las obras de los grandes maestros franceses, entre ellas la famosa pintura *La mártir cristiana*, de Paul Delaroche.

A su regreso presentó estas pinturas, junto con obras originales suyas, en la decimonovena exposición de la Academia. En sus pinturas se advierte su inclinación por los temas relacionados con el amor, expresados desde la experiencia femenina. Entre ellos se encontraban: *La hora de la cita, Experiencias de tocador, El amor y el interés.*

El año 1881 fue el último en que Manuel Ocaranza participó en las exposiciones de la Escuela Nacional de Bellas Artes, en la sala de pinturas modernas, con obras como: *Equivocación, ¿Quién soy yo?* y *Naturaleza muerta.* Desde sus obras tempranas y a lo largo de su producción plástica, se advierte que se adentró en el dominio de la técnica con el fin de poder sostener en ella su gran fuerza creativa.

Manuel Ocaranza muere inesperadamente en la ciudad de México el 2 de junio de 1882, a los cuarenta años de edad. En agosto de 1882, Martí escribe estas palabras a Manuel A. Mercado (fragmento): "...Pero ahora supe, por carta del fidelísimo Heberto, que Ocaranza ha muerto. [...] Ya no vive tan buena criatura, que amó lo que yo amo; me queda al menos el consuelo de honrarlo".

Ocaranza fue el pintor más representativo del sentimiento que envolvió la vida cotidiana de la segunda mitad del siglo XIX. Sus obras reproducen la atmósfera de esa época, abordada desde un punto de vista intimista y femenino, y sobre todo en torno al tema amoroso, por lo que sobresalen entre sus personajes hermosas jóvenes enamoradas.

Travesuras del amor is a painting that closely adheres to allegorical tradition by showing the classical figure of Eros in the form of a cupid with transparent wings, standing in front of an armoire filled with vials, flasks and books of the occult. Gleeful, the cupid drops venom on a rose to cause an unsuspecting mortal to fall in love.

The painting entitled Denegación del indulto a Maximiliano is the only piece of Ocaranza's production that is based on a historical topic. He was more inclined, however, to reveal the emotional aspect of the scene than to emphasize its historical nature. In January of 1874, La Crónica newspaper published the following description of this painting: "...Princess Salm-Salm, kneeling at the feet of Benito Juárez, is requesting the pardon of Maximilian, who is to be executed by a firing squad in three days' time. Mr. Lerdo comes into play in the piece to inspire resolve in Mr. Juárez, who is close to ceding to the beautiful intercessor ..." The painter's proclivity to express emotion over history resulted in contradictory comments from the critics of his time.

The artistic talents Ocaranza made evident at the Academia's exhibitions over the years earned him a two-year stipend to study in Europe. In 1874, the year he received the award, he painted a portrait of Melchor Ocampo and another of Ana Martí, José Martí's sister and the love of his life. In 1875, he traveled by ship to the Old World and established a base in Paris, from which it is thought he made visits to the major European capitals. During his stay, Ocaranza painted La mujer de la paloma and made copies of some of the works of the French masters, including the famous Christian Martyr by Paul Delaroche.

On his return to Mexico, Ocaranza presented these paintings along with other pieces from his production at the nineteenth exhibition of the Academia. His work shows his inclination for topics related to love, expressed from a feminine point of view, such as La hora de la cita, Experiencias de tocador, and El amor y el interés.

Manuel Ocaranza's final participation in the Escuela Nacional de Bellas Artes exhibition was in 1881, when he showed Equivocación, ¿Quién soy yo? and Naturaleza muerta in the section dedicated to modern painting. The body of work he produced over his career proves his mastery of technique, which would serve as the foundation for his great creative strength.

Manuel Ocaranza died unexpectedly in Mexico City on June 2, 1882, at age forty. In August of the same year, Martí wrote these words to Manuel A. Mercado: "I learned today, from the letter of Heberto, most faithful, that Ocaranza has died... This good creature, who loved what I loved, no longer lives; at least I am left with the solace of honoring him."

Ocaranza was the most representative painter of the sentiment that enveloped daily life in the second half of the 19th century. His works reproduce the atmosphere of that era, approached from an intimate and feminine point of view, and his treatment of the topic of love highlights his portrayal of beautiful women, young and enamored.

Julio Ruelas
Retrato de don Jesús F. Luján
Oleo sobre tela, 179 x 140 cm.
Colección INBA, Museo Francisco Goitia

Julio Ruelas

1870-1907

El empleo de símbolos es constante en todos estos trabajos. La obra de Ruelas, como la de aquellos que se involucraron en la corriente simbólica, representaba para la sociedad de la época un misterio que difícilmente se podía descifrar.

Lupina Lara Elizondo

Julio Ruelas nació en la ciudad de Zacatecas el 21 de junio del año 1870. Su padre, don Miguel Ruelas, era un hombre preparado que desempeñó importantes cargos públicos; no obstante, se sabe que también mostró facilidad e interés por el dibujo. En 1875 la familia, que estaba integrada por don Miguel, doña Carmen Suárez, su madre, y sus hermanos: Alejandro, Aurelio, Miguel y Margarita, se traslada a la ciudad de México para que el padre pudiera cumplir con sus compromisos. Se sabe que Julio, ya en la ciudad de México, estudió en el Instituto Científico e Industrial Mexicano de Tacubaya. Desde entonces manifestó un gran interés por el dibujo y en sus apuntes mezclaba elementos humanos y animales. Su compañero y amigo, el escritor y poeta José Juan Tablada, recuerda en sus memorias estas figuras: "...tenían a veces cabezas de burro, y otras, como en la teogonía (genealogía de los dioses) egipcia, testas bovinas, y eran siempre semi-animales, como los sátiros y los centauros... Aquellos cuadrúpedos, a pesar de la ingenuidad infantil, eran los precursores del tropel de faunos y centauros que caracterizaron la obra posterior del pintor".

Continúa sus estudios en el Colegio Militar, en donde vuelve a reunirse con Tablada, y juntos publican un pequeño periódico de corte político, *El Sinapismo;* uno pintaba y el otro escribía. En 1885 Ruelas se inscribe en la Academia de San Carlos, en donde inicia formalmente sus estudios de pintura. De acuerdo con los dibujos que realizó como estudiante, se puede inferir que era un alumno excepcional, con gran intuición en la anatomía del cuerpo humano, la cual desarrolló gracias a su dedicación y empeño. En ese tiempo montó un taller en la calle de Indio Triste, al cual acudían algunos otros alumnos. Ese lugar se volvió el punto de reunión de jóvenes artistas; eran reuniones bohemias, en donde unos escuchaban música clásica y otros leían, mientras el artista trabajaba en su pintura.

Su padre murió en el año 1880, pero gracias a su desempeño en puestos prominentes en el gobierno, la familia pudo gozar de una cómoda pensión que les permitió vivir con cierta holgura. En 1891, a la edad de veintiún años, Ruelas viajó a Alemania a estudiar en la Escuela de Arte de la Universidad de Karlsruhe, en Baden. Allí se encontró con los exponentes del romanticismo alemán y recibió la influencia de la obra de Arnold Böcklin, con la cual Ruelas se identificó profundamente. El romanticismo buscaba una renovación, para lo cual rompe con las reglas del neoclasicismo y el

JULIO RUELAS WAS BORN IN THE CITY OF ZACATECAS ON June 21, 1870. His father, Miguel Ruelas, was an educated man who held important government posts, and is known to have been a talented draftsman. In 1875, the family—Julio's parents, Miguel Ruelas and Carmen Suárez, and his brothers and sister, Alejandro, Aurelio, Miguel and Margarita—moved to Mexico City for reasons related to Mr. Ruelas' work. Julio enrolled in the capital city's Instituto Científico e Industrial Mexicano de Tacubaya. He showed great interest in drawing, and added human figures and animals to his class notes. His schoolmate and friend, the writer and poet, José Juan Tablada, remembered these drawings in his autobiography: "Sometimes they would have donkey heads, and other times, as in Egyptian theogony (genealogy of the gods), cow heads, and they were always semi-animals like the satyrs and centaurs ... Those quadrupeds, in spite of their infantile ingenuity, were the precursors of the multitude of fauns and centaurs that characterized the artist's later work."

JULIO RUELAS
ILUSTRACIÓN PARA EL POEMA "PIEDAD",
DE JESÚS VALENZUELA, 1901
Tinta sobre papel, 17 x 19 cm.
Colección Particular

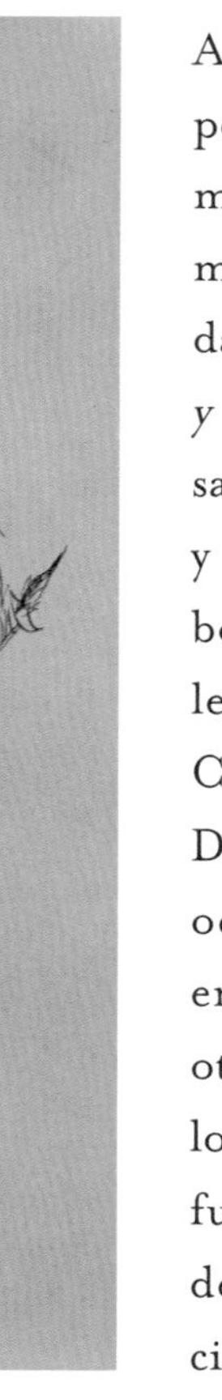

academicismo. Fue extremadamente individualista. Es importante destacar que la influencia romántica en Ruelas fue tan fuerte que a partir de ella el artista no se interesa por otros movimientos artísticos, como el impresionismo, que en aquella época se encontraba en gran apogeo. Durante su estancia en Alemania llenó su imaginación de la mitología germánica. En las pinacotecas admiró las obras de Durero, Hiëronymus Bosch "El Bosco", Pieter Bruegel "El viejo", y tomó los conceptos de las revistas de pintura simbolista, que representaban con gran maestría la decadencia moral de la sociedad. La temática e ideología de lo decadente influyó de manera determinante en su carácter, adoptando desde entonces un punto de vista trágico; su carácter se volvió hermético, pesimista y solitario. Ante ese vacío, el alcohol para él se volvió un refugio.

A su regreso, en 1895 Ruelas entabló amistad con el grupo de la *Revista Azul,* fundada en 1894, la cual permaneció activa únicamente dos años. En esa época realizó diversas obras, entre las que destacan: *Retrato del poeta don Francisco de Alba, El papelero de México, El fauno* –para la que posó Alejandro Ruelas, hermano del artista–, y *La domadora,* 1897. Esta última, como muchas de sus obras, tiene un velado fin moralista: pretende indicar que el sexo es malo y que por tanto la mujer, que induce al sexo, es mala y degrada al hombre. También a esa época corresponden diversos retratos. En 1898 presentó su obra por primera vez, en la *Exposición Anual de la Escuela de Bellas Artes,* y los maestros y estudiantes quedaron sorprendidos con sus magníficos trabajos. Es posible que su actividad como maestro de la Academia corresponda a este período, que fue la época en que fue maestro de Angel Zárraga. Ese mismo año participó en la fundación de la *Revista Moderna, Arte y Ciencia,* que difundía el pensamiento modernista en México y en Latinoamérica. En ella colaboraron: su director, Jesús E. Valenzuela, Amado Nervo, Rubén G. Campos, José Othón, Balbino Dávalos y José Juan Tablada. En ocasiones los poetas se inspiraban en los dibujos de los artistas, y en otras, los pintores se inspiraban en los textos de los poetas. Desde su fundación y hasta la desaparición de la revista, se publicaron cuatrocientas treinta y una obras originales

Julio Ruelas
Margarita Ruelas Suárez
en traje de luto, 1897
Oleo sobre tela, 41 x 29 cm.
Colección Banco Nacional de México

de Julio Ruelas, las cuales en su mayoría fueron realizadas expresamente para ésta. Muchas de ellas se repiten varias veces a lo largo de los trece años de vida de la revista. La calidad de ésta se vio altamente beneficiada con la participación de Ruelas, ya que junto con su calidad literaria, su extraordinario trabajo dio prestigio a la revista. Entre los viñetistas que participaban en ella, se encontraban: Leandro Izaguirre, Roberto Montenegro y Germán Gedovius.

Desde su estancia en Europa, la obra de Ruelas estará muy relacionada con la literatura de la época, tanto de escritores mexicanos como extranjeros, como Baudelaire, Rimbaud, Verlaine y Mallarmé. La lectura de textos de los escritores de finales del siglo XIX que participaron en el "decadentismo" y también en el "simbolismo", nos permitirá comprender mejor la temática

Julio continued his studies at the Colegio Militar, where he was reunited with Tablada, and together they published a small newspaper of a political bent, El Sinapismo; one would paint and the other would write. In 1885, Ruelas entered the Academia de San Carlos and formally began to study painting. It can be inferred from his early drawings that he was an exceptional student with a highly intuitive awareness of human anatomy—a quality he would develop through dedication and commitment. Ruelas opened a workshop on the street of Indio Triste, where he was visited by other students. It became a place for bohemian gatherings of young artists: while some listened to classical music and others read, Julio would work on his painting.

Julio's father died in 1880, but thanks to his prominent government work, the family was left with a generous pension that permitted them to live comfortably. In 1891, at age twenty-one, Ruelas departed for Germany to study at the art school of the University of Karlsruhe in Baden. There he encountered the exponents of German Romanticism and was influenced by the work of Arnold Böcklin, with which he profoundly identified. The ideas of Romanticism, based on extreme individualism and a search for renovation, had broken away from the rules of Neoclassicism and academia. And Ruelas was so affected by Romanticism that other artistic movements, such as the highly popular Impressionism, failed to interest him. During his stay in Germany, Ruelas filled his imagination with Germanic mythology. In the galleries he admired the work of Dürer, Hieronymus Bosch and Pieter Bruegel the Elder, and took concepts from the publications of symbolistic painting, which masterfully represented society's moral decadence. The topics and ideology of decadence had a determining influence on Ruelas' character, and he came to adopt a tragic point of view; his personality became hermetic, pessimistic and solitary. In the face of such emptiness, his refuge was alcohol.

On his return to Mexico in 1895, Ruelas became friendly with the group involved in the Revista Azul, a magazine founded in 1894 and active for only two years. During that period, Ruelas produced various paintings, including Retrato del poeta don Francisco de Alba, El papelero de México, El fauno (for which his brother, Alejandro Ruelas, posed), and La domadora, 1897. Like many of his works, La domadora has a veiled moralistic purpose: it attempts to indicate that sex is evil and that women, who induce sex, are evil and degrading for men. In the same interval, Ruelas painted several portraits. In 1898, the first exhibition of his work, at the Exposición Anual de la Escuela de Bellas Artes, resulted in surprised reactions to his magnificent pieces from both teachers and students. His tenure as a teacher at the Academia may correspond to this time period, when he was Angel Zárraga's teacher. That same year, Ruelas participated in founding the Revista Moderna, Arte y Ciencia, which disseminated modernistic thought throughout Mexico and Latin America. Participating on the journal were its director, Jesús E. Valenzuela, plus Amado Nervo, Rubén G. Campos, José Othón, Balbino Dávalos and José Juan Tablada. On some occasions, the poets were inspired by the artists' drawings, and on others, the painters were inspired by the poets' texts. During the thirteen years of the journal's existence, it published four hundred and thirty-one original pieces by Julio Ruelas. Most of them were created expressly for the publication, and many were repeated several times over the journal's lifetime. The journal's quality was highly benefited by Ruelas' extraordinary work, which provided the literary content with added prestige. The participating vignetters included Leandro Izaguirre, Roberto Montenegro and Germán Gedovius.

Following his sojourn in Europe, Ruelas' work was closely related to the literary work produced by his contemporaries from both Mexico and abroad, including Baudelaire, Rimbaud, Verlaine and Mallarmé. Reading the work of fin-de-siècle writers who participated in "decadentism" and "symbolism" improves our comprehension of the topics used by Julio Ruelas; literature was his motivation and source of inspiration. In the decadents we find an attitude of ultra refinement and ennui, and the abandonment of all morality. They made manifest an exaggerated cult of beauty and completely detested any hint of ugliness. The only escape from life's boredom was art. According to the decadents, technological progress was an assault on sensitivity, and aesthetes were the sole depositaries and saviors of culture. They considered themselves exceptional beings capable of exploring advanced topics and undergoing experiences that were inaccessible for the common or uninitiated. As a result, the decadents lived in depravity, and were prepared to sample the prohibited and the immoral, without conceiving their own destruction.

The concept of women suffered from great distortion. For the decadents, women were dominant, perverse and destructive beings. Ruelas portrayed women as the femme fatale, but also as tormented, perhaps punished, as in the vignette he created for the title of the Revista Moderna: tied to the letters is the extended body of a nude woman attempting to escape from a snake ready to strike. Over history, snakes have symbolized evil and the male sex, and both connotations were employed by Ruelas. The title's vignette was repeated more than twenty-five times. Rubén M. Campos, in his posthumous article, "El arte de Ruelas", revealed the artist's opinion of women: "For Ruelas, she was a worn out spirit. The splendor of the fibrous juicy meat, as in the canicular breeds, enervated him in the end because of its licentious pleasure; and as in all exhaustion, that execrable pleasure became morbid, and then sadistic; thus Ruelas'

involucrada en la obra de Julio Ruelas, ya que fueron su motivación y fuente de inspiración. En los decadentes encontramos una actitud de superrefinamiento y hastío, de abandono de toda moralidad. Manifestaban un culto exagerado hacia la belleza y detestaban por completo todo aquello que representara la fealdad. El hastío de la vida tan sólo encontraba refugio en el arte. Para ellos los avances tecnológicos atentaban en contra de la sensibilidad, y los estetas eran los únicos depositarios de la cultura y salvadores de esta condición. Ellos se sentían seres excepcionales, y por tanto, con el privilegio y la capacidad de incursionar en temas avanzados y de sostener experiencias que las personas comunes, o no iniciadas, no eran capaces de experimentar. Por ello los decadentes podían vivir en el vicio, y estaban preparados para experimentar lo prohibido y lo amoral, sin concebir su propia destrucción.

El concepto de la mujer era visto con gran distorsión. Para ellos la mujer representaba un ser dominante, perverso y destructivo. Ruelas la pintó como mujer fatal, pero también como mujer atormentada, quizá castigada, como es el caso de la viñeta del título de la *Revista Moderna* en la que, atado a lo largo de las letras, se extiende el cuerpo de una mujer desnuda que lucha por liberarse ante la presencia de una serpiente a punto de atacarla. Las dos connotaciones que a lo largo de la historia ha tenido el símbolo de la serpiente son el mal y el sexo masculino, y bajo estos conceptos es empleada por Ruelas. La viñeta de este título fue repetida en más de veinticinco ocasiones. Las palabras que Rubén M. Campos expresó en su artículo póstumo "El arte de Ruelas", nos permiten conocer el trato que el artista brindó a la mujer: "Pero Ruelas era un espíritu agotado. El esplendor de la carne jugosa y fibrosa acabó, como en las razas caniculares, por enervarlo, por constituir en su lineamiento un placer licencioso; y, como en todos los agotamientos, aquel placer vitando convirtióse en morboso, y de morboso transformóse en sádico; y así las mujeres de Ruelas, amorosamente dibujadas antes para el amor, lo fueron después fervorosamente para la tortura, exquisitamente suplicadas en un cerebro atormentado por las garras de esfinge del amor y de la muerte". Ciro B. Ceballos encuentra afinidad en el modo en que Ruelas concibe a la mujer: "...un paralelismo entre su temperamento y el mío, en lo que concierne a la mujer, el eterno femenino tan traído y tan llevado por ilusos feministas y líricos sentimientos, porque él cree, como yo, que la hembra es inmunda, dañina y amarga como la hiel..."

Su producción artística se puede dividir en pintura y dibujo, grabado y aguafuerte, siendo más abundante en estos dos últimos. Por lo general, Ruelas dibujó temas fantásticos, con frecuencia temas dramáticos llenos de dolor, sufrimiento y martirio. Son imágenes angustiosas, producto de un estado de ánimo atormentado en que se abandonó a los placeres licenciosos y así cayó en el sadismo y la autodestrucción. El empleo de símbolos es constante en todos estos trabajos. La obra de Ruelas, como la de aquellos que se involucraron en la corriente simbólica, representaba para la sociedad

JULIO RUELAS
ENTRADA DE DON JESÚS LUJÁN A
LA REVISTA MODERNA, 1904
Oleo sobre tela, 30 x 50.5 cm.
Colección Particular

de la época un misterio que difícilmente se podía descifrar. Sólo unos cuantos artistas e intelectuales contaban con la clave para encontrarle un sentido a esta obra. Se advertía por encima de ello un gran oficio, un dibujo extraordinario que se pone en evidencia en el manejo de la línea y en la perfección física y expresiva de las figuras, pero el contenido temático quedaba fuera del alcance de la mayoría. No obstante, nos encontramos con obras que se alejan de esta temática, como sus retratos, paisajes, y en el caso de la ilustración que Ruelas realizó en un *gouache* para el poema "Ninfas y Centauros", de Rubén M. Campos, y cuando para Amado Nervo ilustró sus poemas "Implacable" y "El éxodo y las flores del camino".

Una de sus grandes obras fue la realizada en 1904, antes de partir en su segundo viaje a Europa y último cuadro que haría en México. Se trata de la obra titulada *La entrada de don Jesús Luján a la Revista Moderna.* Esta fue realizada al aguafuerte. En ella participan los principales organizadores y colaboradores de la revista. Ruelas los ha representado mitad hombres y mitad animales mitológicos, y de acuerdo con las características de cada uno de ellos. Sin duda alguna es el cuadro que, junto con *La crítica,* 1907, un autorretrato, ha logrado los más notorios comentarios.

women, lovingly drawn earlier for love, were then fervently drawn for torture, exquisitely imploring in a brain tormented by the claws of the sphinx of love and death." Ciro B. Ceballos finds affinity in Ruelas' conception of women: "...a parallelism between his temperament and mine with regard to women, the eternal female taken hither and thither by deluded feminists and lyrical sentiments because he believes, as do I, that the female is filthy, harmful and as bitter as bile ..."

Ruelas' artistic output can be divided into painting and drawing, and his more abundant engraving and etching. He generally drew topics based on fantasy, often dramatic and filled with suffering and martyrdom. These anxious images are the product of a tormented mood, a surrender to licentious pleasures and the fall into sadism and self-destruction. A constant in

Julio Ruelas
A la verdad, 1904
Tinta sobre papel, 13 x 18 cm.
Colección Particular

such work is the use of symbols. Ruelas, like those involved in symbolism, produced art that was a largely undecipherable mystery for the society of the times. Only a few artists and intellectuals possessed the code for finding its meaning. Masterful craftsmanship and extraordinary drawing are evident in the handling of lines and the physical and expressive perfection of figures, but the thematic content was not within reach of the majority. However, we also find pieces far removed from such topics, such as Ruelas' portraits, landscapes, and the gouache illustration for the "Ninfas y Centauros" poem by Rubén M. Campos, in addition to his illustration of Amado Nervo's poems, "Implacable" and "El éxodo y las flores del camino".
One of Ruelas' major pieces was dated in 1904, prior to his second trip to Europe. The etching, the

Ruelas regresó a Europa en 1904; se estableció en París. El objetivo del viaje era el de ampliar su preparación artística y, particularmente, llegar a dominar la técnica del aguafuerte con el grabador francés José María Cazin, ya que se pretendía que a su regreso pudiera enseñarla en la Academia. El viaje pudo realizarse gracias a la pensión que le otorgó el Ministro Justo Sierra y con la ayuda complementaria de don Jesús Luján. Antes de llegar a París, Ruelas realizó un viaje de estudios por Holanda, Bélgica y Alemania, en donde tuvo oportunidad de hacer contacto con quienes serían los precursores del expresionismo alemán. Al llegar a París, se instaló en el Hotel Suez, en el barrio latino. Cuando Ruelas llega al taller de Cazin, éste pensaba que se trataba de un principiante, y realmente quedó impresionado cuando examinó sus dibujos, encontrando en ellos la calidad de un verdadero maestro.

Ruelas enviaba al Ministro Justo Sierra paquetes con grabados que demostraban el avance de su trabajo, y también enviaba dibujos y aguafuertes a sus amigos, para ser publicados en la *Revista Moderna*. Fuera de ello, tan sólo realizó algunas pinturas importantes, como *El sátiro ahogado*, 1907, y el óleo inconcluso que lleva por título *La araña*. No produjo mucho, debido a su predisposición a la vida bohemia. Bebía y fumaba demasiado, y trasnochaba buscando no llegar a su habitación y enfrentarse con las imágenes que sus delirios le presentaban. La segunda y última vez que su obra se expuso en México fue en 1906, en la *Exposición de la Galería Nacional de Artes Plásticas,* en la que se dedicaba una sección a la obra de los pensionados que se encontraban estudiando en Europa; su escasa producción generó polémica. Durante sus últimos días, Ruelas llegó a pensar que el gobierno retiraría su pensión, por lo que con un amigo que iba a viajar a México envía un mensaje a Justo Sierra, en el que le menciona que se pondría a trabajar mucho. El deterioro de la salud de Ruelas se aceleró por esos días, complicándose con la tuberculosis que desde años atrás lo acosaba. El pintor muere en París el 16 de septiembre de 1907. Fue enterrado en el cementerio de Montparnasse. Don José F. Luján se encargó de los gastos funerarios y del monumento que Arnulfo Domínguez Bello levantó sobre su tumba.

last piece he would produce in Mexico, was entitled La entrada de don Jesús Luján a la Revista Moderna, and portrayed the journal's principal organizers and contributors. Ruelas represented them as mythologically half-human, half-animal, depending on their individuals characteristics. Without doubt, this work, along with La crítica, 1907, a self-portrait, have been the object of more widespread comments than any other.

On his return to Europe in 1904, Ruelas settled in Paris. The purpose of the trip was to broaden his artistic preparation and specifically, to master the technique of etching with the French engraver, José María Cazin. Ruelas hoped later to teach the technique at Mexico's Academia. The journey was made possible by a stipend granted by Minister Justo Sierra and the help of Jesús Luján. Before reaching Paris, Ruelas made a study tour through Holland, Belgium and Germany, where he had the opportunity to make contact with those who would be the precursors of German Expressionism. Once in Paris, Ruelas made his home at the Suez Hotel in the Latin quarter. He initially believed that Cazin was a beginner, but on examining Cazin's drawings, he was impressed to discover that they had the quality of a true maestro. Ruelas sent Minister Justo Sierra packages with engravings showing the progress of his work, along with drawings and etchings to give his friends and to publish in the Revista Moderna. He produced only a few important works, such as El sátiro ahogado, 1907, and the unfinished oil painting, La araña. His output was limited by his predisposition to the bohemian lifestyle. He drank and smoked excessively, and kept late hours to avoid confronting the images of his delirium. The second and final occasion his work was exhibited in Mexico was in 1906, at the Exposición de la Galería Nacional de Artes Plásticas, which dedicated a section to the work of scholarship recipients studying in Europe; polemics were generated by the reduced number of pieces Ruelas presented. Near the end of his life, Ruelas came to believe that his government funding was in danger of cancellation. He sent a message to Justo Sierra, by means of a friend on his way to Mexico, that he would be starting to work more intensively. However, his declining health worsened and was complicated by the tuberculosis that had bothered him for years. Ruelas died in Paris on September 16, 1907, and was buried in the Montparnasse cemetery. José F. Luján covered his funeral expenses and paid for the monument that Arnulfo Domínguez Bello placed on his grave.

JULIO RUELAS
LA CRÍTICA, 1907
Aguafuerte, 19 x 17 cm.
Colección Museo Nacional de Arte

Leandro Izaguirre
Yago, 1898
Oleo sobre tela, 90 x 66.2 cm.
Museo Nacional de Arte, INBA

Leandro Izaguirre

1867-1941

Fue un alumno dedicado, mostrando gran empeño en sus trabajos, lo cual le valió para obtener una pensión de pintura en 1886. Prueba de ello es el magnífico dibujo de desnudo que pintó dos años después de haber ingresado a la Academia.

Lupina Lara Elizondo

Durante los siglos XVIII y XIX el tema de la historia ocupó un lugar destacado en las academias de arte de Europa. Este género permitía rescatar y registrar episodios del pasado y del presente, resaltando a través de los lienzos eventos sobresalientes en el acontecer de las naciones, como pudieran ser: conquistas, coronaciones de reyes, batallas, firmas de pactos y alianzas, condecoraciones a héroes, además de retratos de miembros de la realeza y de personajes destacados. A partir de la independencia, en nuestro país surgió una pintura propiamente mexicana que estuvo motivada por ideales nacionales. Esta se abrió camino de manera paralela a los temas que por excelencia se venían practicando desde la época colonial y que fueron: la pintura religiosa, las naturalezas muertas y los retratos.

Como costumbre de esa época, muchas de las obras no fueron firmadas por sus autores. Así, encontramos gran cantidad de pinturas anónimas que abarcan los diferentes géneros. Como se ha comprobado, esto no significa que las piezas carezcan de calidad; por el contrario, en algunos de los casos corresponden a piezas muy bien logradas, como lo demuestran las dedicadas a Agustín de Iturbide: *Solemne coronación de Iturbide en la Catedral de México, día 21 de julio de 1822,* 1822, y *Agustín de Iturbide,*1882. También podemos observar cuadros como *Solemne y pacífica entrada del Ejército de las Tres Garantías en la capital de México, el día 27 de septiembre del memorable año 1821,* 1821, el cual, además de representar un hecho histórico, nos permite apreciar a la sociedad de la época. Otra obra interesante es sin duda *Alegoría de la coronación de Iturbide,* pintada por José Ignacio Paz. Como éstas, existen muchas más que captan diferentes escenas ligadas a nuestro pasado.

Durante el período en que Pelegrín Clavé permaneció en México como Director de Pintura en la Academia de San Carlos, los temas históricos prácticamente quedaron relegados a interpretaciones mitológicas, a acontecimientos de la historia universal y de la historia sagrada, referida esta última a representaciones de episodios bíblicos. No se promovía entre los alumnos la creación de temas nacionales. Es evidente que el pintor catalán no mostró interés por la historia de México. Posiblemente esto se haya debido a que en su calidad de extranjero, y en particular por su origen español, haya querido evitar incurrir en conflictos al hacer interpretaciones de nuestra historia que pudieran parecer equivocadas. Así lo refleja el hecho de que su único cuadro de tema histórico pintado en México fuera el de *La locura de Isabel de Portugal*, el cual está ligado a la historia universal. La postura de Clavé fue altamente criticada. Uno de los impugnadores de la orientación académica fue el liberal Ignacio Altamirano, escritor, crítico y funcionario público, quien luchó con Juárez en la Guerra de Reforma e impulsó la mejora del sistema educativo. Al igual que él, varios intelectuales liberales sentían la inquietud de crear un arte nacional. De alguna manera, ésta aparecía como una posición contradictoria de parte de los liberales, pues mientras buscaban ahondar en el pasado, por otro lado trataban de aniquilar la visión indígena, conservando sólo el registro de ella. Deseaban incorporar al indio a la cultura occidental.

La pintura histórica toma fuerza en la Academia a fines de los años sesenta, justamente cuando Clavé concluye su contrato y regresa a España, siendo sustituido por Ramón Alcaraz, un hombre próspero, cercano a Juárez, que tenía el deseo de impulsar la actividad académica. Cabe señalar que a mediados del siglo XIX empezaron a ser publicadas las fuentes de la historia mexicana, al rescatarse esta documentación de los conventos. Para la exposición de 1869, el nuevo director instituyó un premio para el mejor cuadro basado en un tema de la historia nacional. Buscaba que los alumnos se involucraran en ilustrar la historia. Ese mismo año su propuesta obtuvo respuestas interesantes, entre las que se encuentra la obra de José Obregón *El descubrimiento del pulque*, 1869. Posteriormente se realizaron otras obras importantes que trataron de estos temas, como: *El Senado de Tlaxcala*, 1875, de Rodrigo Gutiérrez, y *Los informantes de Moctezuma*, del toluqueño Isidro Martínez. También se empezó a abordar el tema de la Conquista, como lo muestran los cuadros: *Fray Bartolomé de las Casas*, 1876, y *La matanza de Cholula*, 1877, ambos ejecutados por el pintor Félix Parra. Luis Coto, alumno de Landesio, realizó también un importante cuadro: *Hidalgo en el Monte de las Cruces*, y en 1893 encontramos una de las obras más destacadas de este género: *El suplicio de Cuauhtémoc*, ejecutado por el pintor Leandro Izaguirre. A lo largo de esos años, muchas otras pinturas ilustraron eventos históricos, y a la par de ellas se realizaron imágenes de los héroes patrios, como la de Miguel Hidalgo, pintada por Antonio Serrano en 1830, la de Benito Juárez y doña Margarita Maza de Juárez, pintada en 1890 por José Escudero y Espronceda, la de Porfirio Díaz, pintada por José Obregón en 1883, entre tantas otras más.

Los pintores del siglo XIX por lo general no se ciñeron a trabajar en un solo género. Sus pinturas abarcaban con libertad el retrato, la naturaleza muerta, el paisaje y la pintura épica. Son extraños los casos como el de José María Velasco, cuya producción se abocó casi en su totalidad al paisaje. Es por esto que resulta difícil clasificar a los pintores de esa época en un solo género. No obstante, en algunos casos, sus obras más sobresalientes se encargaron de hacerlo, como corresponde al pintor Leandro Izaguirre, a quien se conoce por sus importantes temas históricos.

DURING THE 18TH AND 19TH CENTURIES, HISTORICAL TOPICS occupied an important place in the European art academies. Such painting served as a record of episodes from the past and present, with emphasis on the milestones of national history: the conquests, the coronation of monarchs, battles, the signing of peace treaties and alliances, and the decorating of heroes, in addition to portraits of members of royalty and famous people. After Mexico gained its independence, a typically Mexican style of painting motivated by national ideals began to appear. This painting developed parallel to the topics that had been used since colonial times: religious paintings, still lifes and portraits. According to custom, many works were not signed by their authors. As a result, a large number of anonymous paintings from different genres can be found. It has been proven that the lack of a signature does not imply low quality: on the contrary, some paintings are very well done. Examples are the paintings dedicated to Agustín de Iturbide, entitled Solemne coronación de Iturbide en la Catedral de México, día 21 de julio de 1822, *1822, and* Agustín de Iturbide, *1882, as well as paintings like* Solemne y pacífica entrada del Ejército de las Tres Garantías en la capital de México, el día 27 de septiembre del memorable año 1821, *1821, which in addition to representing an historical event, reveals the society of the times. Another painting of interest is* Alegoría de la coronación de Iturbide, *by José Ignacio Paz. Numerous paintings like these portray scenes associated with Mexico's past. During Pelegrín Clavé's stay in Mexico as the director of painting at the Academia de San Carlos, historical topics were limited to depicting mythological scenes or events in universal and Biblical history. Students were not encouraged to paint national topics. Clavé's lack of interest in Mexican history was obvious: perhaps as a foreigner and particularly a Spaniard, he wished to avoid the possible conflict of differing historical interpretations. In fact, the only painting with an historical topic that the Catalonian painter produced while in Mexico was* La locura de Isabel de Portugal, *a topic associated with universal history. Clavé's posture was highly criticized. One of the opponents of the academic orientation was Ignacio Altamirano, a liberal writer, critic and public servant who had fought alongside Juárez in the War of the Reform and promoted improvements in the educational system. Like Altamirano, various liberal intellectuals felt the need to create national art. Their position appeared contradictory: on one hand, the liberals sought to probe deeper into the nation's past, but on the other, they wanted to annihilate the indigenous viewpoint, and conserve only its record. The liberal desire was to incorporate the Indian into western culture.*

Historical painting took on strength in the Academia in the late 1860s, just when Clavé was concluding his contract and returning to Spain. He was replaced by Ramón Alcaraz, a prosperous man close to Juárez who was interested in promoting academic activity. It should be pointed out that in the mid-19th century, the sources of Mexican history began to be published, when the pertinent documentation was removed

Leandro Izaguirre
El suplicio de Cuauhtémoc, 1893
Oleo sobre tela, 294.5 x 454 cm.
Museo Nacional de Arte, INBA

Este talentoso artista mexicano es uno de tantos que desafortunadamente han sido poco estudiados. A esto se debe que la información acerca de su vida y de su trayectoria como artista y maestro sea muy limitada. Leandro Izaguirre nació en la ciudad de México en el año 1867. Se encuentran registros que indican su ingreso a la Academia de San Carlos en 1884. Entre sus maestros identificamos a José Salomé Pina y Santiago Rebull. Fue un alumno dedicado, mostrando gran empeño en sus trabajos, lo cual le valió para obtener una pensión de pintura en 1886. Prueba de ello es el magnífico dibujo de desnudo que pintó dos años después de haber ingresado a la Academia. La investigadora Judith Gómez del Campo apunta sobre esta obra: "...Izaguirre realiza este soberbio dibujo del desnudo, tomado del natural, magnífico ejemplo de la tendencia del realismo casi fotográfico que caracterizó al ideal de la época. La postura del modelo, aunque estudiada para dejar ver los músculos, articulaciones y equilibrio de la estructura ósea, posee una sensación de abandono y ligereza que evade las posturas retóricas e idealistas del pasado. La gran fidelidad con que ha sido representada esta figura masculina revela en su autor al observador cuidadoso y meticuloso, inclinado hacia la búsqueda de un verismo científico".

from the convents. For the Academia exhibition of 1869, the new director created a prize for the best painting based on national history. His purpose was to stimulate students to become involved in illustrating history. Various interesting possibilities were obtained that year, including José Obregón's El descubrimiento del pulque, 1869. Important works in subsequent years dealt with other topics, including El Senado de Tlaxcala, 1875, by Rodrigo Gutiérrez, and Los informantes de Moctezuma, by the Toluca native, Isidro Martínez. The Conquest also began to be addressed: Fray Bartolomé de las Casas, 1876, and La matanza de Cholula, 1877, both by Félix Parra. Luis Coto, a student of Landesio, painted an important piece, Hidalgo en el Monte de las Cruces, followed in 1893 by one of the most outstanding paintings of this genre: El suplicio de Cuauhtémoc, by Leandro Izaguirre. Throughout that time period, many other paintings illustrated historical events, along with

Leandro Izaguirre
Colón en La Rábida, 1891
Oleo sobre tela, 150 x 200 cm.
Museo Regional de Querétaro, INAH

En 1892 Izaguirre inició su labor docente en la Academia Nacional de Bellas Artes de San Carlos como profesor interino de la clase de dibujo del yeso (copia de las réplicas en yeso de obras clásicas), de la que quedó como titular a la muerte del maestro español Juan Urruchi. Entre sus alumnos se encontró Saturnino Herrán. En 1902 Izaguirre se fue a Europa comisionado por el gobierno mexicano como inspector de los avances logrados por los alumnos pensionados por la Academia. El principal objetivo era el de supervisar las copias de pinturas y esculturas que estos alumnos deberían hacer y enviar a la escuela para enriquecer su acervo y ser exhibidas en la galería de la institución. De igual manera, se le encomendó adquirir algunas obras para enriquecer el acervo de la institución. Se sabe que, con motivo de este viaje, a Izaguirre también se le solicitó enviar cada año un cuadro con tema libre y de su invención, así como las copias de dos obras de destacados artistas europeos. Durante su estancia, en la que también buscó perfeccionar sus conocimientos profesionales, el pintor permanece principalmente en España e Italia, en donde visita los estudios de los grandes pintores, los museos y las academias, aunque también viajó a Francia, Alemania y a las escuelas de los Países Bajos.

A su regreso en 1906, se integró nuevamente a la Academia Nacional de Bellas Artes, ocupando la plaza de profesor interino de pintura de claroscuro. El año siguiente, con motivo del retorno del maestro catalán Antonio Fabrés a su país, Izaguirre lo sustituye en su cátedra de dibujo de figura de desnudo, dejando de impartir las clases de claroscuro. Posteriormente ocupó las plazas de profesor de modelo vestido y de dibujo del natural. En 1919 ocupó la de profesor de colorido, y a partir de 1920 se hizo cargo de la enseñanza de pintura de figura, dedicándose a la actividad docente hasta su muerte en 1941. En 1911 a Izaguirre le tocó vivir, como maestro, las protestas que los estudiantes presentaron ante el arquitecto Rivas Mercado, entonces Director de la Escuela Nacional de Artes Plásticas, San Carlos. Los jóvenes, alentados por el ánimo revolucionario, solicitaban nuevos métodos de enseñanza. El Director reaccionó desfavorablemente a las peticiones, decretando expulsiones, y la respuesta que obtuvo fue un enfrentamiento que culminó con su renuncia y el cierre temporal de la institución.

Su labor docente se complementó con su trabajo como pintor, atendiendo encargos y solicitudes, y mediante las ilustraciones que realizaba para la *Revista Moderna.* Entre los viñetistas que colaboraron en esta revista, se encontraban: Julio Ruelas, Roberto Montenegro y Germán Gedovius. También

images of the national heroes, such as Miguel Hidalgo, painted by Antonio Serrano in 1830, Benito Juárez and Margarita Maza de Juárez, painted in 1890 by José Escudero y Espronceda, and Porfirio Díaz, painted by José Obregón in 1883.
The painters of the 19th century did not generally limit themselves to a single genre. Their paintings freely encompassed portraits, still lifes, landscapes and epic work. Cases like that of José María Velasco, whose production was dedicated almost entirely to landscapes, are unusual. For this reason, it is difficult to classify the painters of the times under a sole topic. Their work, however, often speaks for itself: the painter Leandro Izaguirre, for example, is known for his important historical topics.
Unfortunately, this talented Mexican artist is one of many who have not often been the object of study. Very little information is available about his career as an artist and teacher. It is known, however, that Leandro Izaguirre was born in Mexico City in 1867, and records indicate that he enrolled in the Academia de San Carlos in 1884. His teachers were José Salomé Pina and Santiago Rebull. His dedication to painting earned him a stipend in 1886. Proof of his skill is provided by the magnificent drawing of a nude he produced two years after entering the Academia. The researcher, Judith Gómez del Campo, described the piece: "...Izaguirre made this superb drawing of a nude from life, a magnificent example of the almost photographic realism that characterized the ideal of the era. The model's posture, although studied to

colaboró en el suplemento dominical *El Mundo Ilustrado.* Es preciso apuntar acerca de la vinculación de Izaguirre con el grupo de los modernistas, que representaban la vanguardia del momento en México. Con frecuencia acudía a las reuniones filosófico-literarias que el grupo organizaba en casa del director de la *Revista Moderna,* Jesús Valenzuela, y también en la del Ministro de Educación, Justo Sierra. Ruelas dejó un espléndido retrato alegórico de los participantes en la revista: *Entrada de don Jesús Luján a la Revista Moderna,* 1904. Allí aparece Leandro Izaguirre, representado como un fauno, sobre un árbol y con un pequeño saco de monedas en la mano. La influencia literaria en la pintura es una de las características distintivas de este grupo. En 1898 Izaguirre realizó una pintura inspirada en un pasaje de Otelo, obra de Shakespeare, representando al perverso personaje de Yago. Sobresale en esta pintura la manera de captar los rasgos psicológicos del personaje. Posiblemente la obra haya sido realizada por encargo del mecenas de la revista, don Jesús Luján. Esta pintura actualmente forma parte de la colección del Museo Nacional de Arte.

Como antes se menciona, en la producción de Izaguirre sobresalen sus piezas de carácter histórico, entre ellas *La fundación de Tenochtitlan,* 1889. Acerca de este cuadro fue escrito un texto en su época por el crítico Manuel G. Revilla, el cual fue publicado en el periódico *El Nacional* en enero de 1892, mismo que Ida Rodríguez Prampolini rescata en su libro *La crítica de arte en México en el siglo XIX,* y del cual citamos la referencia que hace al cuadro de Izaguirre como el mejor: "...de los tres cuadros pintados sobre dicho tema sin duda. (Se refiere también a los pintados por otros dos artistas: José Jara y Joaquín Ramírez.) Compruébalo la composición que está concebida con espontaneidad, sencillez y cierta grandiosidad. En él, a más, el pasaje histórico que trató de representarse, esto es, el momento en que la tribu mexica descubre el águila anunciada por su dios Huitzilopochtli, está pintado con mayor fidelidad; mejor dicho es el único en que se observa. En su primer plano está afrontada y hasta cierto punto vencida una dificultad de importancia: la colocación de las piernas y pies de las cuatro figuras principales, resultando a la vez que natural, variada y no desagradable. La tonalidad si no se hace notar por lo grata, tampoco es chocante, aunque sí se desearía mayor verdad en ella..." No obstante esta nota favorable, la obra que obtuvo el premio fue la de José Jara, la cual viajó a la *Gran Exposición* de París. La de Izaguirre únicamente obtuvo reconocimiento.

permit viewing the muscles, joints and balance of the bone structure, has a sensation of abandon and lightness that evades the rhetorical and idealistic postures of the past. The great fidelity with which this male figure has been represented tells the careful, meticulous observer that its author was inclined to search for scientific truth."

In 1892, Izaguirre began teaching at the Academia Nacional de Bellas Artes de San Carlos as interim professor of drawing from the antique (using plaster casts of antiquities as models), and was named permanent professor on the death of the Spanish teacher, Juan Urruchi. One of Izaguirre's students

Leandro Izaguirre
Academia, 1886
(estudio tomado del natural)
Lápiz de carbón, crayón negro, gris y blanco sobre papel verde, 48 x 29.5 cm.
Colección Particular

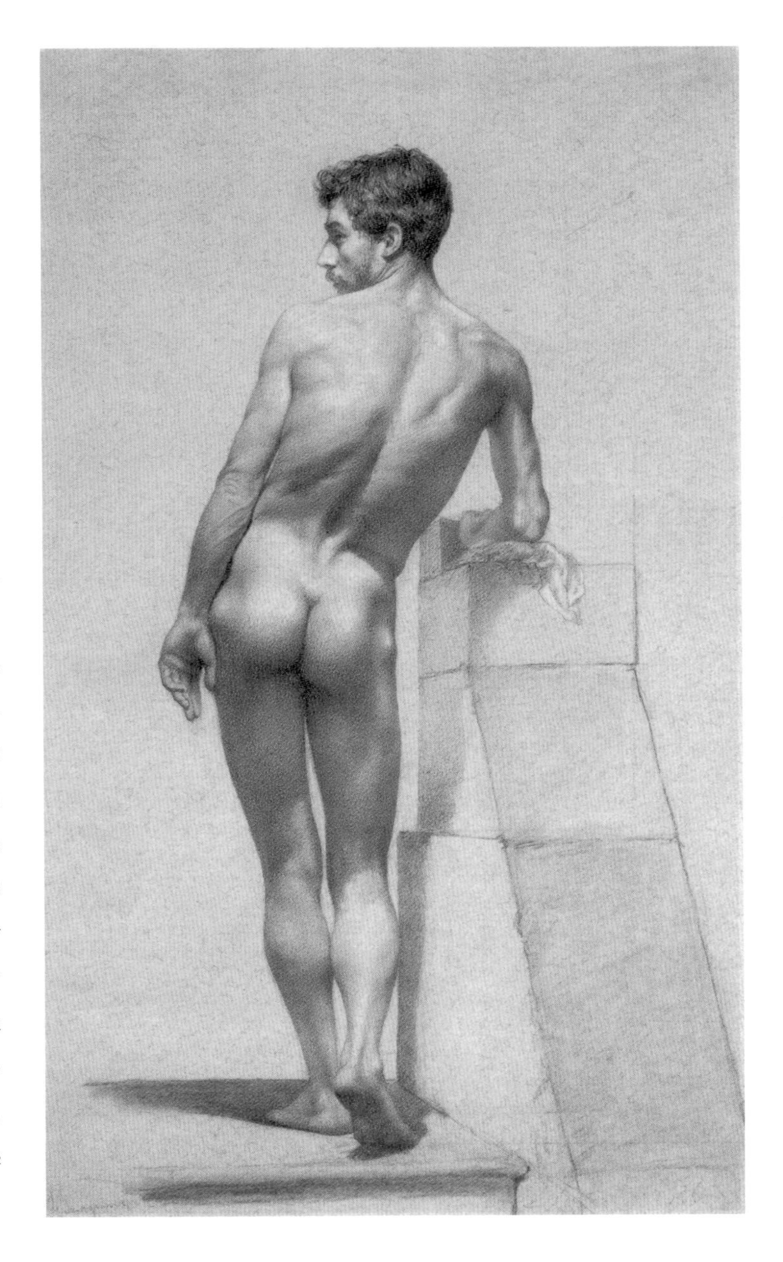

was Saturnino Herrán. In 1902, the Mexican government commissioned Izaguirre to inspect the progress of the Academia's scholarship recipients in Europe. The main purpose of the trip was to supervise the copies of paintings and sculptures that these students were required to complete and send to the institutional collection (which was on exhibit in the school's gallery). Izaguirre was also asked to purchase pieces to add to the collection. It is known that another part of Izaguirre's assignment was to complete one painting each year on the topic of his choice, as well as produce copies of two works by famous European artists. During his stay, he attempted to perfect his professional knowledge. He remained primarily in Spain and Italy, to visit the studios of well-known painters, museums and art academies, although he traveled as well to France, Germany and the schools of the Low Countries.

When Izaguirre returned to Mexico in 1906, he filled the post as interim professor of chiaroscuro at the Academia Nacional de Bellas Artes. The following year, he left the chiaroscuro class to replace Antonio Fabrés, on his way home to Catalonia, in the nude figure class. He later taught the drawing of clothed figures and drawing from life. In 1919, he served as professor of color, and in 1920, taught the painting of figures; he worked as a teacher until his death in 1941. In 1911, Izaguirre experienced, as a teacher, the student protests against the architect, Rivas Mercado, then the director of the Escuela Nacional de Artes Plásticas, San Carlos. The students, animated by revolutionary ideas, demanded new teaching methods. Rivas Mercado reacted unfavorably to the petitions by ordering expulsions; the result was a confrontation that culminated in his resignation and the temporary closing of the institution.

Izaguirre's teaching work was supplemented by his painting, in response to commissions and requests, and by his illustrations for the Revista Moderna. The vignetters who contributed to the magazine included Julio Ruelas, Roberto Montenegro and Germán Gedovius. Izaguirre also participated on the Sunday supplement, El Mundo Ilustrado. He was linked to the modernists, Mexico's avant-garde, and attended the group's meetings of philosophy and literature in the home of the director of Revista Moderna, Jesús Valenzuela, and of the Minister of Education, Justo Sierra. A splendid allegorical portrait of the magazine's participants, painted by Ruelas, is entitled Entrada de don Jesús Luján a la Revista Moderna, 1904. Leandro Izaguirre appears as a faun on a tree, holding a small bag of coins. Painting with an obvious literary influence is one of the group's distinctive characteristics. In 1898, Izaguirre completed a painting inspired by a passage from Shakespeare's Othello, a depiction of the perverse Iago. The painting is outstanding in its representation of the character's psychological traits. The work may have been commissioned by the magazine's patron, Jesús Luján, and currently forms part of the collection of the Museo Nacional de Arte.

As previously mentioned, Izaguirre is well-known for his historical pieces, such as La fundación de

En 1891, con motivo de la proximidad del cuarto centenario del descubrimiento de América, el maestro José Salomé Pina propuso este tema a los alumnos para el concurso en la Academia. Izaguirre desarrolla una obra de gran formato: *Colón en la puerta del Convento de La Rábida*, 1891. En la escena muestra al navegante con su hijo Diego. En el convento franciscano fue recibido con hospitalidad. Allí se encontraban Fray Juan Pérez y Fray Antonio de Marchena, el primero confesor de Isabel la Católica y quien intercede ante ella a fin de obtener su apoyo para la realización del primer viaje.

En 1893 Leandro Izaguirre realizó una de sus obras más importantes, *El suplicio de Cuauhtémoc*, en el que revive con un magnífico dibujo este suceso que resalta la valentía y honor del monarca, al defender hasta lo último la gran Tenochtitlan. Este acontecimiento marcó el fin del Imperio Azteca. La obra fue realizada para exhibirse ese mismo año en la *Gran Exposición Universal Colombina* de Chicago, por lo que se encargó al artista una obra de grandes dimensiones, que al lado de las maravillosas vistas del valle de México pintadas por José María Velasco, lograra transmitir al mundo entero una imagen prestigiosa de nuestro país. Sobre la pintura de Izaguirre, Justino Fernández escribió: "...La obra de Izaguirre *El suplicio de Cuauhtémoc*, está concebida, construida y pintada según los principios clásicos, es decir, académicos, pero más que un idealismo en los tipos consiste en lo que se llamó 'realismo', o sea un mayor apego al modelo y la intención de dar a todo pleno carácter y propiedad. La escena, como en una representación teatral, tiene lugar en el interior de un palacio o templo azteca, pero Izaguirre con buen gusto y mayor cuidado no puso sino los elementos necesarios para la caracterización del lugar..." Izaguirre representa a Cuauhtémoc y al señor de Tlacopan al centro de la escena. Ambos se encuentran amarrados de brazos a dos sitiales de piedra. La postura obliga a que los pies se ubiquen sobre el fuego de dos hogueras. Frente a ellos se encuentra un español, Julián de Aldrete, tesorero real, que se envalentona respaldado por su investidura y por el piquete de soldados que custodian el recinto. Fernández continúa sus anotaciones apuntando: "...La entonación del cuadro es buena, como también lo es en general el dibujo, la perspectiva, las luces, sin exagerar el efecto del fuego; en toda la escena está llevado el drama al límite preciso, para que resulte más bien solemne que horrible; sólo el gesto y la actitud del señor de Tlacopan son angustiosos y de hecho resulta la mejor figura, porque la del indómito y heroico defensor de Tenochtitlan, estoica en su gesto, es débilmente dramática, y en cuanto a la de los españoles, deja mucho que desear..."

No obstante la importancia de los temas históricos en la obra de Izaguirre, también realizó cuadros con carácter costumbrista, como: *El borracho, El tlachiquero, Saliendo de Misa, Mujer con niño muerto, El asalto, Escena rural* y *La violación*, al igual que espléndidos paisajes, principalmente del valle de México, como es el caso de *La mujer dormida* y *Paisaje de hacienda con volcanes*.

Tenochtitlan, 1889. An article about this painting was written by a critic of the time, Manuel G. Revilla, and published in the El Nacional newspaper in January of 1892; Ida Rodríguez Prampolini includes an excerpt in her book, La crítica de arte en México en el siglo XIX, that claims Izaguirre's painting is the best: "...of the three paintings of this topic, without a doubt (in reference to the paintings by José Jara and Joaquín Ramírez). Verify it with the composition, which is conceived with spontaneity, simplicity and a certain grandiosity. Besides, the historical passage—the moment the Mexica tribe discovers the eagle announced by their god, Huitzilopochtli—is painted with the utmost fidelity; moreover, it is the only painting that shows fidelity. In the foreground, an important difficulty is faced and to a certain degree overcome: the placement of the legs and feet of the four principal figures, resulting natural, varied and not disagreeable. If the tonality is not notable for its pleasantness, neither is it offensive, although greater truth in it could be desired ..." In spite of this favorable review, the painting that won the prize and traveled to the grand exposition of Paris was by José Jara. Izaguirre's painting received only recognition.

In 1891, because of the proximity of the fourth centennial of the discovery of America, José Salomé Pina proposed the topic for the Academia's student contest. Izaguirre developed a painting in a large format: Colón en la puerta del Convento de La Rábida, 1891. The scene shows Columbus with his son, Diego. He was received hospitably in the Franciscan convent, where he met Brother Juan Pérez and Brother Antonio de Marchena, the confessor of Queen Isabella and a key figure in obtaining her support for the navigator's first voyage.

In 1893, Leandro Izaguirre produced one of his most important paintings, El suplicio de Cuauhtémoc, which revives, through magnificent drawing, the monarch's valor and honor in defending Tenochtitlan, and the end of the Aztec empire. Since the painting was to be exhibited the same year at the grand exposition of Chicago, large dimensions were requested—dimensions that alongside José María Velasco's marvelous landscapes of the Valley of Mexico would transmit to the entire world the prestigious image of Mexico. Justino Fernández wrote about Izaguirre's painting: "...Izaguirre's work, El suplicio de Cuauhtémoc, is conceived, constructed and painted according to classical principles; i.e., academic principles. But more than idealism of type, it consists of what was called 'realism': greater adherence to the model and to the intention of giving everything full character and quality. The scene, as if in a play, takes place inside an Aztec palace or temple, but Izaguirre, with good taste and greater care included only the elements necessary for characterizing the place..." Izaguirre represented Cuauhtémoc and the lord of Tlacopan in the center of the scene. Both have their arms tied. The position puts their feet in the flames of two fires. In front of them is a Spaniard, Julián de Aldrete, the royal treasurer, emboldened by his investiture and the squad of soldiers safeguarding the area. Fernández continued: "...The painting's intonation is good, as well as the drawing in general, the perspective, the light, without exaggerating the effect of the fire; in the entire scene, the drama is taken to the precise limit, so that it seems more solemn than horrible; only the gesture and the attitude of the lord of Tlacopan are anxious and in fact, his figure is the best, because that of the indomitable and heroic defender of Tenochtitlan, stoic in his gesture, is weakly dramatic, and the Spaniards leave much to desire ..."

In addition to his important historical topics, Izaguirre produced genre painting, such as El borracho, El tlachiquero, Saliendo de Misa, Mujer con niño muerto, El asalto, Escena rural and La violación, and splendid landscapes, primarily of the Valley of Mexico, including La mujer dormida and Paisaje de hacienda con volcanes.

LEANDRO IZAGUIRRE
ENCUENTRO CON TENOCHTITLAN
Oleo sobre tela, 60 x 90 cm.
Colección Particular

Javier Cruz
Desaparición de Macondo, 2001
Oleo sobre lino, 160 x 200 cm.
Colección Particular

Javier Cruz

Colorido que rompe la monotonía de lo apacible

Cruz nos transporta al mundo de las ilusiones, de los sueños, donde se han eliminado el esfuerzo y la tensión, y aunque en ocasiones el colorido rompe la monotonía de lo apacible, no llega a perturbar; sigue transitando en la banda de halagar los sentidos.

Lupina Lara Elizondo

Javier Cruz es originario de la ciudad de México, en donde nació el 21 de marzo de 1953. Se crió en el barrio de Peralvillo, y desde niño se manifestó su gusto por el dibujo. Es el menor de nueve hermanos, y esto le sirvió para contar con el apoyo de ellos al momento de elegir su vocación. En 1969 ingresó a la Escuela Nacional de Artes Plásticas de San Carlos, UNAM, para estudiar la licenciatura en Pintura y Escultura, obteniendo su título en el año 1973. Entre sus profesores se encontró el maestro Capdevila, a quien Javier reconoce una extraordinaria capacidad de enseñanza y de reflexión. También asistió a la cátedra de Técnicas y Procedimientos con el maestro Luis Nishizawa. Desde entonces Javier comprendió que para el ejercicio de la plástica se requiere tener, además del conocimiento técnico, un sentido creativo, una vocación de expresar y de poder visualizar las ideas en términos de formas, espacio y color. En 1977 participó en el Seminario de análisis, interpretación y aplicación de los programas de bachillerato de Artes Plásticas del Instituto Nacional de Bellas Artes.

Salir de la escuela para él no fue un paso fácil, ya que es el momento de enfrentarse a uno mismo, de demostrar la habilidad en la aplicación de las técnicas, y además, como comenta Javier: *"Sientes cierta presión de la familia, que quiere ver tu trabajo y quiere verte triunfar. También tienes la presión económica, pues sabes que tienes que vivir de ello. Siento que algo necesario en un artista es tener carácter, pues en esos momentos, si no te impones, no llegas a ningún lado. Es muy fácil dedicarte a la bohemia y vivir vendiendo un cuadro hoy, esperando a vender el otro, y no trazarte un camino. Algo importante también es partir de la idea de que no vas a inventar el hilo negro en la pintura, porque si te impones ese reto jamás te lanzas a crear tu propia obra. En el arte, inconscientemente recoges influencias, pero lo importante es el grado de honestidad con que trabajas. Esa honestidad es la que le imprimirá a la obra un sello propio".* Los primeros trabajos de Javier Cruz reflejaban el geometrismo abstracto que estaba en boga en aquellos años.

En 1980 obtuvo una beca, con la que logró ingresar a la Academia de San Fernando, en Madrid, España. De allí viajó a Francia y a Italia, con el fin de recorrer los lugares históricos y visitar los museos. La experiencia visual y el contacto con las grandes obras del arte universal le fueron más enriquecedores que la misma experiencia en la Academia. Después de un año, Javier

Javier Cruz was born in Mexico City on March 21, 1953. He was raised in the barrio of Peralvillo, and showed his talent for drawing at a young age. Javier is the youngest of nine brothers and sisters, a source of support for him when the time came to choose a profession. In 1969, he enrolled in the UNAM's Escuela Nacional de Artes Plásticas de San Carlos to study painting and sculpting, and received his bachelor's degree in 1973. His teachers included Maestro Capdevila, whom Javier credits as having extraordinary abilities for teaching and reflection. His teacher of techniques and procedures was Maestro Luis Nishizawa. During those years, Javier learned that a working artist, in addition to technical knowledge, needs a sense of creativity, the desire to express himself, and the ability to visualize ideas in terms of shapes, space and color. In 1977, Javier participated in a seminar to analyze, interpret and apply the high school art programs of the Instituto Nacional de Bellas Artes.

Javier found leaving school difficult—the moment students must face themselves and demonstrate their skills in applying technique. He comments: "You feel a certain amount of pressure from the family, who wants to see your work and see you triumph. You also have economic pressure because you know you have to live off your work. I think that something an artist must have is character, because at those times, if you are not strong, you do not get anywhere. It is very easy to dedicate yourself to a bohemian lifestyle and survive by selling a painting each day, waiting to sell the next one, and not plan a career. Something else that is important is to start with the idea that you are not going to reinvent the wheel in painting. If you set that goal for yourself, you will never dare to create your own work. In art, you are unconsciously influenced, but what is important is the degree of honesty in your work. That honesty is what will mark your work as your own. "The early work of Javier Cruz reflected the abstract geometry in style at the time.

In 1980, Cruz obtained a scholarship that allowed him to enter the Academia de San Fernando in Madrid, Spain. From there he traveled to France and Italy to visit historical locations and museums. The visual experience of the trip and coming into contact with master works of universal art proved more enriching for Javier than his time at the Academia per se. After a year in Europe, Javier returned to Mexico with a different point of view. His artistic concepts had changed. He abandoned the abstract and opened the doors to figurative art.

In order to give his work time to establish itself on the market, and to avoid the pressure of sales-driven painting, Javier opted for a job in teaching. Initially he taught classes at the UNAM's Escuela de San Carlos, and then became a full-time professor at

regresó a México con un punto de vista diferente. Sus conceptos plásticos y su visión del arte habían cambiado. Abandonó el abstracto para dar paso a la figura.

Buscando dar tiempo a que su obra encontrara su camino en el mercado, sin verse presionado a pintar simplemente para vender, Javier optó por el camino de la docencia. Primero fue maestro en la Escuela de San Carlos, UNAM, y posteriormente se volvió maestro de tiempo completo en la Escuela de Pintura, Escultura y Grabado "La Esmeralda". Esto le permitía contar con un ingreso fijo, y aunque la paga era muy pobre, le daba la posibilidad de comprar materiales y de pintar los fines de semana y también durante las vacaciones. Trabajando a este ritmo, logró preparar las obras de sus primeras exposiciones individuales. Javier recuerda en particular la que llevó a cabo en el Museo de Arte Moderno. *"Para dedicarte a esto, realmente se requiere tener carácter, pues en esos años vives al día y tienes que seguir y arriesgar, si no, no la haces. No llegas a ningún lado. Para la exposición del Museo de Arte Moderno me endeudé hasta el tope, pues como no había presupuesto, yo mandé a hacer las invitaciones y también imprimí un catálogo por mi cuenta. No sabía si iba a recuperar los gastos. Después de que se inauguró la exposición, yo no podía estar presente todos los días, porque tenía que dar clases. Las primeras semanas no se interesó nadie, pero en la última semana se vendió más del setenta por ciento de la obra. Eso cambió mi panorama. Me construí un estudio y se abrieron oportunidades en diferentes galerías".*

Hasta la fecha, Javier ha realizado más de cincuenta exposiciones individuales, tanto en México como en el extranjero. Las más sobresalientes en México han sido: Museo del Palacio de Bellas Artes, Museo Universitario

Javier Cruz
Mujer con antifaz, 1993
Técnica mixta sobre tela, 120 x 160 cm.
Colección Particular

JAVIER CRUZ
CONCIERTO, 1993
Técnica mixta sobre tela, 180 x 220 cm.
Colección Particular

del Chopo, Museo de Arte Carrillo Gil, Museo de Arte Moderno, Museo Nacional de la Estampa, Museo de Arte Contemporáneo de Morelia "Alfredo Zalce", Casa Lamm. Su obra también ha sido exhibida en los Estados Unidos, en Atlanta, Los Angeles, Washington, San Francisco, San José, Sacramento, San Antonio y Houston, y en Europa, en Barcelona, París y Suiza, entre otros lugares. También ha participado en más de ochenta exposiciones colectivas en México, Japón, Estados Unidos, y algunos países de Europa y de América del Sur. A lo largo de este tiempo, la obra de Javier Cruz también ha sido merecedora de diversos premios nacionales de Pintura, de Dibujo y de Grabado. En 1996 realizó una escultura monumental de siete por seis metros, en ferrocemento, para el *4º Simposium Internacional de Escultura*, que se celebró en Europos Parkas, Lituania. Sus trabajos fueron seleccionados entre los de ciento treinta y cuatro participantes, logrando ser el primer artista latinoamericano en participar en este evento.

the Escuela de Pintura, Escultura y Grabado La Esmeralda. Steady employment provided him with a fixed income, and although the pay was low, he was able to buy supplies and paint on the weekends and during vacation periods. Working at this pace, Javier completed the pieces for his early individual exhibitions. He particularly remembers the exhibition held at the Museo de Arte Moderno. "To dedicate yourself to this, you must really be strong. During those years you live day by day, and you have to keep going and take risks. And if you don't, you are not successful. You get nowhere. For the exhibition at the Museo de Arte Moderno I went deeply into debt: since no funds were available, I had the invitations made and the catalog

Javier Cruz
Hombre grillo, 1994
Espejos y óleo sobre tela, 140 x 160 cm.
Colección Particular

printed with my own money. I did not know if I would recoup those expenses. After the exhibition opened, I couldn't be present every day because I had to give classes. No one showed interest the first few weeks, but during the last week, more than seventy percent of the work was sold. That changed my outlook. I built a studio and opportunities arose at different galleries." To date, Javier has held more than fifty solo exhibitions, both in Mexico and abroad. The most outstanding exhibitions in Mexico have been at the Museo del Palacio de Bellas Artes, Museo Universitario del Chopo, Museo de Arte Carrillo Gil, Museo de Arte Moderno, Museo Nacional de la Estampa, Museo de Arte Contemporáneo de Morelia "Alfredo Zalce", and Casa Lamm. His work has been exhibited in the United States in Atlanta, Los Angeles, Washington,

En 1984 tomó un curso de grabado en color con el maestro Krishna Reddy, Jefe del Departamento de Grabado de la Universidad de Nueva York. Ese mismo año estudió la maestría en Grabado de la División de Estudios de Posgrado de la UNAM, con el mismo maestro Krishna Reddy. En 1986 volvió a Europa, para estudiar el Posgrado de Pintura en la Facultad de Bellas Artes de Barcelona, en España. Durante su estancia, impartió clases en la Escuela de Diseño y Arte Catalán (DIAC). En estos años Francisco Toledo y Sergio Hernández se encontraban en París, así que le era fácil reunirse con ellos y asistir a las exposiciones e intercambiar la visión de las propuestas europeas.

La formación de Javier Cruz ha sido impecable. Pero él está consciente de que en el arte el saber cómo hacer las cosas no implica que uno esté libre para lanzarse a trabajar sobre la tela, el barro o el bronce. Por el contrario, con el conocimiento en pleno, el artista se enfrenta al momento más difícil que es el de poder crear, de partir de la nada y vislumbrar una idea que pueda representarse en forma y color. Así, en su taller, Javier afronta día a día ese constante reto que el oficio le impone, obligándolo a entregarse al fascinante proceso de concebir ideas, formas, figuras, espacios, argumentos, colores, luces y texturas, para darles vida sobre una superficie plana de tela o papel.

Como antes se menciona, desde principios de los años ochenta abandonó la abstracción, para dar paso a una expresión de raíces profundamente mexicanas, ya que, además de la pintura y el grabado, Javier ha sido un inquieto estudioso de la historia, de sociología, antropología y literatura. Así que, en su caso, al decir raíces nos referimos a referencias arcaicas de donde surgen los mitos, las leyendas, el paso de los naguales, las ofrendas, las urnas, las máscaras, la danza y el fuego prehispánico. Cruz reinterpreta en su pintura estos elementos, bajo una visión actualizada. En su obra estos temas se expresan con gran naturalidad, la cual justamente da evidencia de su compenetración con la visión de las culturas antiguas. De no ser así, advertiríamos cierta artificialidad y un aire ficticio en sus trabajos. Pero después de revisar detenidamente su pintura, encuentro en ella algo más que me llama la atención. Hay en ella una evidente afinidad del artista hacia sus temas; sin embargo, encuentro que como sucede al

DC, San Francisco, San Jose, Sacramento, San Antonio and Houston; and in Europe in Barcelona, Paris and Switzerland, as well as other locations. It also has participated in more than eighty collective exhibitions in Mexico, Japan, the United States and countries in Europe and South America. Over his career, Javier Cruz has won various national prizes in painting, drawing and printmaking. In 1996, he created a monumental sculpture of reinforced concrete, seven meters by six meters, for the 4th International Symposium of Sculpture held in Europos Parkas, Lithuania. Cruz was the first Latin American artist to take part in the event, and his work was selected over the entries of 134 other participants.
In 1984, Cruz took a course in color printmaking from Maestro Krishna Reddy, the head of the printmaking department at New York University. That same year, he studied for a master's in printmaking at the UNAM, under the same teacher. In 1986, he returned to

JAVIER CRUZ
CARRUSEL, 2002
Oleo sobre lino, 120 x 160 cm.
Colección Particular

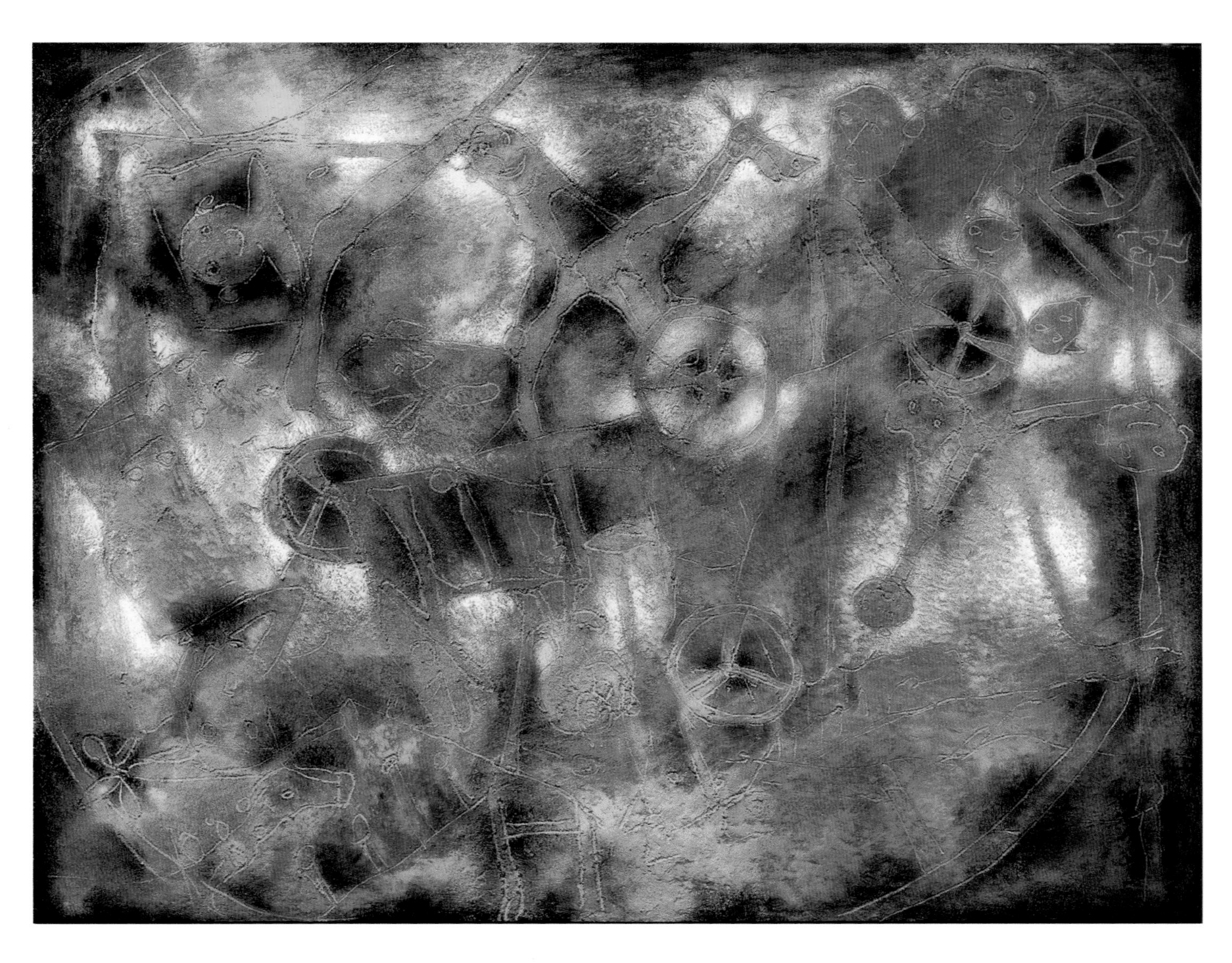

Europe to take a postgraduate degree in painting at the Facultad de Bellas Artes de Barcelona. While in Spain, he gave classes at the Escuela de Diseño y Arte Catalán (DIAC). During the same timeframe, Francisco Toledo and Sergio Hernández were in Paris, and Cruz found it easy to meet with them to attend exhibitions and exchange ideas about the new European proposals.

Javier Cruz' academic preparation has been impeccable. Yet he is well aware that knowing how to do things in art does not imply that the artist is free to begin work on the canvas, or in clay or bronze. On the contrary, the fully prepared artist faces the most difficult moment of all: creating from zero and visualizing an idea that can be represented in form and color. In his workshop, Javier faces on a daily basis the challenge of his craft, which obligates him to be committed to the fascinating process of conceiving ideas, forms, figures, spaces, topics, colors, lights and textures, and to infuse them with life on a flat surface of canvas or paper.

As previously mentioned, Javier set aside abstraction in the early 1980s in order to express profound Mexican roots, based on his study of history, sociology, anthropology and literature, in addition to painting and printmaking. Such roots made reference to age-old knowledge of myths, legends, the migration of the Nahuátl, offerings, urns, masks, dance and pre-Hispanic fire. Cruz reinterprets these elements in his painting, from an up-to-date viewpoint. His work presents topics with great naturalness and reveals his understanding of ancient cultures; otherwise, an artificial or fictitious air would be evident. But a careful inspection of Cruz' paintings discloses something more. We find the artist's obvious affinity for his topic, yet as in the case of the Colombian painter, Fernando Botero, the topic is simply a pretext for painting. Both artists have selected correlated topics they deem interesting: for Botero, Colombian settings and people, and for Cruz, the feeling of pre-Colombian legend and ritual. The purpose of the work, however, is not centered on the topic. There is no desire to analyze, but simply to discover a pleasant idea to paint.

On returning from Barcelona, Javier began to involve textures and sand in his work for volume—and to sink lines in a soft, rough surface. In this area, Javier has respected no limits or technical judgments; he turns, when desired, to scratches, streaks and lettering to imprint on his pieces the spontaneity of colloquial expression. We can affirm that he employs color as an emphatic expressive element to provide his work with its characteristic vigor. And we can observe various elements that have remained constant throughout the years. One of these is the poetic nature of his creations. His compositions are harmonious. They show a pleasant rhythm that flows in space, due to his special application of color. Figures do not merely narrate, but converge as a poetic and compositional element.

Javier Cruz' form of expression invites us to dismiss the sensation of formal and respectful reality imposed by the material universe. He transports us to the world of illusions and dreams, where effort and tension have been eliminated. And although the coloring occasionally interrupts the monotony of peacefulness, it is not perturbing; it continues to please the senses. Cruz

pintor colombiano Fernando Botero, el tema es un mero pretexto que les permite pintar. Ambos han seleccionado motivos que les son interesantes, con los que guardan una correlación. En el caso de Botero, sus ambientes y personajes colombianos, y en el de Cruz, el sentir de la leyenda y el ritual precolombinos. No obstante, en ello no se centra la finalidad de la creación de la obra. No existe en ellos el propósito de hacer un análisis o una disertación analítica de sus temas, sino que simplemente han encontrado un esquema agradable sobre el cual poder "echar" pintura.

Desde que regresó de Barcelona, Javier encontró el gusto de involucrar texturas, de trabajar con arenas para dar volumen a sus trabajos. Ellas le permiten hundir la línea sobre esa superficie blanda y áspera. Y en esto Javier no ha encontrado límites ni se ha detenido ante prejuicios técnicos; recurre, cuando así lo desea, a tachar, a hacer rayones y al grafismo, imprimiendo a sus trabajos un aire espontáneo de expresión coloquial. Podemos afirmar que el color es uno de sus elementos expresivos por excelencia. A través de éste, imprime a su pintura un brío anímico que la caracteriza. En su obra observamos varios elementos que se han mantenido constantes a lo largo de los años. Uno de ellos es el carácter poético que se respira en su trabajo. Sus composiciones son armoniosas. En ellas se advierte un ritmo agradable que fluye en el espacio, provocado por su especial manera de aplicar el color. La figura, más que narrar, converge como elemento poético y a la vez compositivo.

Su manera de expresión invita a romper esa sensación de realidad impuesta, de formalidad y respeto, que ejerce sobre nosotros el universo material. Cruz nos transporta al mundo de las ilusiones, de los sueños, donde se han eliminado el esfuerzo y la tensión, y aunque en ocasiones el colorido rompe la monotonía de lo apacible, no llega a perturbar; sigue transitando en la banda de halagar los sentidos. Cruz es un artista inquieto; por ello, no se conforma con sus propias fórmulas, con sus propios hallazgos, y disfruta de la búsqueda de nuevos pretextos para su pintura. Así, en tiempos recientes, se ha involucrado más con la literatura. Al igual que lo han hecho otros artistas en el pasado, como fue el caso del zacatecano Julio Ruelas, Cruz ha empleado la literatura como fuente de inspiración para su trabajo. En un primer intento, tomó la obra del escritor italiano Italo Calvino; posteriormente lo hizo con el libro *Rayuela,* de Julio Cortázar, y recientemente ha realizado una serie de pinturas inspirado en las fantasías que se representan en la obra más leída de Gabriel García Márquez, *Cien años de soledad.* Entre sueños de colores, vemos a "José Arcadio Buendía amarrado en el castaño", a Petra Cotes, a Pietro Crespi, a Mauricio Babilonia, "el circo que vio el coronel Aureliano", y los atardeceres en Macondo.

Pintura, poesía y literatura se dan cita en las telas de Javier Cruz, y no nos extrañe que en el futuro se una a este evento la música.

is a restless artist, unsatisfied with his own formulas and findings, and therefore constantly in search of new pretexts for painting. In recent times, he has become more involved in literature. As other artists (such as Julio Ruelas from Zacatecas) have done in the past, Cruz has enjoyed using literature as a source of inspiration for his work. His first attempt was based on the writings of Italo Calvino, from Italy; followed by the book, Rayuela, by Julio Cortazar; and most recently, a series of paintings inspired by the fantasy of One Hundred Years of Solitude, the most widely read book of Gabriel García Márquez. Among dreams in color, we see "José Arcadio Buendía, tied to the chestnut," Petra Cotes, Pietro Crespi, Mauricio Babilonia, "the circus that Colonel Aureliano saw" and the sunsets of Macondo.

Painting, poetry and literature meet on the canvases of Javier Cruz, and we should not be surprised if music joins them in the future.

JAVIER CRUZ
LOS ESPEJOS DE LA NOCHE Y EL DÍA, 2002
Oleo sobre lino, 160 x 180 cm.
Colección Particular

Rolando Rojas
María y sus animales
Tierra y óleo sobre lino, 150 x 100 cm.
Cortesía Galería Misrachi

Rolando Rojas

El pintor de la alegría

Esta pintura debe ser disfrutada dentro de su propio contexto, dentro de lo que es y expresa, sin más ni menos. Ella no requiere de grandes textos que la acompañen: se sostiene por sí sola, se expresa en sí misma, es rigurosa, coherente, honesta, profunda y sincera.

Lupina Lara Elizondo

En la ciudad de Tehuantepec, en la zona del Istmo, estado de Oaxaca, en 1970 nació Rolando Rojas. Cuando niño, le gustaba hacer figuras con ladrillos y dibujar en la tierra. Más tarde, con el dinero que le daban para comprar dulces, iba a una tiendita cercana, compraba acuarelas y pinceles y se ponía a pintar. Copiaba las reproducciones de las pinturas clásicas que veía en libros que encontraba en la biblioteca de la escuela o en las escasas revistas que llegaban a su pueblo. Era un quehacer que lo entretenía, pero sobre todo que disfrutaba enormemente. Desempeñó esta actividad durante más de seis años, a lo largo de los cuales llegó a realizar una buena cantidad de pinturas. Al cabo del tiempo, éstas empezaron a mostrar un notorio progreso. Sobre ello, Rolando comenta: *"Aunque durante ese tiempo no tuve un maestro que me guiara, las mismas reproducciones me iban obligando a conocer los colores y ciertas bases acerca de la composición en la pintura. De alguna manera, ellas hacían las veces de maestros. A través del ejercicio continuo, intuitivamente uno va comprendiendo el sentido de la perspectiva y la combinación de los colores".*

A los dieciséis años, Rolando ingresó en el Taller de Artes Plásticas de la Casa de la Cultura de Tehuantepec. El interés por la pintura se fue arraigando en él, y poco a poco esta actividad dejó de ser un pasatiempo para convertirse en una necesidad en su vida. Por ello, al terminar el bachillerato, sin dudarlo ni un solo momento, decidió estudiar la licenciatura en Artes Visuales. La carrera se impartía en la ciudad de México, pues en Oaxaca tan sólo existía a nivel de instructor. Desde hacía un tiempo su madre mantenía a la familia, y al consultarle su decisión, ella le explicó que eso no era posible debido a que no contaba con los recursos suficientes para respaldarlo y agregó que, además de ello, consideraba que esa carrera no le permitiría mantenerse. Entonces Rolando resolvió trasladarse a Oaxaca y cursar la carrera de arquitectura en la Universidad Autónoma Benito Juárez.

El joven, que entonces tenía escasos dieciséis años, estaba resuelto a no abandonar lo que más anhelaba, así que se las ingenió para poder lograrlo. Hacía rendir el tiempo al máximo: por la mañana atendía las clases de arquitectura en la universidad; por la tarde estudiaba pintura en la Escuela de Bellas Artes de Oaxaca, y por las noches estudiaba restauración. Desde hacía varios años,

THE PAINTER OF HAPPINESS

In the town of Tehuantepec, in the Isthmus zone of the state of Oaxaca, Rolando Rojas was born in 1970. As a young boy, he liked to make designs of stacked bricks and draw in the dirt. When he was somewhat older, he would use his pocket money to buy watercolors and brushes at a nearby store, and would busy himself painting. He would copy the reproductions of classical paintings he saw in the school library or in the few magazines that reached the town. It was an activity he found entertaining as well as highly enjoyable. During the more than six years that Rolando dedicated himself to copying artwork, he produced a large number of paintings. Over time, his work began to show noticeable progress. Rolando comments: "Although during that time I had no teacher to guide me, the reproductions themselves forced me to discover the colors and certain basics of composition in painting. In a way, they served as teachers. Through continuous practice, you

ROLANDO ROJAS
GRITOS DE NIÑOS
Tierra y óleo sobre lino, 150 x 200 cm.
Cortesía Galería Misrachi

el Gobierno de Oaxaca había iniciado una importante labor de rescate de edificios y monumentos históricos, generando con ello una gran cantidad de trabajo para los restauradores. Así que, una vez que Rolando dominó el oficio de la restauración, consiguió que lo contrataran. Terminaba un trabajo y de inmediato le solicitaban otro. La paga no era cuantiosa, pero le permitió solventar los gastos necesarios para terminar su carrera como arquitecto, así como comprar materiales para pintar. Durante ese tiempo sus pinturas empezaron a presentarse en diferentes foros dentro de la ciudad de Oaxaca, proporcionándole otra fuente de ingresos, pero ante todo la satisfacción de saber que su trabajo empezaba a recibir reconocimiento.

Su obra fue adquiriendo firmeza, gracias al conocimiento de los principios y las técnicas, que aprendió en la Escuela de Bellas Artes con el maestro Shinsaburo Takeda. Acerca de su maestro, comenta: *"Creo que él es el único maestro, en el área de Artes Plásticas, que en la actualidad realmente enseña la técnica y la disciplina de la pintura. El ha influido en muchos jóvenes pintores contemporáneos. Es japonés de nacimiento, pero oaxaqueño de corazón. Fue para mí un gran maestro"*. Respecto a la arquitectura, comenta: *"El estudio de la arquitectura, además de la enseñanza*

ROLANDO ROJAS
MÚSICA PARA ANIMALES
Tierra y óleo sobre lino, 200 x 200 cm.
Cortesía Galería Misrachi

profesional, me aportó innumerables conocimientos que enriquecieron mi pintura, como el ejercicio del dibujo, la composición y el manejo del espacio. En la arquitectura se crea partiendo de la idea de resolver una necesidad, y en la pintura todo es más libre. Quizá por eso a mí siempre me interesó más pintar. Me gusta la arquitectura y en la actualidad sigo construyendo, pero la pintura ocupa el primer lugar". En la obra plástica de Rolando Rojas no se llega a advertir la influencia del sentido urbanista, derivado de su profesión, como ha sucedido con los trabajos de otros pintores que también son arquitectos. Su enfoque plástico se orienta hacia un constructivismo extraordinariamente bien equilibrado; a un trazo firme y resuelto.

Desde sus primeras telas, vemos aparecer a la figura humana como tema central. Desde entonces ella ha representado la vida misma, más que la figura de un hombre o de una mujer. En ese sentido, el artista insiste en mostrarnos las esencias más que las formas. Es por ello que en sus figuras no siempre existe la intención de distinguir lo femenino de lo masculino. Posteriormente, las figuras de animales fueron integrándose a la escena; en algunos casos su raza puede ser bien identificada, pero en otros, ellos aparecen como criaturas quiméricas, mitad hombre, mitad animal. En estas transmutaciones imaginarias, al igual que en la antigua mitología, se reúnen la fuerza y agilidad del animal con la sensibilidad y la agudeza humanas.

intuitively comprehend the meaning of perspective and color combinations."
At age sixteen, Rolando enrolled in the visual arts workshop at the Casa de la Cultura de Tehuantepec. His interest in painting took root, and became a necessity in his life rather than a hobby. On finishing high school, Rolando decided without hesitation to study for a bachelor's degree in visual arts. An associate degree was offered in Oaxaca, but the bachelor's degree was available only in Mexico City. Rolando's mother, the head of the household, expressed that she would be unable to finance his studies, and added that such a career would not allow him to support himself. As a result, Rolando decided to move to the capital city of Oaxaca and study architecture at the Universidad Autónoma Benito Juárez.
Although only sixteen years old at the time, Rojas was determined not to abandon his greatest desire in life, and found the way to reach his goal. He made maximum use of his time by attending architecture classes in the morning at the university, and then painting in the afternoon at the Escuela de Bellas Artes de Oaxaca; in the evenings, he studied restoration. For several years, the state government of Oaxaca had been carrying out major projects in the preservation of historical buildings and monuments, and had generated a large volume of work for restorers. As soon as Rolando mastered the craft of restoration, he was hired to participate. On finishing one assignment, he would immediately be requested for another. The pay was not considerable, but it allowed him to cover the cost of completing his degree in architecture and buy painting supplies. During this period, the showing of Rojas' paintings at various locations in the city of Oaxaca provided him with another source of income, in addition to the satisfaction of receiving recognition for his work.
Rojas' painting acquired firmness thanks to the knowledge of principles and techniques he acquired at the Escuela de Bellas Artes under Maestro Shinsaburo Takeda. He describes his teacher: "I believe he is the only teacher in visual arts who is really teaching the technique and discipline of painting at the present time. He has had an influence on many young contemporary painters. He is of Japanese origin, but his soul is from Oaxaca. He was a great teacher for me." With regard to architecture, Rojas states: "The study of architecture, in addition to professional training, gave me broad knowledge that enriched my painting, such as drawing, composition and the handling of space. Creation in architecture is based on providing for a need, and everything in painting is more free. Maybe that is why I was always interested in painting. I like architecture and I continue to build, but painting is in first place." In Rolando Rojas' visual work there is no noticeable

Pero el enfoque que Rojas otorga a estos nuevos personajes va dirigido al sentido lúdico, más que al racional o moralizador. Ellos participan en juegos y en situaciones que desbordan alegría. Para Rolando la vida es un acontecimiento festivo, es una oportunidad de goce, esfuerzo y logros, y esta visión de la vida es la que recrea.

Cuando Rojas pinta, se aleja de formalismos y de ataduras; se extrae de la realidad formal para adoptar el espíritu de un mago, del organizador de los juegos. Una vez liberado y con la inspiración que brinda la alegría de advertir el infinito placer de estar vivo, Rolando Rojas toma los pinceles a manera de varita mágica. *"Cuando empiezo a pintar hago algunos trazos y, poco a poco, siento cómo van surgiendo las figuras en la tela, casi por sí solas, como si estuvieran contenidas en ella y el roce del pincel les infundiera la vida".* Es esa creación desbordada, esa estética contenida, la gran magia que envuelve al arte.

Su taller se encuentra en las afueras de la ciudad de Oaxaca, en ese inmenso valle rodeado de montañas. Es un lugar amplio, funcional y sobre todo muy luminoso. Se observa que está muy bien orientado. Claro, fue proyectado por un buen arquitecto, por él mismo. Por un gran ventanal entra esa luz brillante y transparente, característica de esta zona. Es una luz que aviva los colores y que motiva a emplearlos. Se observan telas preparadas, listas para trabajar; otras a medio proceso y otras tantas terminadas. *"Aquí pinto y me dejo ir, sin considerar el tiempo. A veces acabo a media noche, y en este sofá me tumbo a descansar".*

Rolando nunca pinta basado en un boceto; sus manos obedecen fielmente a sus intenciones más íntimas. En este acto no participan el pensamiento ni la razón. Es su espíritu el que se expresa, desbordándose en lo que siente y anhela. El pintor se acerca a la tela, la mira, la siente, y como el mejor de los amantes se entrega a ella, la recorre con el carbón, la acaricia con los pinceles y las brochas, y así, lentamente le otorga un contenido, le define sus formas, le atribuye sentimiento, hasta infundirle vida propia.

Sus creaciones reflejan ese espíritu mixteco; nos hablan de esa alma antigua que creía en cuentos y leyendas, que jugaba con la vida y convivía con la naturaleza. En sus pinturas encontramos esa expresión sencilla, primitiva y sincera que nos da referencias del sentir de nuestros antepasados. Su expresión contiene esa sabiduría, esa estética y festividad del pueblo zapoteco que se encuentra latente en todos su descendientes.

Sí, de ese gran espíritu que nos remonta a las grandes culturas de Mitla y Monte Albán, está impregnada la obra de Rolando Rojas, y tratar de intelectualizarla o de apreciarla bajo el tamiz del "neoexpresionismo" o de la "transvanguardia", o de cualquier otro "ismo" sería simplemente inapropiado, simplemente improcedente. Esta pintura debe ser disfrutada dentro de su propio contexto, dentro de lo que es y expresa, sin más ni menos. Ella no requiere de grandes textos que la acompañen: se sostiene por sí sola, se expresa en sí misma, es rigurosa, coherente,

influence of urbanistic feeling derived from his profession, as has been the case of other painter-architects. Rojas' visual focus is an extraordinarily well-balanced constructivism and a firm and resolute stroke.
Ever since Rojas' early canvases, the human figure has been his central topic. But rather than simply depicting figures of men or women, he has represented life itself. In that sense, the artist insists on showing us essence over form. For this reason, his work does not always carry the intent of distinguishing between male and female. At a later point in his career, animals entered the scene; in some cases, their species can be identified, but in other cases, they appear as chimerical creatures, half-man, half-animal. In these imaginary transmutations, just as in ancient mythology, the strength and agility of animals are combined with human sensitivity and keenness. The focus Rojas gives these new personages, however, is more entertaining than rational or moralizing. They participate in games and in situations overflowing with happiness. For Rolando, life is a festive event and an opportunity for enjoyment, effort and achievement—the vision of life that he recreates.
When Rojas paints, he marks his distance from formalisms and restrictions; he removes himself from formal reality to adopt the spirit of a magician, of the organizer of the games. Once liberated, and with the inspiration that accompanies the infinite pleasure of being alive, Rolando Rojas uses the brushes like a magic wand. "When I begin to paint, I make some brush strokes, and little by little I feel as if the figures start coming out of the canvas, almost on their own, as if they were contained in the canvas and the touch of the brush infused them with life." Such overflowing creativity and controlled aesthetics represent the magic that surrounds art.
Rojas' workshop is located on the outskirts of the city of Oaxaca, in that immense mountain-ringed valley. The workshop is a roomy, functional and light-filled space. We see it is well-oriented: of course, it was designed by a good architect, by Rojas himself. A large window admits the zone's characteristically brilliant and transparent light—light that brightens colors and motivates the artist to use them. Within our sight are prepared canvases, ready for working, some half-finished and others already complete. "Here I paint and I let go, without considering time. Sometimes I finish in the middle of the night, and I lie down to rest on that sofa."
Rolando's painting is not based on sketches, but his hands loyally obey his innermost intentions. Neither thought nor reason contributes. It is his spirit that expresses what it feels and desires. Rojas approaches the canvas, looks at it, feels it, and like the best of lovers, surrenders to it, touches it with charcoal, caresses it with the brush, slowly gives it content and sentiment, and defines its forms until it is infused with a life of its own.

Rolando Rojas
El trío
Tierra y óleo sobre lino, 150 x 100 cm.
Cortesía Galería Misrachi

honesta, profunda y sincera. Ella confirma el lugar que Rojas ocupa dentro de la plástica oaxaqueña, de un privilegiado que ha sido llamado a continuar el legado de la expresión estética, reviviéndola bajo su propio estilo, impregnándola con sus propias ideas.

A este espíritu inquieto que caracteriza la personalidad de Rolando Rojas, el espacio le ha hecho señas, invitándolo a pasar a través de las dimensiones de las telas, y así ha surgido una serie de esculturas pintadas, como la de un gran trompo de tres metros de alto, totalmente coloreado. Su sentido de juego ha ido tan lejos que creó un mural pintando todas las imágenes del juego de la lotería. Esta pieza se encuentra actualmente en un museo de los Estados Unidos.

Rolando Rojas
El toro enamorado de la luna
Tierra y óleo sobre lino, 200 x 200 cm.
Cortesía Galería Misrachi

No obstante su corta edad, la trayectoria de Rolando Rojas ha ido cimentándose, acumulando triunfos y reconocimientos. Dentro de sus exposiciones individuales encontramos las primeras muestras realizadas en su ciudad natal: en la Casa de la Cultura de Tehuantepec, en 1986; en el ex-Convento del Rey Cosijopí, en 1987, y en el Palacio Municipal de Tehuantepec, en 1988. Ese último año también expuso en la ciudad de Juchitán. En 1990 presentó su obra en la Galería de Bellas Artes de la Universidad Benito Juárez, y dos años más tarde se presentó la muestra titulada *Sexo en tierra* en la Galería Miguel Cabrera, ambas en la ciudad de Oaxaca. Con motivo del Encuentro Nacional de Estudiantes de Arquitectura, en 1993 Rolando Rojas presentó la exposición *Extasis de sueño.* Ese mismo año pintó el mural para la Capilla del Santísimo de la Basílica de La Soledad, en la ciudad de Oaxaca. En 1998 su obra fue más allá de las fronteras de su estado, para proyectarse en la Galería Misrachi de la ciudad de México y en el Black Cultural Center, en el Lafayette College de Pensilvania, en los Estados Unidos. En los últimos cinco años ha recibido propuestas para exhibir en la ciudad de México, Nueva York, París, Frankfurt y Milán, en donde su trabajo ha sido reconocido tanto por el público como por la crítica. Su obra también ha participado en una gran cantidad de exposiciones colectivas en Oaxaca, Monterrey, la ciudad de México, Japón, París y Buenos Aires.

Rojas' creations reflect his Mixtec spirit, and speak to us of that ancient soul that believed in the stories and the legends, that played with life and shared with nature. His paintings show the simple, primitive and sincere expression of the feelings of our ancestors. Evident are the wisdom, aesthetics and festivity of the Zapotec people, latent in all of their descendants. Yes, that grand spirit that takes us back to the cultures of Mitla and Monte Albán impregnates the work of Rolando Rojas. Trying to intellectualize or appreciate it under the guise of "neo-expressionism" or "trans-vanguardism", or any other "ism" would be simply inappropriate, simply incorrect. This painting must be enjoyed in its own context, within what it is and expresses, neither more nor less. It does not require the company of lengthy texts but stands on its own, expresses itself, is rigorous, coherent, honest, profound and sincere. It confirms Rojas' place in Oaxaca's art, the place of a privileged artist who has been called to continue the legacy of aesthetic expression by reviving it under his own style, and impregnating it with his own ideas.

El espíritu envuelto en la cultura oaxaqueña no se puede inventar, ni poner de moda –como muchos han querido pensar–. No, pues se trata de algo más profundo, es algo que se trae dentro. La agudeza de su contenido exige el dominio del oficio para permitir que este torrente de sensibilidad florezca. Puede haber quienes no cuenten con las herramientas del oficio y de la técnica, o aquellos que transiten por este mundo imitando de otros esta rica herencia. En ambos casos siempre ha resultado en creaciones débiles, artificiales y carentes de vida. Es responsabilidad de cada uno de nosotros advertir esta gran diferencia, y de los creadores el no perderse, no engolosinarse con la fama para poder mantener viva la llama de la creación. En este sentido podemos agregar que un pintor maduro y exigente como Rolando Rojas, ve a distancia el camino fácil y el triunfo sin contenido, porque entonces ser creador para él no tendría ningún sentido.

Space has beckoned to the restless spirit that characterizes Rolando Rojas, and has invited him to go beyond the dimensions of the canvas. The result has been a series of painted sculptures: one is a gigantic toy top, three meters high and completely colored. The artist's sense of play went so far as to motivate him to paint a mural of all of the traditional images of the Mexican lotería ("bingo") game. This piece is currently on display at a museum in the United States.

In spite of his young age, Rolando Rojas' trajectory has been cemented by triumphs and recognition. His individual exhibitions include early showings in his hometown: at the Casa de la Cultura de Tehuantepec, in 1986; at the ex-Convento del Rey Cosijopí, in 1987; and at the Palacio Municipal de Tehuantepec, in 1988, when he also exhibited in the city of Juchitán. In 1990, Rojas showed his work at the Galería de Bellas Artes of the Universidad Benito Juárez, and two years later he presented the exhibition entitled Sexo en tierra at the Galería Miguel Cabrera, both in the city of Oaxaca. To celebrate the national encounter of architecture students in 1993, Rolando Rojas presented Éxtasis de sueño. That same year he painted the mural for the Capilla del Santísimo in the Basílica de La Soledad in the city of Oaxaca. In 1998, his work traveled outside of his state to the Galería Misrachi of Mexico City, and to the Black Cultural Center of Pennsylvania's Lafayette College. During the past five years, Rojas has received proposals for exhibitions in Mexico City, New York, Paris, Frankfurt and Milan, where his work has been recognized by the public as well as the critics. He has also participated in a large number of collective exhibitions in Oaxaca, Monterrey, Mexico City, Japan, Paris and Buenos Aires.

The spirit enveloped by Oaxaca's culture cannot be invented or made stylish, as many have wanted to believe. No, it is something more profound, something inborn. The sharpness of its content requires the mastery of the craft in order for sensibilities to flourish. While some fail to dominate technique and the tools of the profession, others attempt to imitate the true recipients of Oaxaca's rich heritage. In both cases, the result has been weak, artificial and lifeless work. We must all be responsible for noticing the difference, while artists must not stray or become overwhelmed by fame, in order to keep the flame of creation burning bright. In this sense, we can add that a mature and demanding painter like Rolando Rojas stays away from the easy path of empty triumph, which would make meaningless his life as a creator.

Rolando Rojas
La serenata
Tierra y óleo sobre lino, 200 x 150 cm.
Cortesía Galería Misrachi

Agradecimientos

Acknowledgments

Un libro deja un legado histórico y cultural a las futuras generaciones, establece un enlace entre el hoy y el ayer. Sin la participación de todos ustedes, sería imposible llevar a cabo esta importante tarea, por ello agradecemos su amor por el arte y, sobre todo, su deseo de compartir.

Sergio Autrey y familia

Banco de México

Banco Nacional de México

Lic. José Carral Escalante

Casa Lamm

Club de Industriales, A.C.

Col. ENAP Academia de San Carlos, UNAM

Colección Pascual Gutiérrez Roldán

Consejo Nacional para la Cultura y las Artes

Dra. Leonor Cortina

Agustín Cristóbal

Raúl Arturo Díaz Sánchez

Fomento Cultural Banamex

Fototeca Nacional del INAH Fondo Casasola

Fundación Cultural Haghenbeck y de la Lama, I.A.P.

Galería Angel Cristóbal

Galería de Arte Mexicano

Galería Misrachi

Galería Oscar Román

Galería Quetzalli

Instituto Mexiquense de Cultura

Instituto Nacional de Bellas Artes

Fernando Juárez Frías y señora

Arq. Francisco Martínez Negrete

Ing. Sergio Montiel R. y familia

Sra. Sara Mota de Larrea

Museo Casa de la Bola

Museo de Aguascalientes, INBA

Museo Alhóndiga de Granaditas, Guanajuato, INAH

Museo Felipe Santiago Gutiérrez, Toluca, Estado de México

Museo Francisco Goitia, Zacatecas

Museo Nacional de Arte, INBA

Museo Nacional de Historia, INAH

Museo Nacional de San Carlos - INBA

Museo Regional de Guadalajara

Museo Regional de Querétaro - INAH

Museo Soumaya

Sra. Sara Pérez de Salazar

Ing. Lorenzo Zambrano

Entrevistas

Interviews

Agustín Castro-*México, D.F., mayo 2003*

Elena Climent-*Oaxaca, México, julio 2003*

Roberto Cortázar-*México, D.F., junio 2003*

Javier Cruz-*Cuernavaca, Morelos, México, junio 2003*

Nicolás de Jesús-*Chilpancingo, Gro., México, mayo 2003*

Maximino Javier-*Oaxaca, México, abril 2003*

Armando Jiménez-*México, D.F., marzo 2003*

Guillermo López Beltrán-*México, D.F., mayo 2003*

Rolando Rojas-*Oaxaca, México, marzo 2003*

Enrique Sánchez-*México, D.F., marzo 2003*

Indice Alfabético

Alphabetical Index

Bibliografía

Bibliography

Arte de las Academias
Luis Martín Lozano, Eloísa Uribe,
María Elena Altamirano
Mandato Antiguo Colegio de San Ildefonso – UNAM
México, 1999

Arte moderno contemporáneo de México, Tomo I, Siglo XIX
Justino Fernández
Instituto de Investigaciones Estéticas – UNAM
México, 1952

Bodegones mexicanos – Siglos XVIII, XIX y XX
Leonor Cortina
Multibanco Comermex
México, 1988

Bosquejos de México – Siglo XIX
Elisa Vargas Lugo de Bosch, Mario de la Torre, Elena Hors, José Guadalupe Victoria, Elena I. E. de Guerrero, Mario de la Torre
Banco de México
México, 1987

Casimiro Castro en su taller
Carlos Monsiváis, Ricardo Pérez Escamilla, Guadalupe Jiménez Codinach, Fausto Ramírez, Roberto l. Mayer, María Elena Altamirano Piolle
Instituto Mexiquense de Cultura – Banco de México – Fomento Cultural Banamex
México, 1996

Catálogo comentado del acervo del Museo Nacional de Arte – Pintura siglo XIX, Tomo I
CONACULTA – INBA
México, 2002

El arte efímero del siglo XIX – Historia de arte mexicano
Elisa García Barragán
SEP – INBA – Salvat
México, 1982

El nacionalismo y el arte mexicano
Lira González
Instituto de Investigaciones Estéticas – UNAM
México, 1986

El paisaje mexicano en la pintura del siglo XIX
Fomento Cultural Banamex
México, 1991

El pintor Pelegrín Clavé
Salvador Moreno
Instituto de Investigaciones Estéticas – UNAM
México, 1966

Guía del archivo de la Antigua Academia de San Carlos 1844–1867
Instituto de Investigaciones Estéticas – UNAM
México, 1976

Hacia otra historia del arte en México – De la estructura colonial a la exigencia nacional 1780-1860
Esther Acevedo, Angélica Velázquez Guadarrama
CONACULTA – CURARE, A.C.
México, 2001

Hermenegildo Bustos – Pintor de pueblo
Raquel Tibol
Ediciones ERA – CONACULTA
México, 1992

Hermenegildo Bustos 1832–1907
Gutierre Aceves Piña
Museo Nacional de Arte – INBA – Museo de Arte Contemporáneo de Monterrey, MARCO
México, 1993

Historia de la pintura en Puebla
Francisco Pérez de Salazar y Haro
Imprenta Universitaria
México, 1963

Historia de la pintura mexicana, Tomos I, II y III
Beatriz Espejo
Editorial Armonía – Comermex
México, 1989

Historia general de arte mexicano – Epoca moderna y contemporánea
Raquel Tibol
Hermes de México
Buenos Aires, 1981

Homenaje nacional – José Agustín Arrieta
Efraín Castro Morales
Museo Nacional de Arte – CONACULTA – INBA
México, 1994

Homenaje nacional – José María Velasco
María Elena Altamirano
Museo Nacional de Arte – CONACULTA – INBA
México, 1993

José María Velasco – Un paisaje de la ciencia en México
Instituto Mexiquense de Cultura
México, 1992

La colección pictórica del Banco Nacional de México – Pintura mexicana del siglo XIX
Angélica Velázquez
Fomento Cultural Banamex
México, 1992

La crítica de arte en México 1896–1921
Javier Moyssén
Instituto de Investigaciones Estéticas – UNAM
México, 1999

La crítica de arte en México en el siglo XIX, Tomos I, II y III
Ida Rodríguez Prampolini
Instituto de Investigaciones Estéticas – UNAM
México, 1997

La plástica del siglo de la independencia
Fausto Ramírez
Fondo Editorial de la Plástica Mexicana
México, 1985

Los bodegones de Agustín Arrieta
Francisco Cabrera
Artes de México No. 41
México, 1972

Los pinceles de la historia – De la patria criolla a la nación mexicana 1750–1860
Fausto Ramírez, Esther Acevedo, Jaime Cudriello, Helia Bonilla, María José Esparza Liberal, Elena Isabel E. de Guerrero, Ma. Teresa Suárez Molina, Antonio Rubial, Beatriz Berndt
Museo Nacional de Arte – CONACULTA – INBA
México, 2001

México en el siglo XIX
Alvaro Matute
UNAM – Lecturas Universitarias, No. 12
México, 1981

Naturaleza y verdad – Siglos XVII–XX
Elisa García Barragán, Trinidad de Antonio, Armando Torres Michúa
Museo Nacional de San Carlos – INBA
México, 1996

Pasión y destino
Esperanza Garrido, Raúl Arturo Díaz Sánchez, Alfonso Sánchez Arpech, Héctor Serrano Barquín
Instituto Mexiquense de Cultura – Gobierno del Estado de México
México, 1993

Pintoras mexicanas del siglo XIX
Leonor Cortina
Museo Nacional de San Carlos – INBA – SEP
México, 1985

Pintura y vida cotidiana en México 1650–1950
Gustavo Curiel, Fausto Ramírez, Antonio Rubial, Angélica Velázquez
Fomento Cultural Banamex – CONACULTA
México, 1999

Repertorio de artistas en México
Guillermo Tovar y de Teresa
Grupo Financiero Bancomer
México, 1996

Viajeros europeos – Siglo XIX en México
Elías Trabulse, Aurelio de los Reyes, Guadalupe Jiménez Codinach, Frank Holl, Pablo Diener, Mario Moya Palencia, John Orbell, Juana Gutiérrez Haces, Isabel Estrada de Guerrero, Concepción García Sáenz, José Enrique Covarrubias, Scott Wilcox, Jonathan King, Ferdinand Anders
Fomento Cultural Banamex
México, 1996

Portada • Cover
José Agustín Arrieta
La Sorpresa
Oleo sobre tela, 69.5 x 93 cm.
Museo Nacional de Historia, INAH

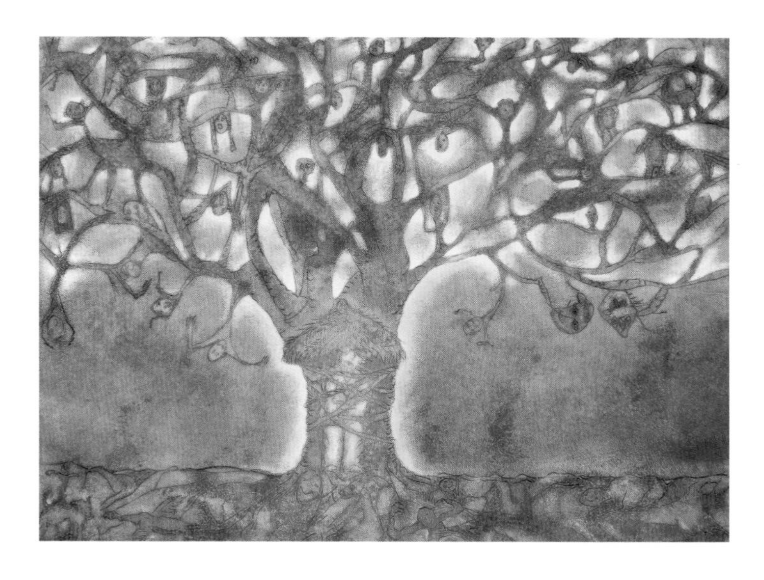

Portada • Cover
Javier Cruz
José Arcadio Buendía
amarrado en el castaño, 2001
Mixta, óleo sobre lino, 120 x 160 cm.
Colección Particular

páginas 50-51
José María Velasco
Puente curvo del Ferrocarril
Mexicano en la cañada
de Metlac, 1881
Oleo sobre tela, 121 x 153 cm.
Colección Particular

página 94
Hermenegildo Bustos
Bodegón con frutas, 1874
Oleo sobre tela, 41 x 33.5 cm.
Museo Nacional de Arte, INBA

página 95
Hermenegildo Bustos
Bodegón con frutas, 1877
Oleo sobre tela, 41 x 33.5 cm.
Instituto Nacional de Bellas Artes

páginas 138-139
Saturnino Herrán
Nuestros dioses, 1918
Lienzo mural al óleo
(tablero izquierdo del friso), 176 x 532 cm.
Colección Particular

páginas 182-183
Ernesto Icaza
En el corral
Oleo sobre tela, 40 x 60 cm.
Colección Club de Industriales, A. C.

páginas 226-227
Leandro Izaguirre
Encuentro de Cortés
con Moctezuma, s/f
Acuarela sobre cartón, 26 x 36 cm.
Colección Pascual Gutiérrez Roldán

Visión de México y sus Artistas

Paralelismos en la Plástica de los Siglos XIX y XXI
Tomo IV

Se terminó de imprimir en el mes de septiembre de 2003, en la ciudad de México.
Impreso en los talleres de Servicios Profesionales de Impresión, S.A. de C.V.,
Mimosas 31, Col. Sta. Ma. Insurgentes, 06430, México, D.F.
La pre-prensa estuvo a cargo de ColorFast, bajo el cuidado de María Rodríguez.
La edición consta de 6,000 ejemplares.
En su formación se utilizaron tipos de la familia Mrs. Eves.
Impreso en papel Creaprint de 200 grs. para interiores y forros.